ДНИ
САВЕЛИЯ

Григорий Служитель

ДНИ САВЕЛИЯ

РЕДАКЦИЯ ИЗДАТЕЛЬСТВО
ЕЛЕНЫ АСТ
ШУБИНОЙ МОСКВА

УДК 821.161.1-31
ББК 84(2Рос=Рус)6-44
    С49

Иллюстрации Александры Николаенко

Художественное оформление Андрея Бондаренко

Фото автора на переплете Натальи Зыковой

Перевод фрагментов на киргизский Айшат Асанбековой

Служитель, Григорий Михайлович.

С49   Дни Савелия : [роман] / Григорий Служитель; предисл. Е. Водолаз-
кина. — Москва : Издательство АСТ : Редакция Елены Шубиной, 2019. —
380, [4] с. — (Классное чтение).

ISBN 978-5-17-109158-3

Григорий Служитель родился в 1983 г. в Москве. Закончил режиссерский факультет
ГИТИСа (мастерская Сергея Женовача), актер Студии театрального искусства, со-
лист группы *O'Casey*. "Дни Савелия" — его первая книга. А нашел эту рукопись Евгений Водолазкин и написал предисловие.

"Коты в литературе — тема не новая. Не буду перечислять всех, кто писал об этих
священных животных, — от Кота Мурра Эрнста Теодора Гофмана и до Мури Ильи
Бояшова. И вот теперь Савелий. Мы-то понимаем, что за котами всякий раз просвечивают человеки. Герои Служителя — кто бы они ни были, коты или люди —
настоящие. Одинокие и страдающие, смеющиеся и любящие. Любовь в этом романе не заслуживает особых слов. Она — так уж сложилось — платоническая. Самая
высокая из всех любовей". *Евгений Водолазкин*

УДК 821.161.1-31
ББК 84(2Рос=Рус)6-44

СОДЕРЖАНИЕ

Евгений Водолазкин

Дни Григория

Обнаружив в своем почтовом ящике текст с названием "Дни Савелия", я по привычке попытался угадать, о чем он. Ассоциации шли в двух направлениях — прозы исторической и деревенской. Если иметь в виду "Дни Турбиных", скорее все же исторической.

Роман оказался о коте. Прочитав несколько начальных абзацев, я уже не смог оторваться. Дело было не в коте (котов я люблю бесконечно), а в качествах самого текста. В нем не было обычных для начинающего литератора петухов — звучал мощный, спокойный голос мастера.

Обладатель этого голоса — Григорий Служитель, актер Студии театрального искусства. Когда впоследствии я предположил, что это, вероятно, не первый его роман, он ответил, что — первый. Такой вот случай из области театрального искусства. Не знаю, как это возможно.

Впрочем, тут ведь не просто студия — Театр Женовача. Он имеет к литературе особое ухо, ведь бóльшая часть спектаклей Сергея Васильевича — это инсценировки литературных текстов. Не убежден, что завтра этот театр в полном составе войдет в русскую литературу, но то, что автор "Дней Савелия" оттуда, — симптоматично.

Актеры и писатели очень похожи: и те, и другие играют чью-то жизнь. По-разному, но играют. Писатели влезают в шкуру солдата, парикмахера, президента — и на время становятся и тем, и другим, и третьим. В любом создаваемом тексте им приходится исполнять абсолютно все роли. Их игра прекращается с поставленной в тексте точкой. У актеров, напротив, именно в этот момент она начинается.

Писатели — существа малоподвижные, с трескучими непоставленными голосами. Жесты их никудышны. Отдавая себе в этом отчет, они неохотно читают свои тексты в присутствии актеров. Скупыми сценическими средствами (опущенный взгляд, поднятая бровь) актеры доносят до писателей свое мнение об их исполнительских качествах.

Вместе с тем и создание текста актерами — дело не самое распространенное. Актеры знают, что для таких случаев у писателей, несмотря на бедность мимики, всегда найдется выражение светлой грусти. Четкое разграничение сфер деятельности — условие симбиоза писателей и актеров.

Но бывает так, что талантливый актер и талантливый писатель соединяются в одном лице. И тогда оба дара начинают взаимодействовать, усиливая и взращивая друг друга. Так сложилось у Григория Служителя.

Как литературовед, я не оставляю попыток объяснить рождение писателя в полной творческой зрелости. Я мог бы предположить, что произнесение со сцены хороших текстов воспитывает в человеке литературный стиль — независимо от того, пишет он или нет. Но (не как литературовед) думаю, что настоящий дар по большому счету не имеет объяснений.

Коты в литературе — тема не новая. Не буду перечислять всех, кто писал об этих древних и неприкосновенных животных, хотя мысленно и веду их учет. Не стану также говорить о том, что за котами всякий раз просвечивают человеки, и даже не упомяну *остранение* по Шкловскому. Скажу лишь, что герои Служителя — кто бы они ни были, коты или люди — настоящие. Одинокие и страдающие, смеющиеся и любящие. Любовь в этом романе заслуживает особых слов. Она — так уж сложилось — платоническая. Самая высокая из всех любовей.

Читая "Дни Савелия", ловил себя на мысли, что в этом романе автор стал полноценным котом. Занятие для столичного жителя нехарактерное, можно сказать — экзотическое, а вот для писателя — очень важное. Своим романом он доказал, что отныне может перевоплотиться в кого угодно, а мы, сидящие в партере, будем затаив дыхание следить за его превращениями.

Будем плакать и смеяться. И радоваться тому, что в нашей литературе появился такой Савелий.

Ну, и такой Григорий, конечно.

ДНИ
САВЕЛИЯ

Гермионе, Платону
и всем ушедшим друзьям

_Вспомнишь ли наши ясные дни? Вспомнишь ли,
как мы ежедневно встречали солнце на Яузе,
а провожали его на Большой Полянке?
Вспомнишь ли наши неспешные
прогулки вдоль Бауманской?
Вспомнишь ли, как согласно мы помавали
хвостами, спускаясь по Басманной?
Улыбнешься ли, как в тот час, когда первый луч
падал на золотой купол Никиты Мученика и слепил
твой изумрудный глаз?
Вспомнишь Покровку, Солянку, Хохловку?
Господи, где-то оно все?
Где-то оно все?_

I.
ОСОБНЯК

Если бы мне снова довелось иметь ребенка,
я хотела бы доверить его судьбу этому учреждению.

Запись Клементины Черчилль
в "Золотой книге" роддома им. Клары Цеткин

Признаюсь, с самого начала я был отмечен редкой для своих соплеменников особенностью: я узрел божий мир даже раньше, чем в него попал. Точнее, не мир, а те временные апартаменты, которые называются материнской утробой. С чем их сравнить? Это было… это было так, будто находишься внутри теплого пульсирующего апельсина. Сквозь мутные слюдяные стенки я мог разглядеть силуэты своих сестер и брата. И я тогда не был уверен, что они — не я. Потому что *я* никакого еще и не было. А чем было то, что не было даже *мной*, я ответить затрудняюсь.

Откуда-то издалека доносился гул. Недружественный мне гул. Я даже иногда пытался как мог

закрыть уши лапами. Точнее, то, чем тогда были мои уши, и тем, чем были лапы. Надо сказать, что лапы тогда мало чем отличались от ушей, а уши мало чем отличались от хвоста. Да и вообще, тогда мало что чем-то от чего-то отличалось. Всё было ровным и теплым. Всё было всем. Чудесное неотличие. Ничто себя не знало и ничто никак не называлось.

Конечно, я не понимал, что расту. Вместо этого я думал, что уменьшается в размерах моя обитель. Я вполне весело проводил время и, если бы мне дали право выбора, скорее всего, предпочел бы остаться. Хотя я сейчас это сказал, а ведь, уже родившись, мне часто казалось, что я так и не покинул родовую оболочку. Как бы то ни было, Ему зачем-то понадобилось, чтобы эту почву топтали еще четыре лапы, чтобы этот мир наблюдала еще одна пара глаз (прозревших, как и было уже сказано, раньше положенного срока), и все это в триллион первый раз пытался привести в мысленный порядок пускай и небольшой, но весьма эффективный клубок кошачьих мозгов.

Кажется, я немного забежал вперед*. Позвольте, я опишу обстоятельства, окружавшие первые рассветные недели моей жизни.

---

* Эта повесть вообще грешит как частыми забеганиями вперед, так и, наоборот, неуместными слезливыми ностальгическими ретроспекциями, в ущерб сюжету и здравому смыслу.

Итак, мамочка разрешилась мной, братиком и еще двумя сестричками в июне. Роды происходили легко и быстро: почувствовав, что "началось", она забралась под накрытый брезентом "запорожец" и приготовилась ждать. "Запорожец" стоял на одном месте долгие годы, и асфальт под колесами просел, а брезентовый колпак кое-где прохудился. У "запорожца" не хватало ни руля, ни сидений, ни фар, ни пепельницы, ни педалей, ни стеклоподъемных ручек, ни иных внутренних органов. Так он и стоял, обглоданный и обобранный, как труп дикого животного в лесу. Где-то был теперь его хозяин? Вот о чем думала моя мамочка, ожидая начала родов. Накрапывал грибной дождик, но прежде чем он перестал, мы уже родились.

Мир не содрогнулся от моего прихода, колокола в небесной выси не загудели. Кстати, о небесной выси. За городом в то лето горели торфяники, и небо было затянуто желтым смогом. Но другого неба я не знал, и потому оно мне казалось прекрасным. И вот из тумана проступили очертания маминой морды.

Мамочка носила красивое имя Глория. Она была совсем молоденькой. Она имела короткий, гладкий мех темно-серого цвета. В синих глазах застыли точки, которые увеличивались и чернели в минуту гнева или опасности. Над правой бровью проходила белая косая линия, сообщавшая всему ее существу какое-то трагическое выражение. Усы были длинные, не осекшиеся — мамочка всегда уме-

ла следить за собой, даже в самые тяжкие времена. Она обнюхала каждого из нас и тщательно облизала. Затем убрала послеродовую субстанцию и по очереди перенесла каждого в приготовленную заранее коробку из-под бананов. Похожие на слипшиеся леденцы монпансье, мы тихо пищали и млели на солнце. О, моя коробка! Моя колыбель, подбитая тополиным пухом, пахнущая подгнившими бананами *Chiquita*. Вместилище детских грез, чаяний, страхов и прочее, и прочее. Пользуясь преимуществом зрения, я опередил других котят — выбрал любимый сосок (левый, во втором ряду) и сразу же к нему припал. Мама мягко отодвинула меня задней лапой и спросила:

— Ты что, меня видишь, сыночек, да? Ты меня видишь?

— Да, мамочка! Не буду врать, я очень хорошо тебя вижу. Можно даже сказать, прекрасно! — ответил я и засосал молоко пуще прежнего. Мамочка задумалась.

— У котов так не бывает.

Я сделал еще глоток, вытер губы о мамин подшерсток и ответил:

— Да, мамочка, ты совершенно права! У котов так не бывает! Мне кажется, природа распорядилась так, чтобы этим частным исключением лишний раз подтвердить общее для всех котов правило!

— Ты уверен, сыночек?

— Нет, мамочка, совсем не уверен.

Насытившись, я прилег на бок и задумался. Негоже коту, пускай и возрастом всего лишь в несколько часов, ходить без имени.

— Мамочка, как меня зовут?

Она подумала и сказала, что меня зовут Савелий. Почему она назвала меня Савелием? Не знаю. Наверное, в честь своего любимого трехпроцентного творога "Саввушка", которым она питалась на протяжении всей беременности. Этот творог выносила на задворки магазина "АБК" кассирша Зина, и мама говорила, что это спасло нас от голодной смерти. В знак благодарности котолюбивой женщине она назвала одну мою сестренку Зиной, а другой сестренке дала имя АБК. А вот брата не успели никак назвать, потому что... В общем-то, он даже не успел понять, что родился. И возможно, с его точки зрения (если бы она у него была) это и хорошо. Потому что, когда вы еще настолько близки к одному краю небытия, другой его край не так уж сильно пугает. Ведь страх — это предчувствие утраты, а если у тебя еще ничего нет, то и бояться нечего. Думаю, и мама это понимала, и поэтому смерть сына не стала для нее трагедией. Она обратилась к похоронной бригаде кротов, и те предали брата земле в саду у большого тополя. Котовий век недолог. Судьба всегда чешет нас против шерсти.

Жизнь началась в старом купеческом районе Таганки, в Шелапутинском переулке, на высоком берегу Яузы. Наша коробка примостилась у старого особняка Морозовых. Да, мой знаменитый тезка — негоциант, театрал и самоубийца — отпрыск именно этого рода. Здание девятнадцатого века к началу нового тысячелетия совсем обветшало и обрюзгло. На фасаде болталась рваная строительная сетка, окна чернели копотью отбушевавших пожаров. Чердак облюбовала пара грачей. Круглое окошко на фронтоне бережно поддерживали по бокам два пухлейших купидона, и грачи, высунув наружу свои клювы, выглядели совсем как фамильный медальон. По уцелевшему кое-где рельефу неслась вприпрыжку стая нимф. За нимфами гнались и никак не могли их нагнать два разнузданных сатира. Голова и свирель у одного из сатиров давно отвалились, а одна нимфа потеряла на бегу ступню и колено. Веселый сюжет рельефа несколько контрастировал с назначением постройки: при Морозовых — богадельня для всех сословий, при советской власти — родильный дом имени Клары Цеткин. Особняк окружала пузатая чугунная ограда, и дубы протягивали свои ветви сквозь прутья, словно голодные заключенные за миской баланды.

Особняк хранил много историй. Например, кроты рассказывали, что в восьмидесятые заброшенное здание стал посещать молодой студент Суриковского училища, некто Белаквин (училище находилось совсем неподалеку, в Товарищеском переулке). Студент расставлял сопутствующие своему ремеслу причиндалы: треногу, мольберт, палитру — и полдня переводил свои впечатления от живописных руин на холст. Трудно сказать, насколько успешно складывалась его карьера рисовальщика, но только к концу нулевых он, уже пожилой, полный, со всклокоченной бородой мужчина, почему-то решил избрать развалины роддома местом своего постоянного проживания. Что-то его сюда влекло. Тянуло. Что именно? С годами я понял: рано или поздно мы становимся похожи на то, что любим.

Так очарованный увяданием молодой художник решил превратить в руины и собственную жизнь. Кроты добавляли, что где-то в особняке он обрел свой вечный покой. Впрочем, никто его праха не видел, поэтому кротам не удалось его похоронить.

Итак, ларчик открылся. И теперь наступила счастливая пора первоначального накопления. Камешки, травинки, спички, обрывки света и нот, сны и предсонья, пыль, пух, огни и темноты. Все это бережно собиралось, укладывалось и оседало на илистом дне моего сознания, чтобы обналичить меня, обозначить меня, утвердить меня. Моя никчемная казна, призрачное богатство. И какое мне дело, что со временем от надежд останутся только догорающие костры на холмах. Но это все потом, потом.

А сейчас… Да, сейчас мир принял меня благосклонно, и как бы в подтверждение этого мойщицы окон широкими размашистыми движениями приветствовали мой приход. С балкона дома напротив доносился музыкальный мотив. Точнее, *allegro* из концерта *L'amoroso* Антонио Вивальди. Обитатель четвертого этажа, вдовец и мизантроп Денис Алексеевич, слушал этот концерт с утра до вечера. Мне кажется, он был невысокого мнения о мире, в котором ему довелось оказаться шестьдесят четыре года назад. Да, он не давал нашей Земле ни единого шанса. Но он любил музыку. Он установил старый проигрыватель "Вега-117" на балконе, а колонки развернул на улицу. Звуки музыки оглашали округу и, по справедливому мнению Дениса Алексеевича, хоть как-то облагораживали безнадежные души шелапутинцев. То был поистине гимн моего младенчества! Да что это я! Вот, послушайте сами. Чуть-чуть, самое начало:

Прекрасно, да? Как я любил эту музыку! Я выстроил свою жизнь сообразно пропорциям *L'amoroso*. Во время обеда я попеременно нажимал правой и левой лапой на мамину грудь в ритме *allegro*: молоко поступало в меня то протяжными долгими *legato*, а то короткими порциями *staccato*. В урочные часы я кружился за собственным хвостом в темпе концерта. Я перепрыгивал трещинки в асфальте, стараясь приземлиться на сильные доли! Окрепнув, я научился сам подбираться под окна Дениса Алексеевича, чтобы лучше слышать звуки музыки, и тогда мне казалось, что даже голуби расселись на проводах в порядке нот из моего любимого опуса.

Маме не нравились мои отлучки. Хотя общественный транспорт почтительно обходил наш переулок стороной, а машины проезжали редко, но тем опаснее было их внезапное появление. Мама подбегала ко мне, хватала за шкирку и волокла назад в коробку. Пока она несла меня, я раскачивался в воздухе: синь небес — зелень трав, синь небес — зелень трав. Кувырок — дно коробки.

Я скоро научился превращать наказание в развлечение. Оказавшись в коробке в очередной раз, я плотно закрыл верхние створки, проделал в стенках множество отверстий и сел наблюдать за внешним миром. Солнечные лучи насквозь простреливали мою темную обитель с четырех сторон. Я получал невыразимое удовольствие от того, что был и не был одновременно. Из углов тянуло банановой прохладой. Я подставлял морду под горячие лучи и чихал. Через дырки я видел, как сестры мирно пасутся на лужайке; как подростки поджигают борозду пуха вдоль тротуара. Деятельный мир радовал, успокаивал и обещал принять меня на моих же условиях. Я думал, не есть ли эта радость к жизни как бы предварительный аванс, обещание последующей награды? Или наказания? Что по сути одно и то же, когда на кону вопрос: а будет ли вообще хоть что-то, будет ли это *grand après**, или его так-таки не будет? А уж какое оно там, велика ли разница?

— Савва! Коты — хрупкие, беззащитные существа, — говорила мне мама. — Когти и клыки дают нам преимущество только перед теми, кто слабее нас. Перед механизированным транспортом мы ничто. Не искушай судьбу. Никаких девяти жизней у тебя нет! Не считай, сколько из них ты успел из-

---

* Великое после (*фр.*).

расходовать. Савва, будь смел, но осторожен и рассудителен!

— Дорогая мамочка! Я хотел бы еще добавить, что жизнь не просто одна, но даже какая ни есть, она с каждым днем все убывает и убывает, как вода в дырявом корыте. Ведь мы не начинаем нашу жизнь каждый день. Мы продолжаем звучать, послушные чьему-то нажатию клавиши. А потом медленно затихаем. Сколько продлится моя фермата? Сколько? — обращал я вопрос в пустоту, так как мама скрылась и меня уже никто не слышал...

Ах, эти многоточия. Благословенны времена, когда многоточиями сочинители прошлого усеивали страницы своих повестей, так что читатель недоумевал, ошибка ли это набора, цензура, или автор просто забыл, что хотел сказать.

....
....
....
....
....
....

И вот по ночам, после изнурительных физических занятий и умственных упражнений, прижимаясь в моей колыбели к маминому животу и покусывая сестрин хвост, я думал: "Какое счастье иметь семью, пускай и неполноценную (вопрос отцовства у нас, как и в большинстве кошачьих семейств, разумеется, никогда не поднимался). Иметь мамочку и двух глупых, но любимых сестричек. Иметь свой кров, пускай и с протекающей дранкой. Иметь стены, пускай и картонные, но свои! Стены, пропахшие гнилыми бананами *Chiquita*. Простую миску творога. Плошку проточной воды. А скольким повезло гораздо меньше нашего!"

И тогда я думал о тех, кто поддерживал наши хрупкие жизни. Кто нас кормил, поил, кто за нами ухаживал. Ведь подобно отсвету давно потухшей звезды, разбитый особняк все-таки продолжал исполнять функции роддома/богадельни. Мы, например, как-никак, а родились именно здесь, и за нами совершал свой уход немногочисленный, но заботливый штат сотрудников.

Например, дворник Абдуллох, гражданин республики Таджикистан, уроженец села Парчасой, где на его иждивении оставалась семья из десяти человек, восемь из которых приходились ему детьми, одна супругой и одна — бабушкой. Он был приписан муниципалитетом к территории особняка. Каждое утро Абдуллох выходил на работу гладко выбритый, садился на приступку позади роддома и играл сам с собою в кости. Иногда он брался за метлу. Мерными взмахами счищал с дорожек пух, листья, дохлых жуков, а также первоцветы и соринки неизвестного происхождения. Все это поднималось в воздух и летало, летало.

Вскоре Абдуллох заметил нашу коробку. Он заглянул внутрь и сказал: "Ай, какие маленькие и весьма хорошие коты!" Потом сходил в "АБК" и вернулся с бутылкой воды и большой пачкой котячьего корма. Он вывалил желе на газету, и я тут же принялся за еду, одновременно уясняя себе политическую обстановку в стране и мировые цены на углеводороды. Потом я лег отдохнуть в кусты. Дворник почесывал пальцем мой живот, а я так называемым периферийным зрением ловил малейшее колыхание резеды, боярышника, поспевающей вишни[*] и орешника.

Наш сад был удивительно толерантен к самым разным видам флоры: бересклет счастливо уживался с лабазником, недотрога обыкновенная не причиняла никакого вреда шиповнику и, вы не поверите, ирга мирно делила почву с лапкой двудомной. Плотным кольцом вокруг сада росла крапива. Абдуллох неспешно организовывал пожухлую листву в небольшие кучки. Когда на щеках Абдуллоха намечалась тень щетины, это означало, что его рабочий день подходил к концу. Он складывал кости в бархатный мешочек и удалялся прочь. Через его плечо

---

[*]   Да, вишня у нас поспевала на пару месяцев раньше, чем в других районах Москвы.

была живописно перекинута метла, а свободной рукой он бил в невидимый бубен в ритм какой-то только ему слышной мелодии. Абдуллох исправно кормил нас каждое утро в восемь часов утра.

Но он был не единственным, кто оказывал посильную помощь нашей семье. Около полудня, услышав оклик, мы бросали игры, собирались возле мамочки и следовали за ней через дорогу, на угол дома 45, строение 2. Вскоре из-за поворота появлялся Митя Пляскин, котолюб и расклейщик рекламы милостью Божией. Длинные ноги его помещались в кроссовки о трех липучках. На преждевременно облысевшей голове была тряпичная кепка с пластиковым козырьком, поднятым вверх, на носу — большие старомодные очки с изогнутыми дужками. Он носил серые брюки клеш, вязаный жилет, а под ним — неизменную желтую рубашку. Через плечо Мити был протянут ремешок, сбоку на нем болталась старая кожаная портупея. Митины ладони всегда были молитвенно сомкнуты на груди, пальцы касались друг друга, как будто Митя обдумывал коварный план, рот приоткрыт, а взгляд выражал чувство легкого удивления.

Митя расклеивал на столбах и стенах объявления о сдаче, найме, съеме и продаже. Способ расклейки объявлений заслуживает особого упоминания. Сначала Митя долго примерял на глаз будущий участок работы: так и эдак наклонял голову, складывал пальцы в рамку. Затем наступала практическая фаза.

Митя тщательно проходил шпателем по поверхности, счищая с нее ошметки старой рекламы, и уже тогда только наносил клей буквой X и, аккуратно помогая себе валиком, наклеивал листок. Ни единого пузыря, ни единой складки. И последнее: ножницами, в строгом соответствии с пунктирными линиями, Митя надрезал объявления снизу. Потом они еще долго трепетали на ветру бахромой телефонных номеров. Трепетали, пока не превращались в те же самые ошметки, которые Митя аккуратно счищал, чтобы наклеить на их место новое объявление. Но квартиры в нашем районе почему-то не пользовались особенной популярностью, поэтому труд Мити был до некоторой степени бессмысленным.

"Котики мои маленькие! Котики!" — радостно восклицал Митя и постукивал запястьем о запястье. Он поднимал по очереди в воздух каждого члена семьи, включая мамочку, троекратно целовал нас в усы и гладил область лба. Потом сочувственно прижимал к щеке ладонь лодочкой и говорил: "Вы же голодные!" Мы громко соглашались с Митей. Тогда он, размахивая руками, спешил в "АБК". Стеклянная дверь еще продолжала раскачиваться, а он уже выбегал обратно, неся в руках трехпроцентный творог "Саввушка" и пакетик с желе для котят.

И конечно, надо еще раз упомянуть о кассирше Зине. Помимо провианта, которым она снабжала мамочку в пору ее беременности и в первые, наитруднейшие месяцы нашей жизни, это именно

она преподнесла нам в дар коробку из-под бананов *Chiquita*. Безвозмездно. Сходила на склад и принесла пустую коробку. И это несмотря на то, как тяжело сейчас с недвижимостью в Москве. Если бы вы знали, как тяжело.

Вот они — три наших главных благодетеля!

Обед (как и завтрак, и полдник, и ужин) проходил в узком семейном кругу. За столом мы делились впечатлениями дня, обсуждали планы на сегодняшний вечер, на завтрашнее утро: куда совершить прогулку, где встретить закат. Но что бы мы ни решили про любой другой день недели, каждое воскресенье мы отправлялись в район Сыромятнического шлюза, где проживала мамина сестра, а наша тетя Мадлен. Накануне вечером я специально ложился спать рано, чтобы поскорее наступило заветное утро. Как только мама облизывала мой лоб, я сразу засыпал, полный таинственной неги и трепета перед завтрашней прогулкой. Я очень любил тетю Мадлен. И, признаюсь, еще больше, чем тетю, я любил наше путешествие к ней.

Ранним утром, когда туман еще стелился в низине за особняком, когда в воздухе еще стоял густой звон колоколов Мартина Исповедника, мы уже выбирались из дому. Погонявшись за хвостом в ту, а потом в другую сторону, мы оставляли физические упражнения и шли завтракать. Затем, посидев и помолчав минутку, выступали в путь.

Во главе отряда бодрым аллюром шла мамочка, затем ковыляла сонная АБК, ее подгоняла Зина, а замыкал процессию я. Дорога в сторону шлюза, с остановками на отдых, занимала около часа. Кратчайший путь лежал через склон сразу за особняком, но мамочка справедливо рассудила, что дети могут поскользнуться на листве и кубарем выкатиться на проезжую часть, и потому решила идти в обход.

Мы прошли мимо подвала, в котором расположилась ремонтная мастерская "У дяди Коли". На вывеске было изображено надкусанное яблоко и рука, пришивающая к нему недостающий кусочек. Над яблоком вилась лента с живописно прорисованными изгибами и двуязыкими концами. Лента гласила: "Ваша поломка — наша проблема!" Но проблем у сервиса, к сожалению, было немного. То ли шелапутинцы были особенно бережливы, то ли просто предпочитали живое общение, но телефоны у них почти никогда не ломались. Дела мастерской шли неважно: сквозь веерообразную решетку мы могли днем и вечером наблюдать, как хозяин мастерской, дядя Коля, раскладывает на компьютере пасьянс "Косынка". На стене висел выцветший календарь с изображением Николая Угодника. Чем святой мог угодить своему тезке? Наверное, тем, чтобы гаджеты местных жителей выходили из строя как можно чаще, экраны трескались, шнуры перетирались и аккумуляторы иссякали.

На Николоямской прихожане разбредались по службам в храмы святителя Алексия, преподобного Сергия Радонежского и Мартина Исповедника. Местные жители отличались благочестием, и потому для их духовных нужд на маленьком пятачке в один квадратный километр выстроили целых три собора.

По троллейбусным проводам уже пробегали первые разряды тока; весело блестела на солнце лысина одноногого нищего Гоши, который ковылял на костылях к паперти Сергия Радонежского то ли молить Бога вернуть ему левую ногу, то ли хотя бы сохранить правую. Не спеша и чинно в сопровождении племянника ехала в инвалидном кресле к месту еженедельной проповеди Глафира Егоровна. Несмотря на летний сезон, голова ее была обмотана в теплый байковый платок, а ноги обуты в войлочные боты "прощай, молодость". Благостно сложив руки на животе и улыбаясь, она откинула голову набок и как будто уснула. На самом же деле она повторяла про себя тезисы будущей речи. Каждое воскресное утро племянник подвозил ее к Мартину Исповеднику и оставлял на стрелке, где сходятся улицы Солженицына и Станиславского, прямо напротив церкви. Там Глафира Егоровна в течение нескольких часов делилась с прохожими соображениями по поводу малодушия и бесхарактерности Адама, уступившего капризам Евы; анализировала ситуацию Ионы, вынужденного провести три дня и три ночи во чреве кита; тосковала вместе с ним и радовалась счастливому спасению; поощряла раскаяние блудного сына, во весь голос осуждала предательство Петра, и так далее и тому подобное.

Мы тем временем миновали старую каланчу, верхушку которой венчало множество разноцветных воздушных шариков. Надо объяснить, как они туда попали. Дело в том, что в условиях мировой рецессии местные банки, магазины или салоны красоты возникали быстро и исчезали стремительно. Например, вместо магазина появлялась новая аптека. Разумеется, церемония открытия не обходилась без торжественного запуска воздушных шариков. Под аплодисменты и свист шелапутинцев ввысь взмывала, положим, бело-синяя гроздь. Но ветром ее тут же относило к каланче: шарики цеплялись за верхушку, путались и оседали. Через пару месяцев вместо прогоревшей аптеки открывался тату-салон. К каланче присоединялась уже красно-черная группа. Потом желто-зеленая, фиолетовая и так далее, пока каланча издалека не становилась похожа на радужную шевелюру клоуна. Да, погода в здешних местах была ветреной, а экономическая ситуация в стране — нестабильной.

Мы прошли дом купцов Вишняковых. С недавних пор в нем открыли пункт помощи бездомным, которые теперь в большом количестве толпились у подъезда, ожидая начала раздачи еды. Часто перепадало и нам. Если местные собаки не успевали все сожрать, то мы (как сейчас) с удовольствием расправлялись с бараньим хрящиком или остатками похлебки из моркови и капусты. И это был так называемый второй, легкий завтрак.

На Андроньевской площади встречные автомобили салютовали нам, бибикали и с ревом тормозили, чертя шинами изящные завитки. Усвоив от мамочки первые уроки этикета, мы, конечно, кланялись им в ответ и учтиво улыбались. Но особенно нас восхитил трамвай № 20. Мамочка ушла чуть вперед, а мы задержались на рельсах, очарованные его старомодным шармом. Дребезжащий и медлительный, с нелепой трапецией на крыше, сыплющий на мостовую искрами, он со скрежетом остановился, навис над нами своими усами-решеткой и тяжело переводил дыхание. Он дал полюбоваться собой, а потом что было мочи загудел и отчаянно забил в звонок. Мы завизжали и понеслись к маме. И, конечно, тут же были отруганы и биты.

Особняк Морозовых давно исчез из виду. Опустевшая коробка из-под бананов осталась где-то там позади. В первый раз я отошел от дома так далеко. Справа высился Андроников монастырь, внизу плескалась Яуза, слева из утреннего тумана на Москву наступало нестройное сообщество высоток Сити. Тугоплавкие и огнестойкие, башни переливались змеиной чешуей, закручивались в спираль ДНК, устремлялись в небо исполинскими тюбиками. Было в них что-то чудовищное. Чудовищное, тревожное и страшное. Что-то такое, что вызывало ужас, но от чего невозможно было оторвать глаз, как от стихии.

У парапета набережной стоял какой-то господин. Он был в плаще и шляпе, на запястье у него висела палка. Он бросал в реку хлебные крошки, а утки, громко ругаясь и отпихивая друг друга, их ловили. Господин кормил птиц и приговаривал гнусавым голосом какие-то стихи. Кажется, "И долго буду тем любезен я народу…" По мосту прогромыхала электричка. Замелькали темные силуэты дачников, гастарбайтеров, милиционеров, пенсионеров и простых подмосквичей, мучимых похмельем и нестерпимой торфяной гарью. Пассажиры уткнулись в мобильные телефоны и играли в змейку, тетрис, мини-покер, припоминали количество выпитого накануне, улыбались, повторяя шутки из вчерашнего "Урганта", прикидывали, позволят ли осенью их скудные накопления отправиться куда-нибудь с семьей. Затиснутый между мамой и бабушкой, на скамейке сидел Витюша Пасечник и грустно смотрел в окно, мечтая о своей возлюбленной однокласснице Юле. Витюше предстоит сыграть в моей судьбе свою роль.

Электричка промчалась вон из Москвы, вослед ей уносился разнокалиберный лай. Это голосили собаки, вышедшие на утренний променад. Справа налево и слева направо летели пластиковые тарелки, мячики, прочие снаряды, и за ними гонялись как ненормальные местные бигли, корги и овчарки.

Мы прошли по мосткам через ручей Золотой рожок, и в сердце моем, как всегда, играл *L'amoroso*. Вот она — Яуза. Тихая вода. Хилое течение. Скудный приток. Сонная артерия. Изнанка. Тень. Что ты прячешь на своем дне? Какие декреты и рескрипты хранишь? Где полки, чьи трухлявые знамена увязли в твоем иле? Литавры ржавеют в твоих песках. Гул былых побед пробегает рябью по темным волнам. Старые забытые мотивы путаются в водорослях. Ветер играет на расстроенных клавикордах. Отжившие анекдоты блуждают среди рыб и уже давно никого не смешат. Невзрачная река. Слабая, бесплодная Яуза. Дряхлая няня, которую держат из жалости. Бобровый скит. Утиная заводь. Какие нивы ты орошаешь? Какие луга питаешь? Долгими ночами бормочешь про себя тюркские предания, считаешь по-немецки барыш от продажи овса или напеваешь шамкающим ртом песенки офеней-горемык. Милая моя река. Всешутейшая, всепьянейшая. Как полоумная старуха, ни за что не вспомнишь, что ела на завтрак, но расскажешь с удовольствием в тысячный раз байку про соколиные выезды Алексея Михалыча или изобразишь в лицах, как Бирон в шлафроке нараспашку маршировал пьяный впереди военного оркестра. Никогда, никогда лед не сковывает твои потоки. Морозными зимними днями ты так же бесстрастно воспринимаешь снег, как осенью отжившую листву и теплые дожди весной. С тем же гостеприимством тянешь на дно и хлебные крошки, и черный джип, не вписавшийся в поворот у Костомаровской излучины. И надо всем этим стоит легкий серый пар — эхо окриков, брани, приказов, шуток, песен, предсмертных воплей и любовных стонов. И одинаково равнодушно, как когда-то отражала бастионы Прешбурга, сегодня ты отражаешь сумрачный фасад института Баумана.

Мы уже издалека заметили уши тети Мадлен. Она забралась встречать нас на высокий парапет и сидела так, пока мы не приблизились. Тогда она спрыгнула к нам и принялась обниматься и облизываться с мамочкой. С верхнего бьефа плотины вода падала с грандиозным шумом, обдавала нас с сестрами брызгами, щекотала пылью, и скоро мы стали совсем мокрые. Мы играли, пытаясь укусить тут и там возникавшую радугу, и иногда это нам удавалось.

Апартаменты тети Мадлен представляли собой стиральную машину фирмы *Ariston* с фронтальным типом загрузки. Круглый иллюминатор освещал ее просторную комнату, а крыша из легкового пластика надежно защищала от непогоды. Смотритель шлюза, который опекал тетю, извлек из машины барабан, чем значительно расширил тетину жилплощадь. В летние месяцы прохладные чертоги *Ariston'a* спасали от жары, но вот зимой, когда становилось слишком холодно, тетя Мадлен уходила жить в помещение. Тетя отличалась мягким нравом и приятными манерами. Ей был открыт доступ во все уголки здания: в подвал, на кухню, в спальню смотрителя, на крышу и даже в рубку управления шлюзом.

Сперва, чтобы нагулять аппетит, тетя Мадлен предложила нам небольшую экскурсию. Аппетит и так был вполне нагулян, но мы не могли отказаться. Мы прошлись по дому смотрителя, по карнизам, вдоль балюстрады с пузатыми кеглями-балясинами, между статуй, изображавших героев соцтруда. Перешли по металлическому мостику через плотину, еще раз послушали шум водопада и наконец спустились вниз. Тетя Мадлен заранее приготовила небольшой пикник. Ржаные горбухи, остатки тунца в консервной банке, немного сухого корма из кролика и, конечно же, трехпроцентный творог "Саввушка", без которого в то время не обходился ни один кошачий стол. В качестве десерта тетя Мадлен подбросила шнурки из кроссовок смотрителя шлюза. Было очень вкусно.

Из обрывков разговора мамы и тети я понял, что судьба разлучила сестер около года назад. Всей семьей (бабушка, мама, тетя Мадлен и дядя Шарль) они проживали на берегу Золотого рожка. Но мама влюбилась, убежала из дома со своим избранником и стала жить в Шелапутинском. Потом мой дядя ушел искать счастья на запад, а бабушка чем-то заболела и умерла. Тетю Мадлен нашел смотритель шлюза Вячеслав и забрал жить к себе.

В бытовом плане дела тети Мадлен обстояли как нельзя лучше. Четырехразовое питание, фешенебельные апартаменты, волшебный вид на реку и парк, но личная жизнь не складывалась. Смотритель решил кастрировать тетю. С тех пор она потолстела и выглядела гораздо старше мамы, хотя родилась на три минуты раньше. Они с мамочкой, да и все в семье, были чрезвычайно похожи, так что я даже мог довообразить портрет нашего дяди и, думаю, не сильно ошибся бы, встретив его наяву. Правда, усы тети уже оставляли желать лучшего, и, в отличие от мамы, над бровью у нее не проходила белая полоска. Мама жила в естественном ритме кошки: не ускоряя, но и не замедляя времени. Забота о детях не оставляла ей возможности думать о себе, но это же и освобождало голову от вредных мыслей, вызывающих преждевременное старение. А вот праздность и излишек досуга сделали тетю Мадлен не в меру меланхоличной и нерешительной. Она давно забыла, что значит голод и холод. Она не добывала хлеба в поте лица своего — а ведь многие могли только мечтать о такой жизни. Но и перед домашними кошками у нее было ощутимое преимущество: Вячеслав не ограничивал ее передвижений, она гуляла, где хочет и когда хочет. Даже имя Фрося, которое смотритель дал тете, она переносила спокойно. "Бывает хуже. Фрося так Фрося". Короче, круглые сутки ей нечего было делать. Она маялась от скуки. Комфорт притуплял ее воображение.

Подростковые ссоры, мелочные скандалы и драки остались далеко позади. Теперь тетя Мадлен с мамочкой вступали в ту пору, когда общие воспоминания о детстве, о потерянном навсегда доме, об ушедшей матери и брате как магнитом притягивали их друг к другу; память требовала выговариваться, уточнять, делиться, признаваться. То, что так долго скрывалось, таилось в темных углах души, теперь выметалось на свет. Сестры откровенно признавались друг другу во всем. Время не индексирует детские эмоции. Обида прошлого не становится меньше с годами, а радость светит из детства так же ярко. Все вызволялось на свободу и, следовательно, проживалось заново. Оказалось, что запрятанную у гаража голову воблы похитил все-таки не брат Шарль, а Глория; что какой-то розыгрыш со стелькой устроил как раз Шарль, а не Мадлен; тетя рассказала, что перед самой смертью бабушка ей призналась, что, когда дети были еще слепые, она уронила в ручей их младшую сестру и всю оставшуюся жизнь мучилась и терзалась из-за этого.

Наконец наступил день, когда выговаривать уже стало нечего. Но переполненные нежностью друг к другу и к тому неопределенному, что их связывало, сестры стали повторять уже раз проговоренное, добавляя от себя какие-то новые штрихи и детали.

Я слушал рассказы из жизни бабушки, тети, дяди и мамочки и думал. Удивительно все-таки устроила природа. Мое присутствие на земле было еще таким недолгим. Биография моя только начинала писаться. Окажись я вдруг на пресс-конференции, возьми у меня сейчас кто-нибудь интервью, что бы я им сказал? Я бы смутил репортеров молчанием. Рассказать о себе было бы совсем нечего. Но все те истории, что имели место быть задолго до моего рождения, уже становились как бы частью моего времени. Ведь порой бывает труднее описать собственную жизнь, чем события, предшествовавшие нашему рождению. То, чему я не мог быть свидетелем, но услышанное с чужих слов, иногда кажется куда более реальным, чем факты своей же биографии; в глубине души мы едва полагаемся на собственные чувства и память, но охотнее доверяем чужим.

Ружье висит на стене. Стреляет оно, конечно, не во втором акте, а еще до начала первого; стреляет еще до того, как первый зритель войдет в зал. И все представление публике остается разве что слушать долгое-долгое эхо выстрела, который они не застали.

Мамочка и тетя Мадлен то и дело упоминали имя некоего Момуса. Насколько я мог понять, это был не самый порядочный кот в мире. Сестры обличали его как могли. Само его имя они произносили с отвращением. Кое-как, размытыми тропками и неясными стезями, суммируя приметы и вслушиваясь в полутона, я вдруг пришел к выводу: "Уж не есть ли этот загадочный Момус... мой отец?" Как странно. Судя по всему, это так. Во мне все затрезвонило и загудело, совсем как давешний трамвай. Точно, это мой отец. И должно быть, он успел погулять не только с мамочкой, но и с тетей и наверняка еще Бог знает с кем. Так что, может статься, добрая половина котят в округе приходятся мне родственниками. И имя у него какое-то — Момус. Я посмотрел на АБК и Зину — они залезли в стиральную машину и кусали разноцветные провода, обильно произраставшие на месте бывшего барабана. Я уж было открыл пасть, чтобы крикнуть "Я знаю, кто наш папа!", но вовремя осекся. Это не имело смысла. Имя — не заклятие. От частого его повторения Момус к нам не вернется. Да и зачем? Нужно ли? Вернись он к нам сейчас — с чего бы ему вдруг обрести качества порядочного кота после столь длительной разлуки? Однажды решив, что доставляет нам наибольшее удовольствие, мы уже не в силах сойти с выбранной дороги (позже я понял, что страдание по силе привязанности к нему ничем не уступает удовольствию (а часто его и превосходит, замечу в двойных скобках)).

...Пришло время прощаться. Должно быть, делали мы это довольно громко, потому что к нам подошла молодая пара с коляской. Юноша с бородкой и усиками, заостренными кверху, снимал нас на телефон, а девушка в очках в толстой оправе достала из коляски младенца и присела рядом. Младенец неопределенного рода был одет в комбинезончик с кошачьим полосатым хвостиком и кошачьими же ушками на капюшоне. Ему было весьма радостно разглядывать живые прототипы своего наряда. В подтверждение этого он запустил в нас погремушкой. Девушка подняла погремушку и сказала с преувеличенной родительской строгостью: "Сонечка, котики хорошие! Нельзя котиков обижать!" Сонечка улыбалась и делала ручкой, как будто хотела потрогать нас. Я принял приглашение и подошел к девочке близко-близко. Мама поставила ее на ножки, и девочка потянулась ко мне. Папа сказал что-то про помойку и лишай, но Соня уже гладила меня своей ладошкой, неумело и неловко шевеля пальцами, как делают только маленькие люди. Она смотрела в мои глаза, а я смотрел в ее. Они были невероятно голубые. Эти глаза казались щелками в какую-то запредельную потустороннюю голубизну, которой девочка наполнена изнутри. Она провела ладошкой по моим усам, но мама взяла ее подмышки, и Соня, громко плача и протягивая ко мне ручки, стала от меня удаляться и скрылась в коляске.

Хотя и Митя Пляскин, и Абдуллох, и продавщица Зина не раз брали меня на руки, я только сейчас, через это прикосновение с маленькой детской рукой даже не почувствовал, а как бы предувидел, каким он может быть там, в будущем, этот странный договор между котом и человеком. Когда ты как будто перестаешь принадлежать сам себе; когда отдаешь свою волю этому странному существу. Когда потребность человека в заботе пересекается с необходимостью кота выжить. Когда ты в конце концов решаешь ему довериться, а он, как я слышал, наделяет тебя какими-то мистическими свойствами, способностью врачевать, видеть злых духов в доме. Когда хозяин наслаждается собственной заботой, кормит и поит кота, а кот, испытывая безграничную благодарность, отвечает взаимностью — и изо всех сил не делает ничего. Лишь спит, урчит и вяло покатывает из стороны в сторону шерстяной клубок. Случится ли такое в моей жизни?

Мы построились в колонну и выдвинулись в Шелапутинский. Я снова шел последним. Я то и дело оборачивался назад. Фигура тети Мадлен на парапете все уменьшалась, пока совершенно не исчезла из виду. Блики играли на исподней стороне Таможенного мостика. Под стенами Андроникова монастыря на склоне трудилась бригада гастарбайтеров в оранжевых безрукавках. Среди них был Абдуллох. Он указал на нас черенком граблей и что-то сказал на своем языке. Все засмеялись. Они были очень похожи друг на друга. У каждого по карманному приемнику, который ловил одну и ту же радиоволну, у каждого по одинаковому золотому запасу в ротовой полости, у каждого одинаковое ленивое смирение в глазах. Я подумал, если уж они действительно настолько схожи между собой, то, скорее всего, у каждого из них есть еще и по кошачьей семье на попечении. Хорошо было бы.

Из трех больших храмов медленно вытекали струйки прихожан. В чем они могли исповедоваться перед священником, в каких прегрешениях сознаваться? Но каждый раз в воскресенье они всё так же исправно выполняли свой долг. Облегчали совесть, выплескивали вон из себя накопившуюся скверну, как застоявшийся чай из стакана. Разбредались по домам и готовили себе яичницу с сардельками, а потом заедали растворимый кофе печеньем "Юбилейное". После брались за тряпки и дружно (в каждом окне по шелапутинцу, николоямцу или пестовцу) принимались счищать со стекол копоть подмосковного торфа.

Скрипя ржавыми спицами на покривившихся ободах, ехала домой и Глафира Егоровна. Покойно сложив руки, она по-птичьи выглядывала из своего платка и раздавала направо и налево наставления. "А чего? А ты не стыдись благовествования! Не надо этого. Вы мне лучше вот что скажите-ка, а где он, мудрец? Где книжник? Где совопросник, так сказать, века сего, а? То-то же! Нету. А почему? А потому, — и Глафира Егоровна приподнимала указательный палец, — что когда мир своею мудростью не познал Бога, то благоугодно было Богу юродством проповеди спасти верующих. Вона! Ну так а что же! Ведь и иудеи требуют чудес, и эллины ищут мудрости. И молодцы эллины с иудеями. И пусть ищут". Племянник, держа коляску за поручни, кивал Глафире Егоровне, тяжело вздыхал и считал ее про себя святой.

Так шли мои дни. Я проводил их в играх, прогулках, упражнениях и занятиях. Я и сестры быстро росли, крепли. Как говорится, набирались сноровки и опыта. В детстве время равно самому себе. Оно приходится тебе в самую пору. Не спешит, не торопится. Не подгоняет, не тормозит. А потом с ним что-то происходит. Ему словно срывает резьбу. Или так: оно становится похоже на ту дурацкую шлейку, которая то ужасно жмет в шее и груди, а то наоборот — болтается слишком свободно, соблазняя к побегу. И я боялся будущего. Я боялся, что время испортится. Я не ждал от него ничего хорошего. Я много думал об этом, но мысли мои были бесплодны. Неопределенными были мои мысли. Каждый день зачаровывал меня своей невозвратимостью. Я оплакивал каждое сегодня, которое еще даже не успевало превратиться во вчера. Меня восхищало, поражало и пугало это таинственное правило, непреложный закон: уходить навсегда, в никуда. Исчезать, оседать в твоей памяти, как драгоценный песок в сите золотоискателя. Я шел лапами вперед, с головой, повернутой назад.

Часто по ночам я выбирался из нашей коробки и бродил по задворкам особняка среди бересклета и лабазника, среди лапки домовой и шиповника обыкновенного. Я вдыхал в себя аромат сада, вслушивался в кантаты сверчков, в их стройное беспрерывное пение. Я не видел в их труде ни смысла, ни цели, кроме той, какую, пожалуй, может преследовать любая музыка: подражать какому-то безвестному, невидимому, но все же существующему порядку. Голоса звучали так согласно, подхватывали друг друга так незаметно, что казалось — кто-то из них, тот, кто самый главный, самый почтенный, самый заслуженный сверчок, в черном бархатном фраке с полинявшими закрылками на спине, дирижирует ими, руководит. Но никто не руководил, никто не дирижировал. Мне чудилось присутствие неродившегося брата, слышалось сонное бормотание художника Белаквина и мягкие шаги Момуса...

Чем дальше я отходил от банановой коробки, тем сильнее становилось мое влечение к ней. Я словно тянул жгут, который требовал все больших усилий с каждым шагом. Я отпускал этот жгут и быстро бежал назад. Я осторожно забирался в коробку, устраивался возле мамы, как ни в чем не бывало подлезал под лапу АБК и прикрывался хвостом Зины. Я засыпал, и мне снилась старая Яуза.

Но вот пришел август и принес грозовые тучи. Начались затяжные дожди. Смог над городом стал рассеиваться. Многие шелапутинцы разъехались по дачам, и без того спокойный переулок совсем приутих и обезлюдел.

Был серый невзрачный день, один из тех дней, что остаются в памяти именно благодаря своей исключительной серости и невзрачности. Наш сад цвел пышно и пах самозабвенно. К сожалению, свидетелей тому вокруг было немного, если не считать моих сестер, мамочки, пары грачей, дюжины воробьев, бригады кротов (которые хоронили от нечего делать банку из-под кока-колы, выкапывали и хоронили снова) и прочей бесчисленной мелюзги. Мы с сестрами коротали послеобеденное время, развалившись на берегу огромной лужи и попивая из нее воду. С балкона доносились звуки *L'amoroso*. Я видел в отражении свою морду. Два конусовидных уха — классическое без десяти два.

— А вот скажи-ка, брат Савелий, — обратилась ко мне Зина, — ты бы хотел когда-нибудь оказаться в доме людей?

— Сложный вопрос, Зина, — ответил я. — Заглянуть на часок — да, я был бы не против.

— Нет, нет, — поддержала беседу АБК. — Сестрица имеет в виду не на часок, а насовсем! Вот ты, Савва, согласился бы провести всю жизнь среди людей в хорошо отапливаемой квартире, с регулярными обедами и ужинами, богатыми белками, жирами и прочими полезными ингредиентами, а?

На нос мне приземлилась божья коровка обратной расцветки: оранжевые пятнышки на черной мантии. Следуя простой логике, такое животное следовало бы называть коровьим божком.

— Девочки, я не могу сказать. Вот увижу потенциального хозяина, взвешу все *pro* и *contra*, тогда на месте и пойму, хочу я с ним жить или нет. А так я вам не могу сказать.

Сестры засмеялись.

— А ты и правда думаешь, кто-то будет интересоваться твоим мнением? — спросила АБК.

— Ну, я думал, это как-то полюбовно, что ли, происходит, разве нет? — девочки меня сильно смутили.

— Савва, ты дурак. Все знают, что никто никого ни о чем не спрашивает. Просто берут тебя в охапку и уносят.

— Это правда?

— Все это знают.

Я сел перед лужей обдумать услышанное. Но не успел. Музыка на балконе смолкла. Рядом стоял Витя Пасечник. Он бесцеремонно взял Зину двумя пальцами, раздвинул ей задние лапы, осмотрел ее и вернул на землю. Зина бросилась наутек. АБК попробовала улизнуть, но Витя успел ее схватить. С ней он провел ту же процедуру. Разочаровавшись увиденным, он отпустил и ее. Я от страха не мог шевельнуться. Наступил мой черед.

Видимо, Витя никогда не держал в руках котенка. Во время инспекции он сжал меня грубо и неумело. Определенно, увиденное ему понравилось, потому что он завернул меня в полотенце и понес с собой. Внутри у меня все рухнуло. Все упало. Все замерло, а потом завращалось и попадало в черную воронку. В горле застыл спазм, я не мог даже пискнуть. Только из-под складки полотенца вполглаза я мог рассмотреть свою родню. Она бежала за мной. Девочки громко плакали, мама что-то кричала. Что-то про когти. Наверное, она хотела, чтобы я вцепился в Витину руку когтями и сбежал. Но я потерял силы. Я ни на что не был способен. Я лишь почувствовал, что подо мной и вокруг меня почему-то становится очень тепло.

— Ну что, котик, описался? — ласково сказал Витя.

"Да, я описался", — мысленно ответил я.

Потихоньку я стал приходить в себя. Я вспомнил про когти, но, как ни пытался ими воспользоваться, они не могли проткнуть полотенце, чтобы добраться до руки. Укусить Витю я тоже не мог — голова не пролезала наружу. Оставалось только ждать, что будет.

Мы зашли в подъезд. Витя нес какую-то чушь про то, что "ну, лифтом мы тебя пугать не будем, пойдем пешочком". Пугать не будем. ПУГАТЬ НЕ БУДЕМ! Да я и так уже от страха свое имя забыл. Я кричал и кричал. Я перестал понимать, что я кричу, но продолжал кричать. Всё? Это всё? Ладно, соберись. Не убивать же он тебя несет. Новое что-то наступает. Совсем новое. Дивное. Новая жизнь. Как оно все быстро произошло. Пролет за пролетом. Обшарпанные двухцветные стены. Какой-то мужик шлепает тапками с мусорным ведром. Почему я его раньше никогда не видел? Или видел, но не могу узнать в интерьере подъезда, а на улице сразу бы узнал? Улыбается мне.

— Котенка со двора подобрал, Витюш?

— Подобрал, дядь Дим.

— Молодец, а то они там всё во дворе под колесами играют. Девочка?

— Да мальчик вроде.

— Он там нассал на тебя.

— Да я уж понял, дядь Дим.

— Ну, бывай, Витюш!

— До свидания.

Позади зевнул ржавый мусоропровод, и содержимое ведра с грохотом полетело вниз. Мы шли и шли. Когда же мы уже дойдем? Как долго. Уж и влага почти остыла. Витюша пробовал меня успокоить, пытался провести по моей спине большим пальцем, но вместо меня гладил складку полотенца. Он что-то все говорил и говорил. "Сейчас мы котика накормим. Напоим. Сейчас котику будет хорошо!" Я задрожал. Мне действительно очень сильно хотелось есть. И пить. И почему-то спать. Прощайте все.

Наконец мы остановились на лестничной клетке. Встали перед дверью, обитой кожзаменителем и туго затянутой леской в пухлые ромбики. Витюша нажал на звонок. Он разлился соловьиной трелью. Сбоку от меня на стене висел электрощиток. Через его окошко я видел, как бешено крутится кольцо счетчика с красной отметкой. Издалека нарастало шарканье чьих-то тапочек. Звук замка. Что теперь со мной будет? Что? То ли я потерял сознание, то ли провалился в сон. Но как я оказался в квартире, я не помню.

II.
ВИТЮША

———

Я очнулся на чем-то мягком. Открыв глаза, я обнаружил, что лежу на подстилке в плетеной корзине. Я поднял голову. Рядом на полу стояли металлические миски с водой и сухим кормом. Тут же была еще одна чашка с каким-то желе. Очевидно, все это было куплено не сегодня. Посуда блестела, а с корзинки даже не успели снять бирку. То есть Витюша уже давно вынашивал план похищения котенка. Успел подготовиться.

Первым делом я, разумеется, хорошенько подкрепился и оглядел свое новое жилище. Паркет елочкой. На подоконнике цветы. Белая стеклянная люстра, имитирующая тряпичный светильник. Компьютер в углу. Между окон вывешен горный пейзаж, составленный из пазла, кое-где кусочки отсутствуют. Шкаф-стенка. На полках выставлены хрустальные сервизы, памятные тарелки и керамические безделушки. Электробритва с нацарапанными словами "Артему Артемовичу, с 30-летием Победы, от сослуживцев".

———

И как же все быстро произошло. Как быстро. Я заслышал шаги и бросился обратно в корзинку. Дверь отворилась. Тихо вошел Витя. Я притворился спящим.

— Август? Ав-густ? Ау!

Очень интересно.

— Август! Просыпайся. Хватит спать.

Август, значит. Ну здравствуй, новый я. Я вспомнил слова тети Мадлен: "Бывает хуже. Бывает гораздо хуже". Ну что ж. И то верно, бывает гораздо хуже. Август так Август. Ладно. Надо привыкать к новому имени, новому жилью. Я посмотрел на своего патрона. На своего первого патрона! У него были большие черные глаза и до того покатые плечи, что фигура его напоминала узкую винную бутылку. Он был сутул, колени как-то странно согнуты, а в своих длинных руках он как будто нес невидимые ведра по шесть пудов каждое.

В комнату, шаркая тапочками, вошла бабушка Вити. Ее звали Раисой. В одной руке она держала сигарету, в другой — пепельницу и не расставалась с ними ни на минуту. Квартира тонула в пелене. Застоялый дым медленно перетекал из комнаты в комнату, словно скорбные безмолвные ду́хи. Мои легкие спасало лишь то, что я передвигался понизу, там хотя бы было чем дышать. Впрочем, с моим появлением форточки и окна стали немного приоткрывать.

Бабушке было около семидесяти. Более сорока из них она отдала преподаванию английского языка в школе. Мочки бабушкиных ушей, которые годами отягчали увесистые серьги, одрябли и обвисли. Выцветшие глаза ее смотрели спокойно, они все принимали и всех жалели. Она говорила очень мало и постоянно кивала головой — то ли из-за того, что у нее была болезнь Паркинсона, то ли из-за того, что наперед со всеми безропотно соглашалась.

— Проснулась кошечка?

— Ба, это кот. Его зовут Август.

— Надо было девочку брать. Они поспокойнее.

Лена Пасечник познакомилась с Сережей Дудиным на дне рождения приятеля. Если быть точнее, они обратили внимание друг на друга еще в метро; медленно оглядывали вагон слева направо и справа налево, не питая ни малейшего интереса ни к пассажирам, ни к пестрой рекламе, а только затем, чтобы на мгновение встретиться глазами.

На "Киевской" в вагон зашел безрукий инвалид. Не было понятно, куда класть милостыню, потому что соответствующая емкость у инвалида отсутствовала, так что его проход превратился в какое-то странное и совершенно бессмысленное дефиле. И от этого Лене с Сережей стало неловко, и они поняли это, и оба улыбнулись. А потом оказалось, что им выходить на одной станции, потому что их приятель жил в районе Митино. И в самом этом слове — Митино — судьба элегантно, по-английски, шутила над их встречей*. Потом они шли общим маршрутом, косыми дорожками между гаражей, пустырей и детских площадок. Они стали догадываться, что оба приглашены на одну вечеринку. И когда Сережа позвонил в домофон, то ответил имениннику за себя и за Лену: "Это мы — твои лучшие друзья!" И ехали они в лифте, уже что-то друг о друге предполагая, и в лифте смотрели себе под ноги; и было так тихо, что хотелось уронить ключи или откашляться. А потом они стояли вдвоем на площадке у квартиры и отскабливали ценники от своих подарков. И это их окончательно связало. Уже в квартире, наспех поздравив именинника, они как будто обратились в две заряженные частицы.

— Лена, знаешь, я чувствую, как будто мы обратились в две заряженные частицы, — сообщил Сережа.

— И я, и я тоже так чувствую, — ответила ему Лена.

А потом Сережа взял Лену за руку и повел ее вверх по этажам. И там, на последнем этаже, опершись о чердачную решетку, они зачали Витю.

А еще через три недели Сережа и Лена пошли гулять в парк Горького. И каждому было сказать другому что-то очень важное. Был глупый, серый день. Без числа и имени. В полном одиночестве

---

*   Игра слов. *Meeting* по-английски "встреча".

Сережа с Леной опробовали по очереди каждый аттракцион в зоне развлечений. Старый смотритель и по совместительству кассир заходил в будку, надевал фуражку и менял деньги на билеты. Потом снимал фуражку, выходил из будки и шел к пульту управления аттракционами. Должно быть, где-то на производстве он потерял два средних пальца, потому что рука его всегда изображала какой-то сатанинский жест. Очевидно, ему доставляло удовольствие исполнять свои обязанности. Он был гордым смотрителем. Его маленькая сморщенная рука приводила в движение огромный механизм. Он поднимал рычаг за черный набалдашник — оживал клоун с облупившимся носом и зелеными хохолками по бокам лысины. Глаза его зажигались, а руки били в тарелки. Из динамиков на столбах разгонялась зажеванная полька. Друг за другом торопились лампочки. Лена и Сережа усаживались в кабинку. Он пристегивал на Лене ремень и опускал поручень. Вагончики трогались. Лена прижималась к Сереже, зажмуривала глаза и не открывала их до самого конца. Их состав медленно поднимался по наклонной и потом бесцеремонно бухался вниз, чтобы у самой земли в последний миг одуматься и снова взлететь. Лену с Сережей качало, роняло, трясло и опрокидывало. Москва-река сверкала то справа, то слева, то прямо над головой. Лена беззвучно ужасалась, а Сережа смотрел перед собой и думал о чем-то своем.

Смотритель стоял внизу и, задрав голову, фотографировал Лену и Сережу на свой полароид, хотя его об этом никто не просил. Но он делал это так, на всякий случай, если им вдруг захочется приобрести пару кадров. Но им не хотелось приобрести пару кадров.

Потом они гуляли по дорожкам парка и Лена ела карамельных петушков. Из-за излучины Москвы-реки выплывали безлюдные трамвайчики. Пустые и голодные. Сережа сжимал Ленину руку в своем кармане. Напевал какую-то мелодию. Потом вдруг остановился, притянул Лену к себе и поцеловал. Сильно и долго. Они сели на скамейку. Сережа чертил каблуком на земле какую-то формулу, а Лена хрустела петушком. Каждый подбирал нужные слова. Первым подобрал Сережа:

— Лена. Мне нужно сказать тебе одну вещь.

— Правда? Мне тоже.

— Тогда говори.

— Нет, ты первый.

— Давай ты первая.

— Нет, ты начал, ты и говори.

— Хорошо.

Оба смотрели себе под ноги.

— Дело в том, что… — Сережа задумался.

— В чем? — спросила Лена, держа петушка на отлете и разбирая загадочные закорючки, которые чертил Сережа.

Сережа выдохнул и сказал:

— В общем, дело в том, что мне дают место в университете Хьюстона.

Лена нахмурилась, отвернулась. Потом быстро взяла его под руку и прижалась к нему.

— Ну, это же прекрасно. Правда?

— Да, это очень хорошо. Это очень хорошо.

Лена слышала, как визжит следующая партия пассажиров на аттракционе.

— Это ведь не все, что ты хотел мне сказать?

— Нет, не все. Я не могу тебя взять с собой.

— Та-а-ак, — протянула Лена, не выпуская обглоданную палочку изо рта. — Вот оно что. Совсем не можешь?

— Совсем. Дают только два места, — запнулся и добавил как-то скороговоркой: — Будем изучать свойства плазмы. Делиться опытом с американскими коллегами. Это прорыв в двусторонних отношениях.

Лена согласилась с Сережей, что это прорыв в двусторонних отношениях. Потом выпрямилась и внимательно посмотрела ему в глаза. Она хотела было что-то сказать, но промолчала. Они сидели так минут десять.

— Ты ведь тоже что-то хотела сказать?

— И когда ты уезжаешь?

— Послезавтра.

— Даже так?

— Что "так"?

— Так скоро?

Мимо прошла пара с аттракциона. Она тоже ела петушок, а он быстро-быстро махал в руке снимком полароида.

— Говори теперь ты.

— Нет, ничего.

— Слушай, Лен...

— Да?

— Я правда должен ехать. Все это... Ты ведь понимаешь меня?

— Да, я тебя понимаю. Это окончательное решение, да? Ты точно уедешь?

— Да. У меня уже билеты. Мне сделали визу. Я, как только там освоюсь, сразу тебя к себе приглашу, — сказал Сережа, и здесь уже слова его стали выходить как-то легче. — Нет, правда. Ей-богу. Это очень прибыльное дело.

— Да, очень прибыльное дело.

Лена еще раз посмотрела в глаза Сереже. Она смотрела в них долго и внимательно, как будто там было что-то еще; что-то такое, что могло сообщить о решении Сережи больше, чем его слова. Она заметила у него над бровью маленький белесый шрам. Ей было странно, что она раньше его не замечала.

— Там огромная лаборатория, самая большая в Техасе. Одна из лучших в Штатах.

— Слушай, а откуда у тебя этот шрам?

— А?

— Откуда у тебя этот шрам над бровью?

— Да так, подрался в детстве.

— М-м, подрался в детстве. Понятно.

Когда у Лены настал срок, пришлось ехать в другой район, потому что роддом имени Клары Цеткин уже давно пустовал. Неожиданно взялся помочь брат Сережи Боря. Он привез Лену и ее маму в роддом на машине. Оплатил дополнительные расходы. Когда все кончилось, передал ей огромный букет и игрушечную собаку. Такие же букеты и собаки лежали почти у каждой койки в палате, потому что покупали их в одном и том же магазине подарков за углом, но Лене все равно это было приятно.

Оказанные услуги почему-то убедили Борю, что теперь он имеет на Лену некоторые права. Боря наезжал к ней не реже двух раз в месяц. Он всегда был сильно пьян. Делился своими успехами в бизнесе (Боря торговал брянским комбикормом) и хвастался связями в криминальном мире. Все норовил выпить с Леной на брудершафт, тянулся ее поцеловать. Каждый раз говорил, что их пути с женой вот-вот разойдутся и что он хочет изменить свою жизнь. Лена не поддавалась, но после его ухода обнаруживала у зеркала в коридоре конверт с деньгами. Это было кстати. Денег в семье было мало. Отучившись на филолога, Лена не смогла найти работу по профилю. Она работала в автосалоне: редактировала договоры и контракты. Ее мама оставалась дома с внуком и переводила с английского дешевые детективы.

Вечерами Лена грела руки над конфоркой, потом брала диск, на обложке которого была изображена полуголая воительница, оседлавшая дракона на фоне пурпурного заката, а внизу оттененным курсивом было написано *Romantic Collection*. Лена включала любимую песню *Scorpions "Still Loving You"*. Песня играла на повторе много раз. Лена думала о том, что место самого Сережи в памяти все больше занимают его окрестности: любимые сигареты *Lucky Strike*, джинсовая куртка или привычка чертить пальцем по воздуху, на поверхности стола или на стене всякие невидимые формулы. Но само его лицо почему-то вырисовывалось каким-то смазанным. Как будто Сережа отражался в запотевшем зеркале.

Однажды, спустя года три-четыре, Лена ехала по эскалатору и заметила впереди сверху кого-то очень похожего на Сережу. Когда этот кто-то приблизился настолько, чтобы можно было сказать наверняка, Сережа это или нет, световой плафон закрыл его лицо, и он так и проехал мимо, спрятанный от Лены. К своему неудовольствию, Лена заметила, что сердце забилось и стало проситься наружу — через кофту, пальто и туда, вниз по ступенькам, за тем, кто так был похож на Сережу.

Дни Лены были безрадостными и пустыми. Ей нужна была помощь. И эта помощь пришла. И не от кого-нибудь, а от полковника Уолкотта, адвоката Джаджа и Елены Петровны Блаватской.

Как-то на развале у метро "Марксистская" она приобрела книгу Блаватской "Голос Безмолвия. Семь врат. Два пути". С удовольствием прочитав книгу, Лена вернулась на развал и докупила еще "Загадочные племена на Голубых горах". Потом "Синтез оккультной науки" Джаджа. Потом "Великие посвященные" Эдуарда Щюре, "Две жизни" Конкордии Антаровой. И вот Лена стала интересоваться сферами, чье влияние простирается за пределы земных представлений. Она увлеклась эзотерическими учениями, тайнами священной триософии, трудами великих пророков: с благоговением раскрывала лепестки "Розы мира" Даниила Андреева, вместе с Карлосом Кастанедой совершала путешествие в Икстлан и, держась за шпагу Эммануэля Сведенборга, пролетала над несметными ангельскими сонмами внутренних небес. Она зачитывалась трудами Блаватской, перепечатанными несколько криво со старых дореволюционных изданий; разбиралась в таинственных рисунках средневековой космогонии и запоминала, каким созвездиям, стихиям и числам соответствует каждая ступень, ведущая к храму Соломона; перелистывала старые номера "Науки и религии", выписывала газету "Тайная власть". По воскресеньям вместе с подругой она посещала лекции известного астролога Савла Глыбы. Там, в едва отапливаемом помещении ДК Горбунова, она конспектировала озябшими пальцами тезисы ученого. Через два с половиной часа (лекция длилась около шести часов), зажмурив глаза и напевая про себя песенку, чтобы самой не слышать шуршание целлофана, она осторожно доставала из пакета бутерброд. Лектор, чья борода была столь черна, что издалека казалась синей, производил впечатление героя старинной сказки, а множество продрогших слушательниц выступали в роли его обреченных жен. В перерыве женщины спускались в холл, где распределялись по группкам и, двоясь в высоких зеркалах, обменивались впечатлениями. Тогда только обнаруживалось, что на лекциях присутствуют и мужчины. Эти весьма худые и приятные в общении люди смотрели вокруг сквозь линзы таких невозможных диоптрий, что, казалось, они только вчера родились и никак не могут надивиться миру.

Да, новое увлечение вселило в Лену надежду, что все не напрасно. Что все не случайно. Что все окупится и оправдается.

Подрастал Витя. Однажды, натягивая на него рейтузы, Лена вдруг поняла, что постарела. И ей это понравилось. Как бы в подтверждение этого из дверки в настенных часах выскочила кукушка и, склонив голову набок, поприветствовала мать и сына.

Детство Витюши было унылым и неинтересным. Витя рос тихим, спокойным ребенком. Серость детских лет нарушали только разноцветные тома

"Библиотеки приключений". В то время как бабушка смотрела мексиканские сериалы, а мама чертила гороскопы, двухлетний Витя гладил и облизывал старенький глобус. Австралия на нем совсем обшарпалась, а вдоль Марианской впадины проходила не геологическая, но реальная трещина. В эту трещину маленький Витюша заглядывал, гукал и с удовольствием плевал. Он мерил планету, вышагивая ее пальцами, — от Антарктики до Антарктиды, от Гренландии до Японии. К четырем годам Витюша знал наизусть столицы всех государств. К шести уже решал шахматные задачи. К восьми стал замечать, что избыток знаний и чрезмерная молчаливость вызывают у окружающих детей неприязнь и тревогу. Неуспехи в физкультуре эту тревогу и неприязнь умножили и закрепили. А класс, как назло, выдался на редкость спортивный. Уроки походили на пытку. Прыгали в высоту — Витя делал долгий разбег, но перед самыми матами вдруг тормозил и, по-птичьи трепеща руками, падал плашмя на планку. Забирались по канату — Витя еле карабкался под самый потолок, но на обратный путь не оставалось ни душевных, ни физических сил. Вцепившись в канат, он с ужасом озирал обратный путь и громко звал на помощь. Слезы стекали по щекам на ладони, с ладоней на локти, с локтей на колени, с коленей на кеды и наконец свободно летели на пол спортзала. Играли в волейбол — подбросив мяч на подаче, Витя никогда, никогда, никогда не мог по нему попасть.

Витюша превратился в мишень для насмешек и издевательств.

Он стал изгоем. К одиннадцати он отгородился от мира узким кругом преданных друзей: Айвенго, Робинзон Крузо, Гулливер, д'Артаньян и Чингачгук. После уроков Витюша ложился на кровать и плакал. Он переживал вновь и вновь нанесенные одноклассниками обиды. Друзья толпились у кровати и утешали Витюшу каждый на свой лад. Д'Артаньян бил по спинке кровати кулаком и советовал переколоть обидчиков шпагой. Робинзон предлагал Вите бросить школу и дом, сбить плот и отправиться вниз по Яузе. Молчаливый Чингачгук кивал перьями, обдавая присутствующих ветерком. В окне сочувственно моргал гигантский глаз Гулливера.

Витя приготовился пройти по жизни, зажмурив глаза. Он не ожидал впереди ничего хорошего. Он стал догадываться довольно рано, что желающего судьба ведет, а нежелающего тянет.

Но он любил не только читать. Витюша Пасечник любил кататься на электричках. Несколько раз в год класс выбирался за город на пикник или на экскурсию в какую-нибудь усадьбу. В поезде Витя малодушно усаживался спиной против движения. Незначительные события за окном: полустанки, рощицы, будки смотрителя, озерца и маленькие уютные кладбища на пригорке — на все это он любил смотреть не анфас, но с тыла; пейзаж проходил перед ним, как устаревшие новости, которые Витя узнавал последним. Он обожал наблюдать. Он считал, что единственное занятие, достойное живого существа, — это смотреть по сторонам. В этом он значительно преуспел.

Нельзя сказать, что Витя был совсем одинок. Все-таки у него имелся один школьный друг, Ромыч, но дружба их складывалась довольно странно. В начальных классах они не испытывали друг к другу особого расположения, но, когда они стали постарше, их объединило нечто посильнее общих интересов, а именно обида. В школе их третировали по разным причинам. Витюшу — из-за его чрезмерной замкнутости, Ромыча — из-за его полноты: одноклассники называли его "Роман в мягкой обложке". С Ромычем Витя часто прогуливался по району после школы, размахивая пакетами со сменкой, попивая йогурт и бросая камешки в Яузу. По установившейся между ними моде друзья не надевали на себя куртку целиком, а натягивали на голову только капюшон. Они много беседовали. Папа Ромыча открыл шиномонтаж, и сам Ромыч увлекся автомобилями. Он подолгу рассказывал Витюше о преимуществах *Audi* перед *BMW* или *Citroen* перед *Peugeot*. Витюша слушал друга, угадывая, в каких местах надо вставить подходящее случаю "хм", "ого" или "вау". Когда Ромыч заканчивал, друзья еще какое-то время шли в тишине, загребая ботинками листья. Потом вступал Витя. Он делился с Ромычем сюжетами древнегреческих мифов в редакции Куна или объяснял, откуда Дюма взял имена для своих мушкетеров, и припоминал названия каравелл, на которых Колумб причалил к острову Сан-Сальвадор. Дослушав рассказы, Витя и Ромыч разбредались по домам.

Довольно часто они приходили друг к другу в гости. Витюша помогал Ромычу делать уроки, Ромыч обучал Витюшу хитростям игры в *FIFA*. Но в школе Ромыч друга если и замечал, то обходился с ним очень холодно. Витя думал, что это только оттого, что в школе надо быть сосредоточенным на учебе, а так как Ромычу науки давались тяжело, то и усилий от него требовалось в два раза больше. Вот он и уделяет урокам больше внимания, чем Вите. Но та же история повторялась и на переменах. Ромыч избегал его, общался с ним как-то вяло и как будто всегда искал и слишком быстро находил повод уйти. В общем, Витя наконец нашел в себе силы признаться: он Ромычу не нужен. И с тех пор Витя прекратил общение с бывшим товарищем. Дружба их стала быстро таять, как позабытый снеговик на весеннем солнышке.

Шло время. Витя вступал в беспокойную пору отрочества. Между уроками он простаивал в углу, рассматривая серые полусферы школьного звонка. Две металлические выпуклости с выдающимися гайками посередине будоражили его воображение. Он проникся к звонку загадочным и благоговейным чувством, какое язычник питает к предмету культа. Он зарисовывал звонок карандашом в блокноте.

Тонкими штрихами оттенял упругий металл. Старательно выводил грани гаек. Послюнявив палец, ретушировал едва заметную вмятинку под левым полушарием. Сны Витюши становились тяжелыми и вязкими. Организм менялся. Иногда Вите как будто слышался шорох и даже скрип, с которыми увеличивается и раздается его тело.

Подрос не только Витя, подросли и его одноклассники. И одноклассницы. Подросла и Юля Новикова. Юля Новикова, которая сидела через парту и в один наушник слушала старомодный трип-хоп; которая раз в месяц перекрашивала волосы; которая организовала с подругой дуэт "-тся/-ться" и давала по воскресеньям онлайн концерты в ютюбе; которая однажды заявилась в класс с шеей, обернутой в целлофановую пленку, а когда ее сняла, то всем открылась внушительная разноцветная татуировка в виде дельфина; которая пряталась по углам на переменах и читала Эдгара По и Кафку; и главное, та Юля Новикова, которая всегда, всегда, всегда оставалась молчаливой и сохраняла высокомерное равнодушие, в то время как остальной класс глумился и потешался над Витей.

Гулливер перестал заглядывать в окно Витюши, перья Чингачгука больше не овевали комнату, д'Артаньян не стучал кулаком по кровати. Юля медленно вытеснила из мыслей Вити все его прошлые интересы. Влечение к Юле вселило в него уверенность, привязанность к ней подарила силу, которая убедила его, хотя бы ненадолго, что он способен на все. Это было то время, когда Витя ничего не боялся.

Он завел страницы в соцсетях — только чтобы следить за той, другой жизнью Юли. Он стал слушать ее любимую музыку, смотреть ее любимые фильмы. Но чем больше он пытался в нее проникнуть, сродниться с ней, принять ее, тем дальше от нее оказывался. Он изучал ее, как новый язык, но каждое усвоенное о ней слово вдруг разбивалось еще на десять непонятных, каждая прополотая к ней тропинка разделялась еще на двадцать. Даже ее лицо, которое, как ему казалось, он окончательно себе уяснил, вдруг обретало нюанс, какого он раньше не замечал. И это полностью разрушало сложившееся представление о ней.

В голове у Вити уживался целый выводок Юлей. Разных качеств, достоинств и характеров. Все они были совершенны, все были неуловимы. Каждая была для него драгоценна, и ни одной из них он не мог в том признаться.

Если любить — это значит хотеть касаться, то да, Витя был влюблен. Касаться — единственное, чего он хотел. Он касался Юли взглядом и помыслом. Он заходил в класс раньше всех и касался ее пустующего стула. Он касался ее рюкзака, в котором одна лямка была всегда длиннее другой; он касался десятков тысяч пикселей, которые составляли на экране ее фотографии и слова в ее статусах, каждого в отдельности и всех разом; он касался ее имени, каждой буквы в нем, даже пустого округлого пространства в Ю и Я. Все, что имело с ней хоть какую-то связь, хоть какое-то к ней отношение, одухотворялось и обретало скрытый объем, как картинки "Третий глаз". Ее одежда, ее вещи, ее прическа, татуировка, неизменная жвачка "5" с одуряющим запахом мяты. Ее полумифические папа с мамой, которые никогда не ходили на родительские собрания и вообще не появлялись в школе и которых, должно быть, никогда и не было, потому что трудно было поверить, что она могла когда-то родиться вот так же, как все. Эти бесчисленные приметы обратились в формулу, которую Витя выучил наизусть, но чей смысл совершенно, абсолютно, безнадежно не понимал.

Это чувство натягивалось, как канат. Оно держало Витю на привязи и сковывало его движения. Оно требовало выхода. Эта сила зрела, но Витя не знал, что с ней делать. Он покупал Юле билеты на концерт *Massive Attack*, но так и не отважился подарить. Он покупал цветы, но боялся, что она такие не любит, и оставлял их дома. Воспользовавшись тем, что день рождения — естественный повод для подарка, преподнес ей электронную книгу. Она поблагодарила, но продолжала ходить в школу со своими книгами. Любой случайный знак внимания с ее стороны оглушал, как удар в пудовый гонг. Просьба подержать место в очереди в столовку, или ее куртка, оказавшаяся рядом на вешалке в гардеробе, или неожиданный лайк какой-нибудь его записи "ВКонтакте".

Шло время. Чувство Вити не ослабевало, но менялось. Он не узнавал себя месячной давности. Витюша собирался после школы учиться на историка. Он читал много книг. Где-то он прочел, что когда Чингисхан выходил по утрам из кромешного мрака юрты, то перед ним выстраивался коридор рабов, которые держали перед правителем шелковые платки всех цветов радуги — от самого темного до самого светлого. Так глаза Чингисхана постепенно привыкали к яркому степному солнцу. И так же Витя привыкал к своему чувству.

Однажды ночью он не выдержал. Сел за компьютер и одним выдохом, не отводя глаз от клавиатуры, настрочил письмо и тут же, не проверяя, отправил. Письмо было следующего содержания:

Ljhjufz^ >kz! Vjz ;bpym ,tp nt,z yt bvttn cvsckf! Z nt,z jxtym cbkmyj k.,k.& Z ghjie nt,z cnfnm vjtq&.*

Потом он сел у окна, положил локти на подоконник и стал ждать ответа. Грачи тихо беседовали в круглой люкарне роддома. Безголовые сатиры устало, нехотя, но все-таки преследовали сонных нимф. Витя глядел на небо. Луна восходила каждую ночь. Каждую ночь. Исчезала утром, чтобы непременно, во что бы то ни стало вернуться вечером, как пятно в Кентервильском замке. Звезд видно не было, но Витя знал, что

---

*   Дорогая Юля! Моя жизнь без тебя не имеет смысла! Я тебя очень сильно люблю. Я прошу тебя стать моей.

они где-то там, за крышами, светят себе без страсти
и желания, как актер в бесконечном сериале, которому осточертела и слава, и деньги, но который обязан выполнять свою работу согласно контрактным
обязательствам. Было так тихо, что Витя слышал, как
у соседей сверху завибрировала эсэмэска. Витя решил про себя, что если тень от ветки коснется стола,
то Юля будет с ним. Будет с ним... Что это значит —
будет с ним? Она вдруг, ни с того ни с сего, обнару-
жит в нем какие-то не замеченные раньше преимущества? С чего бы это? Она переоценит... Раздался
звук полученного сообщения.

Витя вернулся к компьютеру и прочитал: "Витя,
прости, никаких романтических отношений у нас
с тобой не будет, а просто общаться мне с тобой тяжело".

Витя посмотрел на стол: тень от ветки то на-
катывала на него, широко расползаясь по всей поверхности, то отступала назад. Что же теперь делать?
Как себя заново обрести? Что-то тяжелое и темное
поднималось из глубины; что-то нехорошее вызре-
вало, стучало и надвигалось снизу, как расшатанный
старый лифт, скрипя несмазанными тросами, посту-
кивая о балки. Что же это было? Предчувствие гря-
дущих поражений, будущих провалов, безоговороч-
ных капитуляций. Вот его удел. Пустить сигнальную
ракету, собрать остатки верных ему частей? Напрасно. Каких частей? Не было у него никогда никаких
частей. На что он рассчитывал? Чего он ожидал?

Ложная надежда. Глупая самоуверенность. Зачем же он согласился проехать по этой дороге, зная наперед каждый ее камешек, каждый изгиб, каждую рытвину и неровность? Предвидя, предчувствуя печальный итог путешествия. И вот его старинный драндулет, пыхтя и пуская черные выхлопы, отчаянно сигналя клаксоном, неумолимо въезжает в болото. И под лягушачий реквием и последние напутствия кулика торжественно опускается в трясину. Навсегда.

Близится последний звонок, ЕГЭ, потом они перестанут видеться. Надо как-то прожить оставшиеся недели. Они поступят в разные институты или лучше, чтобы его забрали в армию. Так их пути навсегда разойдутся. Поскорее бы. Поскорее бы. Но, возможно, когда пройдет много-много лет, окажется, что эта любовь была похожа на брошенный в воду камень, круги от которого будут расходиться всю его жизнь.

Нужно было найти исход своей тоске. И Витя нашел. Этим выходом стал я.

На одной из многочисленных полок Витиного шкафа я увидел фотографию. Шелапутинский переулок. Снежный день. Особняк Морозовых. Почти все руки и ноги у купидонов целы, головы и плечи у нимф на месте. Мой родной "запорожец". Еще без брезентового колпака, все внутренние органы в порядке, колеса накачаны. С забора выглядывают грачи — совсем птенцы. Сережин брат Боря держит

в руке два фужера накрест, как маракасы, и дирижирует участниками съемки. Мама бережно обнимает
куль с новорожденным Витюшей, тут же бабушка
Раиса неловко пытается спрятать сигарету. Еще жи-
вой дедушка Артем. Смотрит куда-то вон из кадра,
как будто предчувствует скорую кончину. Две подруги Лены в одинаковых серых пальто и мохеровых
капорах. Почему-то держатся за руки. Угол фотографии закрыт чем-то багровым. Это попал в объектив
палец фотографа. Внизу выжженными цифрами ука-
зана дата съемки. 15.11. 14:38. Но кто стоит за фотоаппаратом, уже никто никогда не вспомнит.

Первым делом Витя перенес меня в ванную. Дверь
ее была обклеена пленкой, имитирующей древеси-
ну. Посредине висела табличка с изображением сло-
ненка, принимающего душ. Рядом на двери туалета
тот же слоненок в профиль к зрителю справлял ма-
лую нужду в унитаз. В комнате на двух квадратных
метрах ютились собственно ванна, стиральная машина, раковина и бак для грязной одежды. Ванная,
как, впрочем, и туалет, и коридор, и все три комнаты, представляла собой жалкое зрелище и безмолвно
требовала ремонта.

Витя заткнул раковину резиновой пробкой
и пустил воду. Я почуял неладное, но до поры до
времени старался не подавать виду. Витя неловко
держал меня за шкирку и приговаривал какую-то

нелепицу про "спокойствие" и "смелых мальчиков". Я бы на его месте совершил надлежащее без лишних приговорок, они меня только нервировали. Вообще, в моем патроне удивительным образом сочетались крайняя щепетильность, заботливость в намерениях и совершенная неуклюжесть на практике. Вот и сейчас он бесцеремонно бросил меня в раковину, так что я ударился о дно и наглотался воды. Я снова не успел воспользоваться ни клыками, ни когтями. Витя больно чесал меня какими-то щетками, намыливал шкуру едким шампунем с изображением лошади на флаконе, мял меня и всячески мучил. Конечно, справедливости ради надо признать, что я служил настоящим питомником для различных насекомых и прочих мелких гадов. Шампунь "Лошадиная сила" знал свое дело: мои обитатели в спешке разбегались, разлетались и расползались по сторонам. Кого успевал — я съедал на месте, остальные шли ко дну и там оканчивали свое жалкое существование.

Вода была омерзительна. Она была гадка и противна. От воды хотелось отмыться. Вместе с грязью с меня сходили милые мне привычки, приметы, особенности и черты. Я даже подумал, что у меня стерлось лицо. Наконец я был извлечен из раковины, тщательно вытерт, высушен и отнесен обратно в комнату. Но мытарства мои не закончились. Витя усадил меня на колени. В пальцах у него сверкнули маленькие ножнички, и он принялся весьма неумело, коряво и, скажем прямо, неталантливо остригать

мои когти. Естественно, что, незнакомый с проце-
дурами маникюра, я оказывал агрессору посильное
сопротивление. Вотще. Это лишь добавило Виктору
спортивной злости и куража. Пару раз он переусерд-
ствовал и угодил острием в капилляры. Я завизжал
от боли. Но вот что странно: резкой была боль и нестерпимой обида, однако я не мог не сознаться себе,
что нахожу место для новых открытий. Ведь это была
самая первая боль в моей жизни, как и первое уни-
жение. Скажем так, оскорбительная помывка шампунем "Лошадиная сила" — не торжественный ли это
прием, непременная инициация? *Sine qua non**, если
позволите. Не это ли. Но зачем мне это все? Зачем?
То есть я был призван затушить остатки тлеющего
чувства Витюши? Я должен был возместить урон?
Но я никогда не хотел согревать ничьих охладевших
сердец. Да и вообще, что это за привычка? Откуда,
из каких шумеров и месопотамий пошла эта глупая
традиция заделывать котами душевные бреши?

До вечера я проспал в корзине и был разбужен
криками. Витина мама пришла домой, и Витя представил ей нового квартиранта. Новость не пришлась
маме по душе. Нет, она не оценила по достоинству
идею сына. Напротив, после короткого затишья
разразилась настоящая буря. Начались ругательства
и угрозы. Бабушка в это время смотрела в своей комнате сериал. Она сделала звук в телевизоре громче,

* Непременное условие (*лат.*).

и к русской ругани теперь добавилась еще и ругань латиноамериканская. На пике скандала послышался звук разбитой посуды — это приказала долго жить любимая мамина кружка.

Я закрыл глаза и приготовился к экстрадиции в родной двор.

Но во двор я не вернулся. Нет, я так и не увидел коробки из-под бананов *Chiquita* и не встретился ни с кем из моих близких. Я долго думал, почему же хозяйка все-таки согласилась оставить меня дома? Но думы мои были пусты и бесплодны. Мама дошла до крайней степени жалости к себе. Разбитая кружка, так сказать, переполнила чашу ее терпения. Она решила, что пусть в очередной раз все будет именно так, как ей не хочется. Возможно, она слишком привыкла, что в жизни все идет не по ее сценарию, и даже научилась получать от этого удовольствие. Возможно, истинной победой для нее было тотальное, выстраданное поражение. А возможно, и нет. Так или иначе, я стал жить в семье Пасечников.

Моя первая встреча с мамой Леной состоялась только через пять дней после моего заселения. Я, чего уж скрывать, по природе своей трусоват, поэтому старался избегать попадаться ей на глаза. Но все-таки наше знакомство не могло не состояться. Это случилось, когда мама вернулась с работы, а я вышел на вечернюю прогулку из комнаты Витюши. Мы встали друг перед другом в разных концах коридора, как дуэлянты в фильмах про Дикий Запад. Мама

Лена была похожа на постаревшего ребенка. Даже не так... Скорее, на забытую в парке куклу. Да, на куклу, которую оставили на качелях, и она так и просидела под дождем и снегом с раскрытыми объятиями много-много месяцев. У Витиной мамы были большие черные глаза, как и у ее сына, и черные же волосы, уже с проседью, которую она почему-то не закрашивала. У нее были маленькие губы бантиком и бледная кожа. На лице ее всегда было напряжение, как будто она что-то пыталась запомнить или решить сложную арифметическую задачу. Не знаю, сколько бы мы так простояли, но захрипел механизм в настенных часах, из дверцы выскочила заспанная кукушка и сообщила, что наступил десятый час вечера. Я уселся на задние лапы и отрекомендовал себя в самой галантной и изысканной манере. Мама Лена ничего мне не ответила. Повесила плащ на крючок и пошла с сумками на кухню. Потом вернулась, села передо мной и с тем же тяжелым выражением на лице тщательно меня погладила и почесала. Я лег на спину и выставил перед ней живот в знак того, что не ожидаю от нее подвоха. Она даже изобразила на лице что-то вроде улыбки*.

---

* Время от времени, когда никого не было вокруг, когда мама Лена была в настроении, такие сеансы повторялись. Но она никогда не позволяла обнаружить свою нежность ко мне в присутствии сына или своей матери. Чаще всего ее отношение ко мне балансировало между презрением и жестокостью.

Приняв постриг, лапы мои обмякли, поэтому о порче обоев или человечьей одежды можно было на время забыть. Зато я отыгрывался на цветах в комнате бабуси. На подоконнике у нее расположилась целая оранжерея. Герань клубилась, бильбергия топорщилась, крестовник роули... нет, крестовник роули рос просто, тихо и неприметно. Но моим любимцем был *Aloe arborescens*. Его экстрактом бабушка лечила всю семью от насморка. Твердые листы алоэ неохотно поддавались моим клыкам, но когда я наконец с хрустом их прокусывал, то горький и приятный сок растекался по моим внутренностям и бодрил меня и пьянил. Бабушка, конечно, замечала следы клыков на стеблях и листочках, но была в высшей степени снисходительна и терпелива к моим проказам. В некотором смысле она и меня считала чем-то сродни цветку. И, скажем так, не смела вмешиваться в жизнь дикой природы и регулировать ее законы, к которым она относилась с тем большим почтением, что они были ей совершенно неизвестны.

Я долго не мог понять, что я *должен* делать, но очень быстро понял, чего я точно *не должен* делать никогда. В первую очередь запреты касались сферы мочеиспускания и калоизвержения. Разумеется, обычно я справлял нужду в специально устроенный для этой цели лоток. Но однажды все-таки не удержался и испытал судьбу, оставив по артефакту в том и другом сапоге мамы Лены. Этими же самыми сапогами я был немедленно бит.

Затем мне строго-настрого запрещено было есть с человеческого стола. Мне и так этого не особо хотелось, но жизнь в дворовой коммуне, где все запросто, где все общее, давала о себе знать. Резким движением меня смахивали со стола (между прочим, так я обнаружил в себе счастливое умение всегда приземляться на лапы). Добавлю, что никакие увещевания и угрозы не действовали, если на столе оказывался трехпроцентный творог "Саввушка".

В-третьих, спать мне дозволялось везде, кроме человеческой постели. Уж этого я никак принять не мог. Я тепел, шерстист и, если надо, нежен. Но у них было свое мнение на этот счет. Наименьшей толерантностью в этом вопросе, как вы догадываетесь, отличалась мама Лена. Чуть только я засыпал в пролежнях пледа или в любовно обустроенной пещере под одеялом, она тут же лягала меня и сбрасывала прочь. Но я не испытывал к ней ненависти. Скорее, сочувствие. Или жалость, если угодно. К тому же, мне кажется, я был полезен с точки зрения ментальной профилактики, эмоциональной разрядки. Я, кот, оказался козлом отпущения, безропотной тварью, на которой можно было срывать свой гнев и раздражение. Если точкой опоры можно было назвать ее глубокую несчастливость, то в роли рычага выступал я.

Благодаря запретам я смог сделать несколько открытий относительно себя самого. Я не был злопамятен и мстлив. В любой, даже самой опасной для меня ситуации я старался до последнего встать на точку зрения оппонента, оправдать его, докопаться до истоков, обнаружить те импульсы, которые побудили его причинить мне зло/боль/страдание*.

Я быстро понял, что от меня требовалось: смягчать нравы Пасечников. Правда, если не считать мамы Лены, нравы домашних и так были куда как мягки. Так что, скорее, мне вменялось разводить черные тучи на небосклоне Пасечников, разряжать грозовую атмосферу в доме. Урчать, ласться, совершать неловкие прыжки (они особенно умиляли моих домочадцев), часто лежать на спине, раздвинув лапы. Я счастливо справлялся со своей миссией.

Миновала неделя. Природа, как говорится, брала свое. Когти мои быстро отрастали. Стричь их Витя так и не научился, а стачивать когти о линолеум — занятие бесперспективное. С развлечениями дела также обстояли неважно. Мне, ей-богу, надоело гонять по коридору одну и ту же тапку, оставшуюся еще от деда Артема. А к тапкам в этом доме относились с большим почтением. Можно было отыскать тапку какой-нибудь двоюродной прабабки или свод-

---

* Но буду честен, я едва ли в этом преуспел. До истоков я никогда не докапывался, а импульсы не обнаруживал. Но, уверен, одна попытка уже достойна похвалы, не правда ли?

ной сестры деда. В семейном альбоме не нашлось бы фотографии второй жены деверя, зато в шкафу всегда можно было отыскать ее тапки. Как они попадали сюда и почему хранились именно здесь, сказать бы уже никто не смог.

Для тапок был устроен специальный шкаф, сбитый отцом деда Артема (тоже Артемом, к слову). Когда дверца приотворялась, шкаф высвобождал наружу едкие пары гуталина. Для Вити это был запах самого́ прошлого. Именно гуталин вдохновил Витю связать свою жизнь с историей. Если речь заходила о том, чтобы наконец выбросить тапки на помойку, со дна Пасечниковых душ всплывало то, что можно было бы назвать *моральными принципами*. И эти принципы предписывали оставить тапки на прежних местах.

Пары были разрознены. Кому-то недоставало левого или правого товарища. Правая тапка внучатой племянницы покоилась в обнимку с правой же тапкой какой-то тети. Многие из родственников никогда друг друга не видели при жизни, зато вот таким экстравагантным образом могли, так сказать, соприкоснуться тенями, завести знакомство уже после своей кончины. Тапочки с трудом умещались в шкафу. Некоторые умудрялись выбраться из шкафа и потом долго дрейфовали по всей квартире.

Да, игрушек было мало. Мне требовались новые тренажеры. Витя себе это наконец уяснил и однажды пришел домой с покупками. Теперь к моим услугам был широкий ассортимент последних достижений в области котоводства:

Мышь лазерная	1 шт.
Мышь механическая на ДУ	1 шт.
Мышь меховая производства *IKEA* (серая и коричневая)	2 шт.
Голова-газон (мелкотравчатая)	2 шт.
Когтедралка (цилиндрическая)	1 шт.
Когтедралка (плоская)	1 шт.
Шарики резиновые со вкусом мяты	4 шт.

Согласитесь, было чем себя занять. Но из всех игрушек по-настоящему я смог подружиться только с икеевской серой мышью. Я назвал ее Стиллавинью, в честь любимой песни мамы Лены. Ах, если бы она только могла об этом узнать. Уверен, что кусочек ее сердца, отведенный для любви ко мне, тотчас бы оттаял. Да, было что-то в Стиллавинью такое, я бы сказал, располагающее. Что-то выжидательное, безобидное и доверчивое. Глухонемое плюшевое создание. Безмолвный хранитель моих исповедей.

Разумеется, в человеческом жилище я до этого никогда не бывал; большинство устройств я видел впервые в жизни, поэтому их смысл и назначение я усвоил не сразу. Но одно хитроумное приспособление вызвало у меня особый интерес. Это был унитаз. Он завораживал меня. Сверху унитаз выглядел... Хм. А как выглядел унитаз? Скажем так: он был похож на троекратное "О", уменьшающееся в перспективе. Керамика и форма сообщали конструкции невероятные акустические характеристики. Я забирался на ободок и громко, протяжно мяукал. Мой голос отдавал эхом по всей воронке. Таинственные процессы в бачке, журчание ручейка в унитазе напоминали мне Сыромятнический шлюз, обиталище тети Мадлен. Мама Лена замечала меня медитирующим в таком положении, и ей это не нравилось. Она со стуком закрывала крышку унитаза для того, "чтобы кот не утонул", как она говорила. Но я-то знал, что побуждала ее к этому отнюдь не забота обо мне, а лишь желание ограничить круг моих развлечений.

Однажды я смотрел телевизор. Шла передача про животных. Ведущий рассказывал про жизнь краснолицых обезьян с острова Хонсю. Была зима, шел снег. Обезьяны забирались в горячие термальные источники и проводили там целые дни. Это было восхитительно. Над источником шел пар, смешанный со снегом. Обезьяны, прикрыв глаза, думали о чем-то своем, сугубо обезьяньем, сохраняя при этом царственное, умиротворенное выражение на лицах. Кто-то тихо беседовал с соседом, кто-то спал, опустив голову на плечо родственника или друга. Мне захотелось придумать что-нибудь в том же роде для себя. И я придумал.

По воскресеньям семья собиралась за завтраком. Бабушка готовила яичницу, заваривала чай, нарезала бутерброды, раскладывала на блюдце печенье "Юбилейное". Все садились за стол и глядели в верхний угол, где висел телевизор. Шла передача "Пока все дома". Когда чай был выпит, бутерброды подъедены, а ведущий прощался с аудиторией до следующего воскресенья, все расходились по своим комнатам. В это время я запрыгивал на стол и подходил к чайнику. Я аккуратно сбивал крышку и погружался в керамическую емкость. Я устраивал зад на горячем дне, а лапы располагал на внутреннем выступе. Живот приходился прямо напротив жерла, который снаружи оканчивался носиком. Голова оставалась снаружи, и я засыпал. Просыпался как раз тогда, когда чайник уже совершенно остывал. Чайная церемония подходила к концу.

Да, не спорю, это была странная привычка. Но если поначалу мною двигал исключительно дух противоречия, подростковое упрямство, то потом я действительно полюбил эту процедуру, а со временем не мог без нее обходиться. Я делал так каждое воскресенье, пока не вырос и уже не мог поместиться в чайнике. Но я ни разу не был замечен в своих пристрастиях. Нет, никто никогда не видел, как я провожу время после семейного завтрака. Это осталось моей тайной. А каждому живому существу нужна тайна. Живому существу нужен орех, который он спрятал много-много лет назад и никому никогда о нем не говорит.

Нет нужды сообщать, что большую часть суток я проводил во сне. Стоило мне прилечь на подло-

котник кресла, задуматься о чем-то под шкафом
или просто утомиться от игры, как сон распускался
в мозгу коралловой вязью. Естественно, чаще всего
мне снились мамочка с сестричками. Снилась коробка и "запорожец". Тетя Мадлен и стиралка *Ariston*.
Однажды приснился даже Савва Морозов. Он сидел
за большущим столом, покрытым зеленым сукном,
в свете матовой лампы и что-то писал в тетради. Потом он отложил пенсне и внимательно на меня уставился, перебирая большими пальцами сцепленных
рук. Мне была назначена встреча. Он достал часы на
цепочке, выпустил воздух из надутых щек и развел
руками: "Что же это вы, голубчик, припаздываете, а?
Время вышло-с!" И меня выдуло из кабинета мощным потоком. Я летел в кромешной тьме, вращался
вокруг, не зная, где небо, где земля. Я летел и летел.
Я касался хвостом лба, усами задних лап и не знал,
куда и зачем меня несет. Я боялся, что никогда не
успокоюсь, что вечно буду вот так вращаться, до
скончания веков, пока и сама темнота не сотрется
и вместо нее не настанет что-то, чему еще нет даже
прообраза.

Иногда мне снилась Яуза. Но она была очень
широкой. Другой ее берег едва был виден. Я спускался к воде, где должен был быть мост, но вместо
него я видел одни лишь сваи, длинной извилистой
грядой тянувшиеся вдаль, покуда хватало глаз. А оттуда, с другого берега, на меня смотрел маленький
кот. Я знал, что это мой брат. Я хотел ему что-то

крикнуть, но не мог, потому что не знал его имени. И тогда я всегда просыпался.

Пока Витя был на учебе, а мама Лена на работе, бабушка Раиса оставалась дома. Она смотрела сериалы, спала или курила на кухне. У нее была одна маленькая страсть: раз в месяц она доставала из шкафа старые школьные тетради и заново их перепроверяла. Так повторялось из года в год. Тетрадные листы пожелтели, красный цвет отметок полинял. Некоторые из ее учеников давно уже обзавелись не только детьми, но и внуками. Некоторых уже не было в живых, а бабушка все так же продолжала находить в их работах не замеченные раньше ошибки.

Больше всего мне нравилось проводить время в ее комнате. Часы здесь протекали умиротворенно и тихо. Бабушкина память все больше напоминала школьную доску, на которой сквозь сегодняшний урок проступали начертания урока вчерашнего, и позавчерашнего, и позапозавчерашнего. На полке, прислоненная к вазе, стояла овальная фотография бабушкиного мужа Артема. Из вазы выглядывал искусственный букет с глицериновыми каплями росы на листочках. Я укладывал голову на выпуклость в линолеуме и засыпал. Иногда до меня долетали обрывки английских фраз — это бабушка обращалась к своему умершему мужу на фотографии: *"Don't look at me that way, darling"** или *"It's only 12 o'clock, my dear. I know*

---

* Не смотри так на меня, дорогой *(англ.)*.

you're hungry but it's not lunchtime yet". Потом она говорила: *"August, come with me"***, — и шаркала на кухню. Никто, кроме меня, не знал, что со мной и с дедушкой Артемом она говорила исключительно по-английски.

На кухне она снимала с огня кастрюлю компота, наливала себе стакан и ставила его остывать на подоконник. Я прыгал на окно, созерцал ржавые доспехи сухофруктов в стакане и следил за жизнью двора. Я слышал знакомые голоса. Сквозь листву я мог разглядеть сестричек или мамочку, а иногда их вместе. Мною овладевала невыносимая тоска. Она не имела исхода, и ее нельзя было утолить. Я вставал за задние лапы, а передними стучал по стеклу. Я кричал им. Я звал их. Я просился к ним. Я как мог старался донести до них, что со мною все хорошо, что я здесь, что я думаю о них; что я все тот же Савва — их Савва, а никакой не Август, и что мне ничего, ничего здесь не нужно; что я очень сильно хочу домой, хочу вернуться в коробку. Но они, конечно, меня не слышали. Не слышали и не видели. Тогда мне казалось, что я сплю. Да, это было похоже на дурной сон. Как будто мне снится, что я витаю над родными невидимым, бесплотным духом. Касаюсь их, а они не чувствуют моих прикосновений. Шепчу им прямо на ухо, а они не слышат моего шепо-

---

*   Только 12 часов, милый. Я знаю, ты голоден, но еще не время обедать *(англ.)*.
** Август, идем со мной *(англ.)*.

та. Я присутствовал среди них привидением. Я был жив, но уже умер.

"*The sun is going down, August. It's always going down, my boy**, — говорила бабушка Раиса, пробуя компот и вглядываясь за окно в московский холодный пейзаж. — *Kompot is done***".

Конечно, я не был единственным котом в этом большом доме. Исследуя квартиру, я скоро учуял сородича где-то неподалеку. Эпицентр находился в маминой комнате, в углу у книжных полок. Из угла тянуло терпким, регулярно обновляемым запахом кошачьих феромонов. Кот жил этажом выше и метил угол. Что же мне мог сообщить этот запах? Старик. Что-то около шестнадцати лет. Бездельник и прокрастинатор. Больные почки. Хронический конъюнктивит. Запоры. Панкреатит в начальной стадии. Запущенный диабет. Но экземпляр большой витальности и жизнелюбия. По батарее иногда до меня доносился его голос. Чрезвычайно наглый и требовательный. Думаю, он также догадывался о моем присутствии. Но мы так никогда с ним и не встретились. Через несколько месяцев я стал все реже слышать его голос. Затем он совсем умолк. А потом я как-то заметил, что запах в углу под шкафом исчез. Навсегда. Так я понял, что мой сосед ушел из жизни.

---

* Солнце садится, Август. Оно всегда садится, мой мальчик *(англ.)*.
** Компот готов *(англ.)*.

Тем временем деревья облетели. Город оказался во власти холодных фронтов. Витюша брал меня на руки и подносил к окну. Я спрашивал его, куда исчезли листья, и он подробно мне это объяснял. Я часами следил за большим тополем, считал оставшиеся на нем листочки. Последний трепыхался так безнадежно, так отчаянно. Но вот ветер сорвал и его и понес за Морозовскую богадельню, к Яузе. Потом стало тихо, будто кто-то выключил звук. Даже машин не было слышно. А потом сверху пошло что-то белое и пушистое. Так я встретил свой первый снег. Все стерлось и пропало. Это было таинственно и величаво. Это было прекрасно. Мне казалось, что и все домашние должны как-то поменяться в соответствии с поворотом годового цикла. Не знаю как, но поменяться. Но никто ничего не заметил. Только с антресолей достали зимние пальто, куртки и шапки, а в прочем все осталось как было. Отрывной календарь на кухне стремительно терял в весе и совсем исчах.

Потом пришел Новый год. Раздвинули стол в большой комнате. Наготовили целую флотилию всевозможных салатниц, блюд, кастрюль и мисок. Подарили друг другу комплекты постельного белья и чехлы для телефонов. Мне досталась палочка с опереньем на конце (к слову, дельная штуковина). Судя по количеству съестного, я ожидал, что у Пасечников соберется весь подъезд, но пришли только две подруги Лены в одинаковых кофтах бордового и коричневого цвета. Одна держала меня на коленях и мусолила мне нос пальцем. Другая зачем-то меня перекрестила. Потом пришел какой-то мужик. Я с трудом узнал в нем соседа с мусорным ведром, который встретился на площадке в мой первый день у Пасечников. Около десяти заявился Боря. Он был уже седым и грузным мужчиной. Передвигался по городу с водителем. Как ни в чем не бывало сообщил, что Сережа купил недавно квартиру на Пятницкой и во второй раз женился. И сообщил это так просто, как будто Лена уже давным-давно знала, что ни в какой Хьюстон Сережа не уезжал и даже не собирался уезжать, как будто Лена с Борей сто раз уже обсуждали и ее с Сережей размолвку, и перипетии дальнейшей Сережиной жизни. Между тем за все эти годы они ни разу на эту тему не обмолвились и двумя словами. Так что Лена даже подумала: "А о чем они вообще с Борей все эти годы говорили? О чем они вообще могли говорить?" И вдруг с тихим ужасом, от которого хотелось приложить к щеке ладонь, сама себе отвечала "Ни о чем".

Потом включили телевизор. По всем каналам шли концерты и шоу. Одни и те же странные люди в чем-то блестящем и пестром беззастенчиво переходили из одной передачи в другую, из студии в студию. Они изо всех сил притворялись, что им весело. Но чем больше они старались, тем яснее становилось, что на самом деле им очень грустно и что они порядком устали. Они подбрасывали конфетти и мишуру, повторяли глупые шутки. Они делали вид, что вытирают выступившие от смеха слезы. И они носили все эти нелепые наряды, наклеенные бороды, гипертрофированные носы и уши с таким видом, как будто хотели сказать: "Вы-то нас знаете совсем другими, а тут мы, так сказать, немножечко шалим. Обожайте же нас и впредь!" Впрочем, так оно, судя по всему, и было. Их обожали. Бабушка, мама и гости обсуждали детали их личной жизни с таким знанием дела, что можно было подумать, все эти странные люди — их ближайшие друзья и что только по недоразумению они не смогли присутствовать сегодня на празднике в Шелапутинском. Я даже испугался: а ну как они как возьмутся за руки и повалят к нам из экрана в комнату веселой гурьбой!

Ближе к полуночи в телевизоре возникла хвойная аллея и торжественно затрубили медные. Кадр занял серьезный лысоватый мужчина в черном. Он смотрел на нас сочувственно и с пониманием. Коротко перечислив положительные моменты уходящего года, он с энтузиазмом заглянул в год наступающий. Он знал, как нам нелегко, и лично обещал, что в следующем году станет легче. Потом забили часы на красной башне, и им хрипло вторила наша кукушка. Боря, сосед Дима, подруги в бордовом и коричневом и Пасечники на разные голоса закричали "Ура!". Они наспех писали на клочках бумаги свои желания, сжигали их и бросали в шампанское. Потом чокались и обнимались. Я прижал к себе Стиллавинью и тоже шепнул ему на ухо "Ура".

Дни слагались в недели, недели в месяцы. Поначалу квартира, подобно первобытному этапу компьютерной стратегии, в которую играл Витя, была окутана черным туманом неизвестности, и, чтобы мрак хоть немного рассеялся, требовалось отправить на все четыре стороны отряды смельчаков. Меня окружала опасность, на душе было тревожно. Теперь же каждый угол, закуток, лощина и альков были мной исследованы и изучены. Не оставалось ни единой полки, куда бы я не сунул нос, ни единого выступа, на который я бы не запрыгнул. Но — странное дело — мне этого стало недостаточно. Не знаю, как это точно объяснить. Во мне стала просыпаться чуждая мне сила... страсть к собственничеству. Мне было мало изучить, теперь мне стало необходимо присвоить квадратные метры, на которых я проживал.

День ото дня эта страсть увеличивалась, нарастала и подчиняла себе всю мою натуру. Мною как будто водила невидимая рука. Я слонялся из угла в угол, прыгал с полки на полку, отыскивая что-то, чему и сам не знал названия, многократно обнюхивал обнюханное и скреб обскребанное. На исходе февраля, когда струи Водолея иссякли и он, взвалив пустой кувшин на плечи, отправился домой, в свои зодиакальные чертоги, мое гнетущее состояние достигло пика.

Сам не знаю, как так получилось. Я протрусил к шкафу-стенке в комнате Вити, выбрал нижнюю правую дверцу полки, повернулся к ней задом и обильно ее оросил. Я ужаснулся содеянному и убежал советоваться со Стиллавинью, как дальше жить и во что теперь верить. Стиллавинью долго молчал, соображал, открыл было рот, но снова углубился в размышления. Наконец он посоветовал мне жить как жил и верить, во что всегда верил. Я поблагодарил оракула и отправился на кухню подкрепиться, возможно, в последний раз в стенах этого дома.

Витя пришел из института и сразу отправился на дополнительные занятия к известному профессору истории Василию Олежику. Домой он вернулся очень поздно и тотчас уснул. Так прошло несколько дней. Никто ничего не заметил. Я успокоился.

Но через несколько дней я проснулся около полудня. Внутри что-то свербело, что-то меня беспокоило. Так одержимый живописец вскакивает посреди ночи и шлепает, натыкаясь на мебель, к холсту, чтобы окончить лесную опушку, дамский нос или отсвет на виноградинке. Вдыхая через оконную щель весенние запахи, я вдруг исполнился какой-то безымянной неги; по жилам моим пробежал огненный ток; между задних лап что-то чесалось и требовало немедленных мер. Что-то очень сильное, громкое и оранжевое гудело во всем моем теле. Я увидел во дворе своих сестричек, и, признаюсь, по поводу них в моей голове созрели очень нехорошие мысли. Буду откровенен, те же нехорошие мысли возникли у меня даже по поводу мамочки. Это было ужасно. Я обернулся, как будто кто-то мог прочитать мои мысли. И кто-то их прочитал. Это был Стиллавинью. Я спрыгнул на пол и дал ему по морде со всей силы, так что он улетел в коридор.

Мне снова понадобилось сделать *это*. Я вошел в комнату мамы Лены, прыгнул на кровать и оставил над изголовьем свой инициал. Мне сразу полегчало, и я успокоился.

В течение недели я проделывал то же самое по всей квартире: на кухне, в ванной, в коридоре, во всех трех комнатах. Я сам плохо понимал, зачем мне это нужно. В этом был какой-то бессознательный бунт против сложившейся геометрии комнат, в этом была претензия на новый порядок, провозглашение независимого кошачьего анклава внутри человеческого государства Пасечников.

Размышляя о структуре меток, я начертил себе следующую схему. Ее можно представить в виде расходящихся в разные стороны векторов:

Кажется, все ясно, да? Я догадывался, что мои новые привычки едва ли придутся по душе Вите, бабушке и в особенности маме Лене. Но они терпели. Неделю, две, три. Месяц. Потом все-таки не выдержали.

По календарю было начало апреля, но ничто не предвещало скорой весны. Солнце стояло высоко, светило ярко, однако свет был холодным и вовсе не грел. Ночью на город неожиданно обрушился буран, выбелил его наново и так же внезапно отступил под утро. Уже демобилизованные шубы и пальто были снова вызволены из шкафов и с антресолей. Шелапутницы грустно брели по улицам и уже всерьез сомневались, что тепло в этом году доберется до Москвы.

И вот пришел день. Тот самый день. Несколько часов меня морили голодом и мучили жаждой: спрятали от меня миски. Потом я был насильно помещен в переноску, и вместе с Витей мы отправились в мое первое путешествие по городу.

Мир, рассеченный на продольные и поперечные полосы решетки, был загадочен и обаятелен. Тысячи позабытых с лета запахов ударили мне в нос. Это было похоже на то, как жильцы, возвращаясь в покинутые дома, стирают пыль с предметов и проводят по клавишам старого пианино. Вот так же оживали во мне воспоминания о запахах. Они искрились, мерцали и вращались вокруг. У меня закружилась голова.

Витюша шел по улице, в одной руке держа переноску, а в другой сжимая загодя отсчитанную мелочь на метро. Мы спустились под землю, там пахло металлической стружкой, похмельем и потом. Я был в ужасе и в восторге от рева вагонов, от огней в туннеле, от убранства станций метро. Некоторые станции, те, что попроще, напоминали увеличенную во сто раз ванную комнату в доме Пасечников, некоторые, наоборот, как будто были составлены из гигантских кусков говядины. И казалось, что их стены, арки и колонны кровоточат.

Мы поднялись из метро, проехали на автобусе несколько остановок и оказались в ветеринарной клинике. У входа была припаркована огромная черная машина, рядом с ней я увидел бородатого человека. Он сидел на коврике и делал руками движения, как будто умывался. Мы вошли в холл. На экране светились имена пациентов. Слева — очередь ожидающих, справа — те, кто проходил прием.

1.	Кот Дымка	1.	Пес Рамзан
2.	Пес Роджер	2.	Пес Керж
3.	Хорек Дуля	3.	Кошка Тося
4.	Кот Барон	4.	Кот Степан
5.	Кот Август		

В ожидании своей очереди мы присели на банкетку. Глядя на трясущийся хвост лабрадора, на округлившиеся глаза хорька, слыша ругательства жирного сиамца напротив, я несколько забеспокоился. Дело в том, что я был совершенно здоров и не понимал, с какой целью меня сюда доставили.

Из приемной вынесли питбуля. Давешний бородатый мужчина подбежал к врачу.

— Жить будет, — сказал врач.

— Аллах акбар, доктор! Аллах акбар!

— Аллах, может быть, и акбар, но только, Муса Заурович, вы все-таки следите, что ваш питомец кушает на прогулках, да?

— Да, доктор, да! Иншааллах, Игорь Валентинович!

Время от времени из кабинета выходила девушка и называла имя следующего пациента. Зверя уносили в кабинет. Все немного нервничали. Когда девушка назвала имя сиамца — Барон, — тот совсем потерял самообладание. Он стал страшно материться, потом вдруг замолчал и потерял сознание.

Дальше я все помню очень плохо. Ясно вижу мужчину в очках с цепочками на дужках. Это врач Игорь Валентинович. Он мнет мои бока и живот. Еще вокруг разливается божественный, неземной запах. Так пахнет счастье. Это покой и удовлетворение. Врач обращается ко мне на *вы*: "Август Батькович, ну-ка теперь на другой бочок. Так". Потом Игорь Валентинович журит Витю за то, что тот не делал мне прививок, и говорит, что "в общем-то, самое время". Я только успел спросить себя "для чего это время самое?", как последнее слово расплылось в самуила, в самоа, в сямяю, мюасю, а потом я уснул.

Проснулся я только дома в Шелапутинском. На мне был какой-то странный воротник и ужасно болели яички. Дня два я провел в полусознательном состоянии. На третий день я смог без поддержки пройтись по квартире. На пятый с меня сняли дурацкое жабо, и я понял, что случилось. Мне показалось, что я похудел килограмм на пять, хотя после последнего взвешивания мой вес равнялся 3,4 кг. Чувство было такое, будто я сбросил тяжкое бремя, чугунный домоломный шар. Затем чувство облегчения сменилось паникой. Это что, значит — всё? Никогда? Ни с кем? Никакого завалящего котенка? Инстинкт отцовства, который я, правда, никогда в себе не подозревал, вдруг напоследок протяжно пискнул. О мои тестикулы! Мои бархатные шкатулочки! Мои шерстяные дароносицы! Мои невостребованные сбережения пропали вотще.

Захотел ли я отплатить Витюше сторицей? Нет, не хотел. Мечтал ли возвратить ему долг чистоганом? Отнюдь не мечтал. Да, я больше не мог орошать струями стены гостеприимного дома. Ну и что с того? Витя в телефонном разговоре с профессором Василием Олежиком однажды процитировал какого-то немецкого философа. Мне очень понравилась эта цитата: "Все ссущее разумно". А коли так, коли прав немец, то ко мне эти слова относятся в полной мере. Так что буду нести гордое знамя разума, задрав морду к небу и высоко поднимая колени и хвост.

Так проходили мои дни. Каждый день с балкона Дениса Алексеевича до меня доносился заветный мотив *L'amoroso*. Каждый день я видел своих родных во дворе. Каждый день так же исправно, как и прежде, их подкармливала кассирша Зина, потом расклейщик милостью божией Митя Пляскин и дворник Абдуллох. Так же, как и раньше, по воскресеньям они отправлялись на прогулку к тете Мадлен. Но без меня, без меня.

Дни ускоряли свой ход. Я взрослел и уже давно не помещался в свой банный чайник. Мама Лена стала ко мне добрее и теперь разрешала полежать у нее на коленях, так что я подолгу маршировал по ней широким молочным шагом. Она стала членом общества Рерихов и, захватив свой старенький термос и бутерброды, дежурила ночами у их главного офиса-музея, который государство норовило отобрать в те дни. Бабушка Раиса, оставаясь в квартире одна, все так же разговаривала со мной и с умершим мужем по-английски, все так же перепроверяла свои школьные тетради. Витюша все глубже погружался в историю. Мысли, мотивы и поступки людей прошлого стали для него иметь большую реальность, нежели происходящее с людьми настоящими. Любое

событие современной политической жизни вызывало в нем в первую очередь отклик из прошлого. Каждое происшествие в мире рифмовалось со своим двойником из отживших веков.

Минул год. Второй. Снова пришел сентябрь. Солнце покинуло созвездие Льва и без лишних слов и пререканий перешло в созвездие Девы. Красная полоска в термометре за оконной рамой медленно убывала. Небо как будто приподнялось и расчистилось. Окрики детей на улице, лязг ржавых качелей и автомобильные сигналы звучали как-то по-особенному свежо и ядрено. Я сидел в обнимку со Стиллавинью у приоткрытого окна, в чаще бабушкиных растений, и ловил носом уличный воздух. Что же сообщал мне этот воздух? Что начался новый учебный год. Что скоро пойдут дожди. Что деревья копят на зиму остатки тепла и готовы начать избавляться от листьев. Что от августа не осталось уже ничего, кроме моего теперешнего имени. Мое третье лето уступало права моей третьей осени.

Скоро должен был наступить срок новой вакцинации. Я ждал. Я принял решение и никому, кроме Стиллавинью, об этом не говорил. Настало время. Я пробежался по комнатам. Откусил последний цветок у гиацинта. Нежно потерся на прощание о Стиллавинью. Поспал по очереди на всех трех полках шкафа в комнате Витюши. Сходил в туалет и постарался сделать все на славу. Полежал на коленях у бабушки. Облизал лицо мамы Лены, и она на меня за это не рассердилась. Я посмотрел на все это, и сердце мое сжалось. В пасти был какой-то сладко-горький привкус. Я знал, что надо было идти. Надо было идти дальше. Я принял решение, и назад дороги не было.

— Августейший, сейчас мы отправимся к Игорю Валентиновичу, на прививки! Залезай! — сказал мне Витя.

Я глубоко, сколько позволяли легкие, вдохнул в себя застоялый запах моего первого человеческого дома и самолично взошел в узкую, тесную переноску. Готовый к худшему, открытый для лучшего. Дверь за нами закрылась. Я посмотрел на обивку, стянутую леской в пухлые ромбики, посмотрел, как крутится кольцо за электрощитом, и про себя все повторял: "Прощайте, прощайте, прощайте, прощайте". Мы спускались по лестнице, и я вспоминал задом наперед тот далекий августовский день, когда Витя внес меня в подъезд. Проживал заново свои страхи, свои надежды. Из зарослей фикуса на площадке между этажами на нас выглядывал знакомый сосед. Закуривая новую сигарету, он спросил:

— Кота выгуливать, Витюш?

— Можно и так сказать, дядь Дим.

Мы вышли из подъезда. Вот так. Я подобрал под себя лапы и через веревочную решетку переноски смотрел вперед. Мы прошли через детскую площадку, на Николоямскую. Больше медлить было нельзя. Я подцепил когтем застежку молнии и стал аккуратно вести ее по дуге переноски. Я был готов, но вместо того, чтобы выпрыгнуть, вдруг неожиданно для себя громко закричал. Я кричал все громче и протяжнее и не мог остановиться. И только когда Витя наконец решил меня успокоить, я бросился

вон на асфальт. Я несся вперед и вперед, не оборачиваясь и не сбавляя бега; я несся сквозь дворы, тупики и проулки, мимо школ, кафе и почтовых отделений, не обращая внимание на окрики собак и сигналы машин, дальше и дальше, туда — вперед, быстро, как только мог, так что задние лапы обгоняли передние. Я плакал от страха, восторга, жалости и беспредельной радости.

Ну что ж, беги вперед, моя история. Спотыкайся о булыжники, прыгай через канавы, буераки, лети по склонам. Возносись до верхушек елей, задевай флюгеры, падай в низины. Лети, лети.

III.
ТО, ЧТО БЫЛО ПОТОМ

И вот я пошел дальше, предоставив времени свободно нести, с трудом тащить или силой волочить меня за собой. Теперь, когда первая юность моя миновала, я обзавелся бесполезным багажом, призрачным сподручным, толку от которого было не больше, чем от старого школьного галстука. Я говорю об опыте. Той валюте, которая всегда в цене. Чья кривая неуклонно ползет вверх на бирже общественных ценностей. Да, опыт сглаживает острые углы желаний, снижает полет надежды, зато он успокаивает. Опыт утешает, обращая жизненные пароксизмы в жидкий бежевый овал.

Я стал больше думать об отпущенном мне времени. Я вывел формулу, согласно которой прошлое (x) увеличивает свою площадь в той же прогрессии, в которой будущее (y) эту же площадь теряет. Я был весьма горд этим открытием. Я уверен, что мой бюст занял почетное место в воображаемой анфиладе выдающихся котов-первооткрывателей.

Да, субстанция времени неопределима и не... Не могу придумать, что она еще *не*. Пусть будет непознаваема. Да, непознаваема. Утверждение банально, но от этого не менее справедливо.

Жизнь моя мерно наполнялась событиями и воспоминаниями. Я оглядывался назад и замечал, что позади меня уже выстроился целый городок. Иногда я даже путал, что за чем следовало. Мы рассматриваем прошлое в сломанную подзорную трубу: то, что близко, видится совсем далеко, а то, что уже было скрыто за горизонтом, наоборот, предстает на расстоянии короткого прыжка. Что-то я помнил, что-то нет. Мимо меня, словно вещи на багажной ленте, медленно проплывали люди. У кого-то я задерживался, от кого-то убегал сразу. Их лица, фигуры были выполнены в смешанной технике. Одежда, привычки и, главное, голос были нарисованы красками, выпукло и искусно, а лица, волосы были едва проведены карандашом. Их я не помнил. Но все-таки было что-то, что я буду помнить всю жизнь, — руки.

Да, я помню руки каждого. И правые, и левые. Память моя охватывает расстояние от кончиков пальцев до изгибов локтей, дальше все мешается. Руки, пахнувшие несчастливостью, теплые руки старых женщин, отказывающихся мириться с одиночеством, на которое они обречены. Детские руки, не знающие опыта, времени, — эти были особенно грубы со мной. Для них я был придатком к той навязчивой нежности и приторной заботе, которыми они были окружены в их начальной поре. В противоположность им руки сильных здоровых мужчин на поверку оказывались гораздо обходительнее со мной. Потому что я был тем, чего они были лишены. Эти рабочие, охранники, полицейские, нищие и бродяги кормили меня на убой. Они узнавали во мне себя. Тех себя, какими они оставались внутри, но какими им было строго-настрого запрещено оставаться во взрослой жизни. Эти мужчины бунтовали. Они не выдерживали ответственности и долга, которыми были отягчены по праву чьего-то жребия, но им приходилось играть согласно правилам. Им приходилось до конца исполнять свои обязанности. Они тащили за собой глухой рояль величиной с пятиэтажный дом, набитый неудачами, неизрасходованной силой, обидами и злобой. Поэтому со мной они были особенно добры.

Судьба, если можно так выразиться, была ко мне благосклонна. Говорю "благосклонна", потому что мне было с чем ее сравнить. Многие *другие* жили гораздо хуже меня. Привитый и кастрированный, я практически был лишен риска заразиться смертельными вирусами. Желание, что раньше изводило меня круглыми сутками, что мучило сжатой до предела пружиной, теперь не доставляло мне хлопот. На женщин я смотрел, как эстет смотрит на искусный натюрморт: с любопытством, вниманием, но безо всякого желания нарисованное съесть.

Некоторые мои знакомые уходили. Про это тоже надо рассказать. Например, был у меня один товарищ, Гарри. Мы познакомились как-то весной. Договорились охотиться вместе. А голубей Гарри ловил как надо. Он прыгал, я оглушал и потом общипывал птицу. Гарри все время чему-то улыбался, и еще он умел смешно косить глазами. Потом он подхватил какую-то инфекцию. У него весь нос как будто стерся. Глаза стали гноиться. Казалось, уши вот-вот оторвутся. В общем, выглядел Гарри неважно. Но продолжал улыбаться. Самому хреново, а он улыбается. Уже зубов не осталось, а он улыбается.

Я заглянул к нему как-то утром в подвал — Гарри жил под рюмочной "Второе дыхание". Вы знаете, где это. Он лежит, хрипит. Потом приподнялся и сказал:

— Савва, я, наверное, дома сегодня останусь. А ты перестань ко мне ходить. Не надо, — говорит это, а сам улыбается.

— Приятель, тебе... доктор нужен.

— Не нужен мне доктор. И не ходи ко мне.

— Я привитый.

— Тем более. Что тебе на меня смотреть? Уходи.

Я ушел. Но через три дня вернулся с голубиным крылом. Хотел проведать его, покормить. Но лучше бы не приходил. Гарри не стало. И последствия его кончины разили в нос чувствительно. Это было ужасно. Но я все-таки оставил ему крыло. Не знаю зачем. Может, оно ему там, где-нибудь, пригодится. Но потом я подумал, что где бы он ни был, с одним крылом ему там точно делать нечего. Поэтому я поймал еще одного голубя и вернулся в подвал со вторым крылом. Но Гарри там уже не оказалось. Хотя запах еще стоял. Должно быть, посетители "Второго дыхания" этажом выше стали шмыгать носами, нервничать, и хозяин убрал тело моего друга. Вот. Гарри уже давно нет, а я его часто вспоминаю. Представляю, как он с голубиными крыльями по бокам улыбается своим новым приятелям, смешит их, кося глазами. Тоже, наверное, меня вспоминает. Хотя вряд ли.

Еще меня как-то занесло на Большую Полянку. Был декабрь. Шел снег. Перезвон с колокольни Григория Неокесарийского разливался по переулкам. Снег усиливался и скоро перерос в буран. Небо заволокло. Дальше десяти метров ничего не было видно. Я покрывался снегом. Силы покидали меня, и я готовился к худшему. Я так замерз, что не мог пошевелиться. Я был похож на керамическую статуэтку. Потом меня кто-то взял и понес.

Моя новая хозяйка меня отпоила, откормила и назвала Каем. Она снимала жилье в большом многоэтажном доме на Большой Полянке, и звали ее Галей. Молодость догорала в ее окнах прощальными всполохами. Всю жизнь за ней по пятам следовал страх лишнего веса (страх, добавлю, обоснованный). Она увлекалась йогой, здоровым питанием и сноубордингом. В квартире уже проживал попугай Игги. Принял он меня, скажем прямо, неважно. Игги жил в клетке и с утра до вечера вращался, как безумный, на жердочке, кривил на меня один глаз и без конца повторял, что я придурок. Впрочем, придурками он называл и хозяйку, и даже себя самого. Мои попытки заговорить с ним, установить хоть какой-то контакт окончились неудачей. Игги был никудышный собеседник. Атмосфера в доме царила нездоровая, угнетающая.

Зато меня отвезли в ветклинику и сделали новые прививки. Мой старый приятель Игорь Валентинович спустил очки на кончик носа, выпятил нижнюю губу и сказал: "Хм. Кажется, этого кота я уже где-то видел". Да, мне сделали прививки. Кроме того, хозяйка приобрела для меня шлейку и стала выводить на прогулку. Я не обижался, потому что это было лучше, чем оставаться дома. Потом она стала брать меня на работу.

Мы спускались в метро. В вагоне было тесно. Сонные души досматривали сериалы, уложив планшеты на спины и плечи соседей. Моя хозяйка взбалтывала жидковатую муть в бутылочке из-под минералки и выпивала ее залпом. Это был ее утренний детокс. Старушка в углу читала шепотом псалтырь по убранному в расписной оклад айпаду. Ретиноевый отсвет сообщал ее лицу что-то нездешнее, византийское. Мы выходили из вагона. Протолкавшись сквозь толпу со мною на руках, Галя наконец вступала на эскалатор, оглядывала темную толчею позади, частью которой мы с ней только что были. Я следил, как нарастает и удаляется свет от плафона к плафону. Пролет посередине закрыт на ремонт. Под сводом шипит голос смотрительницы: "Не задерживаемся слева, проходим" — с характерным акцентом на глаголах. Медленно крутятся жернова лестничного механизма, скрипят зубцы, стонут шестеренки. Из недр доносится нестройный бой молотков, нытье болгарки, клацанье цепи и ругань. Люди трутся друг о друга взглядами. Ненавидят ход вещей. Их головы набиты рваными облаками, ошметками надежд, материнскими наказами и всей той мутью из телевидения, интернета и компьютерных игр, которая подменяет им память и которая помогает им бороться с самими собой. Единственная их пища и сила — страхи. Страх в каждом из них. Страх быть собой, страх не соответствовать навязываемым призракам, страх оставаться одному. В глотке каждого стынет тихий вопль.

Хозяйка моя работала в салоне красоты на Мясницкой. Мне отвели место у витрины. Работницы шлифовали и лакировали ногти, умащивали кисти и ступни, делали какие-то шипящие прижигания, отчего на весь салон распространялся запах паленой кожи. Клиентки представляли собой разновидность престарелых девушек с сильно отредактированным замыслом Господа на лице. Определить их возраст было трудно — где-то между двадцатью и пятьюдесятью. Они были холодны и надменны. Губы их были непомерно раздуты, словно их укусила оса, слишком узкие носы лихо задраны кверху, а злые глаза оттянуты к вискам. Казалось, что лица их застегнуты на затылке, и если случайно коснуться секретной прищепки, то маска сорвется и с треском закружится по салону, как воздушный шарик.

Мне нравилось проводить там время. В тазике плавали розовые лепестки, на стенах прыгали блики от зеркал и инструментов, которые я, разумеется, норовил поймать. Болезненные выкрики и постанывания клиенток ласкали мой слух: легкий безвредный садизм умиротворяет. Но у одной из важных клиенток открылась аллергия на котов. Крылья ее носа брезгливо вздымались, губы ядовито кривились, глаза презрительно щурились. В общем, меня скоро выпроводили из салона.

Я вернулся на Большую Полянку и был вынужден проводить целые дни в компании Игги. Это было невыносимо. Попугай окончательно спятил. С утра до вечера он любовался на себя в зеркальце и только в продолжение этих нарциссических сеансов сохранял молчание. В остальное время Игги на все лады обзывал придурками целый мир. Но это бы еще с полбеды. Чтобы скрасить нам часы до своего возвращения, хозяйка придумала оставлять включенным радио "Орфей". Клянусь, это было ошибкой. Да, я люблю классическую музыку, но Игги... Он решил, что он певец. Нет беды в том, что кто-то не обременен талантом. Во сто крат хуже, когда этот кто-то совершенно не отдает себе в том отчета. Пока радио моросило Шопеном или Шуманом, попугай еще помалкивал, но чуть только раздавались первые такты какой-нибудь арии, он начинал что было мочи выть и кричать. Он твердо положил стать певцом и был в своем решении непреклонен. Прерывался он только на короткие выпуски новостей, но потом снова возвращался к своим занятиям с утроенной силой. О, как же часто бесталанность и трудолюбие шествуют под руку!

На помощь всем нам пришла, как ни странно, соседка сверху, милая старушка, оплакивающая более сорока лет безвременную кончину своего супруга. Может быть, "пришла" — не самое удачное слово. Дело в том, что горе приковало ее к постели, она почти не двигалась, и единственной отрадой для нее остался городской пейзаж за окном и эпопея Марселя Пруста "В поисках утраченного времени". За старушкой ухаживала некая студентка ГИТИСа. Она заходила к ней каждый день в перерывах между занятиями, помогала по квартире и читала вслух роман. Студентку угощали бесплатным обедом и одаривали пару раз в месяц каким-нибудь украшением времен старушечьей молодости. В ход шли янтарные сережки, бирюзовые браслеты и броши, расписанные в палехской технике. Студентка смыкала тяжелые лиловые шторы, увеличивала мощность искусственного камина в углу комнаты и садилась с ногами в кресло. Она приступала к чтению глубоким чувственным контральто. Пыхтел камин, колыхались оранжевые бумажные лоскутки, имитирующие пламя, и ах как весело потрескивали локоны студентки, которые та накручивала на пальцы, с великим трудом усваивая перипетии бесконечного романа.

Ленивое течение книги, совершая редкие изгибы и колена, приблизилось к середине, когда снизу все отчетливее стали доноситься вопли Игги. Поначалу это в каком-то смысле только дополняло сумрачный литературный уют квартиры. Но затем студентка стала все чаще сбиваться, хмурить брови и нервно мусолить на груди подаренный кулончик. Наконец она не выдержала, захлопнула книгу и сказала всем и никому: "Это непрофессионально".

— *Ma chère*, постарайтесь не отвлекаться, — ответила старушка, вперив неподвижный взгляд в потолок. — Ведь внимание — изумруд в сокровищнице любого артиста.

Студентка собралась и продолжила. Но продолжил и попугай. Фразы рассыпались в слова, слова в буквы, и те плавали в полумгле комнаты, как мучной алфавит в супе. Поиски утраченного времени были обречены на провал.

Вечером нашу хозяйку вызвали на разговор. Кроме старушки, унять попугая потребовали жители соседних трех квартир: слева, справа и снизу соответственно. Хозяйка стала накрывать клетку тряпкой. Но Игги воспринял это как следующий уровень обучения вокальному мастерству, так сказать, "ночной этап".

В конце концов я не совладал с собой. Однажды по радио звучало *L'amoroso*. Я весь обратился в слух и лег на спину, чтобы лучше воспринять каждую ноту любимого *allegro*. Игги, словно догадавшись, как дорого мне это *allegro*, завопил так мерзко, что я прыгнул на стол, сорвал с клетки покрывало и твердо произнес: "Хватит". Попугай подогнул ногу и злобно уставился на меня. Я уже повернул назад, как Игги закричал что было мочи: "Придурок, придурок, придурок". И тогда я сбросил клетку на пол, отворил дверцу и в два счета придушил глупую птицу. Я смотрел, как летают по комнате разноцветные перья, и, клянусь, не испытывал ни малейших угрызений совести.

Оставаться в этом доме я больше не мог. Вечером хозяйка вернулась с работы, отворила входную дверь и привычным движением преградила мне путь к побегу. Но я перепрыгнул через ее ногу и бросился вниз по лестничным маршам. И Галя меня не догнала.

Я встречал много смертей. Вмерзших в пруд уток. Отравленных крыс. Голубей, потерявших управление на большой высоте и разбившихся о мостовую (этих я незамедлительно разделывал и съедал). Каждый раз я вспоминал похоронную бригаду кротов с Шелапутинского. Один раз я даже видел мертвого человека. То был нищий, который уснул в сквере на Болотной площади. Эта площадь в ту морозную зиму почему-то пользовалась особой популярностью среди москвичей. Они стекались к ней широкими бурными реками. К лацканам их пальто были приколоты белые ленточки, в озябших руках они держали знамена, плакаты, термосы с горячим чаем, фляжки с коньяком. С выстроенных трибун к огромной толпе, наводнившей площадь, по очереди обращались какие-то люди. Несмотря на мороз, они выступали без шапок, говорили много, охотно, и лица их были окутаны паром, который источали их посиневшие рты. Хлопки ладоней друг о друга помогали митингующим согреться, поэтому аплодисменты не смолкали ни на минуту. Что бы ни говорил выступавший, толпа хлопала и хлопала. А в это же время в конце сквера, за периметром ограждений, оцеплений и всего прочего, двое полицейских пытались разбудить нищего на скамейке. На голову его поверх шапки был надет пакет — должно быть, ночью он так пытался согреть голову, ноги обуты в ботинки с меховой оторочкой. Ботинки были модные, явно недешевые. Их, я уверен, он успел вырвать в церкви на раздаче вспомоществований от прихожан. Одной скрюченной рукой он будто пытался за что-то ухватиться, другая была убрана по-диктаторски за борт пальто, с выставленным наружу большим пальцем. Он не отвечал на вялые толчки полицейских. Те еще издали поняли, что все напрасно. У замерзших ног нищего лежала припорошенная снегом бутылка и несколько мешков бог знает с чем. Вот, собственно, и весь итог его земного присутствия.

По скверу дробным эхом разносились слова ораторов. В небе жужжал какой-то летательный аппарат. Суровый ветер зловеще брякал гроздьями замков, замчонков и замочищ на Лужковом мосту, которые развесили влюбленные москвичи как символы крепости их чувств. Тысячи ног со скрипом переминались на снегу. Нищего еле смогли уложить на носилки. Его тело не распрямлялось, сохраняя сидячую позу, потом все-таки поддалось усилиям полицейских. Никто не обращал внимания на замерзшего, если не считать странной бронзовой группы поодаль. Осел во фраке, толстый божок верхом на винной бочке, тощий лакей, услужливо протягивающий прохожему шприц. Похотливая девица с глубоким декольте и головой жабы. Носорог-садист. Еще кто-то… Не знаю, какой был смысл в этих скульптурах. Что-то недоброе, страшное и завораживающее. Я еще подумал, что нищий, наверное, так и уснул от ужаса, рассматривая полночи этих страшилищ. Представляю эту ночь: рога, плечи, орудия пыток, странные наряды, обвисшие мышцы, животы. Цепная ограда вокруг статуй, ступеньки. Все покрыто сиреневым снегом. Не видно звезд, не видно луны. Нищий не мог ни убежать, ни отвернуться от этих монстров. Так и замерз. Кто теперь скажет, как это случилось на самом деле?

А я был молод, и я был здоров. Я наслаждался бездельем. Дни напролет я созерцал людей и улицы. Я шатался по городу от Басманной до Полянки и обратно. Я изучил каждую подворотню, каждую арку и проулок. Я завел знакомство с некоторыми прайдами, бронируя себе место на тот случай, если зима выдастся чересчур морозной и голодной.

Я разучил сложную геометрию помеченных территорий. Запах безошибочно сообщал мне о свирепости здешних котов, их привычках, возрасте, повадках; феромоны даже могли предупредить меня о характере побоев, которые мне будут нанесены, если я переступлю границу. Такие районы я обходил стороной.

Порой я был жесток. Меня забирали в дом, но я убегал. Да, убегал. Потому что мне было скучно. Я знал, что меня любили, что я был нужен, однако не сильно дорожил этим преимуществом. Но одно лишь знание того, что где-то тебя ждут, облегчало мои дни, давало свободу. Однажды я встретил свою хозяйку с Большой Полянки. Она наклеивала на столб объявление о моей пропаже. Слезы стекали по ее щекам, сигарета была неловко зажата в губах как-то кверху, клей-карандаш, которым она неумело орудовала, ломался и крошился. Я подошел и уселся прямо рядом с ней. Горе ослепляет. Она не заметила меня и пошла к следующему столбу. А объявление, провисев всего несколько минут, мягко оторвалось и улетело прочь. Конечно, в этот момент я не мог не вспомнить о своем старом приятеле, расклейщике рекламы милостью божией Мите Пляскине. Уж он-то справился бы с этой задачей куда как лучше.

Думал ли я о доме? Вспоминал ли мамочку, сестер, родную коробку? Каждый день, каждый день. Хотел ли вернуться? Нет. Для того еще не пришло время. Я, если позволите, еще не нагулял свой экзистенциальный аппетит. Не успел соскучиться. Я хотел вернуться в Шелапутинский, как испанский галеон возвращается в родной порт, груженный золотом, специями и рабами. Люди уходят в армию, коты уходят в город. Таков ход вещей. Я ждал.

Я не голодал. Я умел охотиться, но предпочитал, чтобы еда сама искала дорогу в мою пасть. Довольно быстро я научился получать свое. Для этого требовалось немного: сесть у входа в ресторан, бар, забегаловку, сделать широкие глаза и тихо-тихо пищать, так чтобы сам себя едва слышал. Это действовало безотказно. У людей есть удивительное свойство, я не встречал такого больше ни у кого. Они готовы отдать последнюю горбушку страждущему котенку, но с легким сердцем забьют бейсбольной битой водителя, не уступившего им дорогу.

Чтобы мириться с самими собой, люди придумали множество уловок. Например, развлечения. Гуляя вечерами по Маросейке, я наблюдал за горожанами. Мужчины и женщины шатались неприкаянными сонмами по округе. Они убеждали самих себя, что им очень весело живется. Они штопали Маросейку от бара к бару, приводя себя в состояние, когда ничтожность собственного существования заглушается скоротечной эйфорией. Страхи дня отступали, ужасы новостей теряли свою остроту. Каждое свое перемещение люди подтверждали снимком на телефон и тут же выкладывали его в интернет, чтобы собрать скудный оброк внимания к себе и хоть на время прикрыть свою ужасающую внутреннюю наготу. Они неслись по улице, сшибая по пути таких же пьяных, бегущих в противоположную сторону, чтобы успеть купить алкоголь до одиннадцати часов. Они изо всех сил пытались ухватиться за время. Доказать себе, что они в эпицентре жизни, что они лучше, моложе, сильнее. Что они знают эту жизнь до конца, что они приспособлены к ней лучше других. Да, по существу, люди соревнуются между собой: у кого качественнее тот клей, которым они прикреплены к этой жизни. Груз их непомерен, страдания текут полноводной рекой под коркой тонкого льда. Подобно отравленному организму, людям нужно извергать из себя хотя бы раз в неделю всю накопленную скверну: новости, обиды, неудачи и страхи (страхов больше всего). И город помогает им. Не чувствуя вкуса, не вдаваясь в подробности состава и ингредиентов, не распознавая год и местность урожая, люди вбирают, всасывают, вынюхивают и вдыхают в себя без разбора предложенные угощения. Кто-то довольствуется дракой на углу: выбивает кулаком по морде неприятеля свой сакральный ритм, сводит дебет с кредитом в книге учета жизненных происшествий. Другие очищаются, горланя песни в кафе *Imagine*. Я часто наблюдал через низкие окошки, как безумствует толпа в этом маленьком жарком заведении. Да Антонио Вивальди в ужасе заткнул бы уши завитушками своего парика, если бы услышал пару тактов той музыки, которая гремела в *Imagine*. Но что-то в ней все-таки было, что-то было. Эти люди ненавидели тишину и расправлялись с ней мастерски. Да, они знали толк в убийстве молчания. Особенно мне нравился высокий немолодой брюнет с длинными бакенбардами, в кожаном пиджаке и с коричневой гитарой. Он тут был вроде как за главного. С ним часто пел какой-то рыжий парень, и еще был другой, лысый, поменьше, с контрабасом. Пару раз, когда музыканты играли особенно забойные песни, я даже пожалел, что я не человек и не могу вот так, запросто, войти в кафе и попрыгать у сцены вместе с остальными.

По ночам люди выглядят странно. Юноши пьют, чтобы быть старше. Взрослые мужчины, наоборот, напиваются, чтобы сбросить десяток лет. И то и другое у них получается неважно. Про женщин и говорить не стоит. Их поведение диктует какой-то загадочный двойник, который под алкоголем выталкивает капитана корабля из рубки, запирается на засов и выкручивает штурвал как бог на душу положит, пока судно не разобьется на полном ходу о скалы. В общем, у людей полный разлад с чувством времени.

Однажды я отдыхал на скамейке в начале Покровского бульвара. Где-то в отдалении ругалась пара. Мужчина глухо матерился, ему отвечал женский визг. Потом мужчина ударил собеседницу и быстрыми шагами ушел прочь. Девушка направилась в противоположную сторону. Она громко плакала и делала глотки из стакана с кофе, который сжимала обеими руками. Увидев меня, она остановилась, посмотрела по сторонам, закусила губу и выплеснула весь кофе на меня.

Говорят, кофе пьют, чтобы взбодриться. Клянусь, ничто и никогда не бодрило меня так, как этот отменный крепкий кофе с тенистых склонов Кении. И аромат этот преследовал меня еще добрых три недели. Я взвился на два метра и понесся по округе. Я обежал Хохловку, Солянку, Трехсвятительский и успокоился только в тихой сырой низине, у дома, где, по преданию, появился на свет композитор Скрябин. К счастью, погода была прохладная, кипяток не успел ошпарить мне шкуру. К тому же незадолго до того у меня закончилась линька. Новая шерсть сработала дополнительной защитой.

Да, было то и было это. Был голод и морозы. Было умеренное насилие и безграничная ласка. В целом удача была на моей стороне. Несмотря на насущные труды, я оставлял себе время на размышления, что, согласитесь, в моих диких условиях большая роскошь. Я думал, вычесывая блох. Я думал, вращаясь по и против часовой стрелки за хвостом. Я думал, греясь на колесе под крылом автомобиля. Я думал, когда незнакомка оказывала мне знаки внимания. Я думал, улепетывая от своры оголтелых собак. Я думал, когда ел, спал и справлял нужду. Думы преследовали меня, как настырные нищие. И они не отступали, покуда я не награждал их медяком. Но мои размышления никогда не принимали твердую форму. Нет, их нельзя было забрать с собой, как сувенирчик, чтобы любоваться им на досуге или передарить на юбилей не самому близкому другу.

Как-то я прогуливался по Ордынке. В рыбном ресторане "Пуазон" у меня есть знакомый официант. Время от времени он угощал меня плавником или головой карпа. Я остановился у огромной витрины и стал ждать, не вынесет ли он мне на этот раз чего-нибудь вкусного. Сквозь стекло я видел зал ресторана. Белый мрамор, красная бархатная драпировка с золотой тесьмой. Фикусы по углам. Под потолком зрела хрустальная люстра. У входа — почтенная дама с арфой. Посреди зала разбит фонтан, в котором теснились красно-желтые карпы, терпеливо ожидавшие своей очереди быть выловленными сухопарым длиннющим официантом Жорой (собственно, моим знакомым). С брезгливым выражением лица он погружал в фонтан сачок, с которым и сам был удивительно схож. Волосы его были расправлены на блестящий пробор, под носом карикатурные усики а-ля "мерзавчик". Жора бесстрастно водил сачком, предоставляя рыбам право самим выбирать, чей настал черед отправляться на кухню. Рыбы демонстрировали удивительное равнодушие. Они не клянчили ни минуты отсрочки. Осознав раз и навсегда свою участь, они больше не дорожили лишними мгновениями жизни. Наоборот, они весьма охотно забирались в сачок. Карпы были родом из Японии, и в их поведении было что-то самурайское, сугубо национальное, древнее.

Так вот, я стоял и наблюдал за этой вознёй, как вдруг свет померк, день накрыла ночь. Я оказался в черном мешке, и меня куда-то несли. Меня похитили, лишили воли. Возможно, меня собирались разлучить с жизнью. Я пожалел, что не появился на свет японским карпом, который встретил бы свою кончину мужественно.

Те, кто меня поймал, были немногословны. По дороге они говорили только про футбол и политику. Будничность и привычность, с какой они меня поймали, мне отнюдь не понравились. Это свидетельствовало об их опыте в подобном обращении с котами. Скорее всего, я был обречен. Я попал под программу "Чистая улица". Это означало, что я подлежу так называемой гуманной эвтаназии.

Но судьба распорядилась иначе. Шли мы недолго. Меня занесли в какое-то помещение. Долго поднимались и опускались по лестницам. Наконец вывалили из мешка.

Я оказался в небольшой комнате. Все стены были заняты репродукциями и парадными фотографиями. Тут и там белели бюсты известных художников и меценатов. Между прочим, на одной фотографии я признал своего тезку — купца Морозова. Перед собой я увидел женщину. Ее волосы были собраны в пучок, она носила широкие тонированные очки, была одета в клетчатую юбку в пол и болотную водолазку. Женщина натянула больничные перчатки и повязала на лицо марлевую маску. Потом внимательно меня осмотрела, проверила рефлексы. Заглянула в уши и пасть. Проверила паховую область. Одобрительно кивнула тем двум, что меня принесли. Затем меня подвергли дезинфекции и тщательно вымыли. И так, без предварительной консультации и испытательного срока, я стал работником Государственной Третьяковской галереи.

Ситуация была следующая: в Третьяковке завелись крысы. Поначалу пробовали справиться подручными средствами: швабрами, мышеловками и приманками. Безрезультатно. Затем вызвали бригаду из санэпидстанции. Люди в блестящих костюмах, валко пошатываясь и тяжело дыша в стеклянных шлемах, обработали каким-то едким распылителем каждый сантиметр музея. Крысы исчезли. Но вместе с крысами с некоторых картин исчезли облака, деревья, фрукты, ордена, а кое-где и целые гусарские эскадроны. Все эти живописные фрагменты пропали навсегда, а вот крысы вернулись. Закаленные боями, хорошо подготовленные и злые. Тогда в музее решили прибегнуть к старому испытанному средству — то есть к котам. Сформировали ударный батальон по борьбе с грызунами. Да, именно так. Набрали уже двух котов. Осталось еще три вакансии.

Проживать я стал на диване у проходной. Моим новым бенефактором стал вахтер Сергеич.

"Все проходит", — любил повторять Сергеич, помешивая кипятильником лапшу в эмалированной синей кастрюльке, и уж он-то знал, о чем говорит, потому что наблюдать проходящих было его главным и единственным занятием последние пять десятилетий. Подперев ладонью щеку, так что один глаз лукаво щурился, Сергеич каждый день встречал и провожал посетителей и работников галереи.

Сергеич имел ничем не примечательный вид: его немолодую голову венчала продолговатая шапка, как у балканского диктатора. Он носил полинявшие треники синего цвета на подтяжках и, разумеется, был обут в ботинки "прощай, молодость". Он обладал тяжелым, неуживчивым характером, поэтому ни жены, ни друзей у него не было. По уставу Сергеичу полагался напарник, но уже многие годы он работал *solo*. Одних раздражала умышленная надменная молчаливость Сергеича, другие не выносили его однообразного заливистого свиста, третьи не выдерживали терпкого запаха пота, сопутствовавшего вахтеру, где бы тот ни появлялся. Причем запах этот спорил с каким-то дешевым отвратительным парфюмом, и последний, надо сказать, начисто проигрывал этот спор. В тех случаях, когда между коллегами возникал открытый конфликт, когда, как выражался Сергеич, "не смыкались они друг с другом психически", а повода для жалобы начальству не находилось, Сергеич, встряхнув газету, вежливо замечал оппоненту из-под очков ни с того ни с сего: "А что, голубчик, на хер не пробовали ходить?" И, хотя за Сергеичем закрепилась репутация угрюмого мизантропа, авторитет у него был такой, что любое противостояние начальство решало в его пользу.

Со стороны могло показаться, что жизнь Сергеича — всего лишь череда скучных, ничем не примечательных лет. И показалось бы совершенно верно, потому что таковой его жизнь и была. Глубокую тоску по дружбе Сергеич днем закуривал сигаретами L&M, а ночами растворял вместе с говяжьим "Дошираком" в кастрюльке теплой водки.

Шли годы. И вот однажды на пороге проходной возник я. Чем оправдать возникшее между нами доверие? Ничем. Как обосновать душевное согласие юного кота и старого вахтера? Никак. Остается только удивляться, как такое возможно, а докопаться до причины произошедшего уже нельзя, да и не нужно. Так или иначе, у Сергеича появился друг. И мы были, что называется, неразлейвода. Сообща обедали, совместно решали задачи судоку, выдавали третьяковцам ключи от помещений и указывали, где следует за них расписаться. Большую часть времени мы проводили в молчании: ведь настоящих друзей мы отличаем по умению о чем-нибудь увлеченно помолчать. Выбирая для меня имя, Сергеич не слишком утруждал свое воображение. Он остановился на первом же пришедшем в голову варианте и назвал меня Сергеичем. В честь себя. Просто и со вкусом.

С другими членами бригады я виделся исключительно по ночам. Где они проводили свободное от службы время, я мог только догадываться. Около одиннадцати вечера нас всех собирали в подсобке на цокольном этаже. Никаких разъяснений и планов нам не давалось, задача и так была ясна. Остальных котов я нигде до этого не встречал. Все, кроме меня, были местными и имели ярко выраженный замоскворецкий говор.

После короткого напутствия все та же женщина в клетчатой юбке и очках приоткрывала дверь, и мы отправлялись на охоту по бесконечным запасникам музея. Я брал на себя восточное крыло. Там, в темной глубине, царили сквозняк, сырость и напряженная, щекочущая нота заключенного в проводах электричества. Я припадал к бетонному полу и медленно продвигался вперед. Мне казалось, что здесь незримо путаются корни того, что на верхних этажах прорастает цветками портретов, пейзажей и натюрмортов — все эти сгустки наблюдений, фантазий, чаяний. Странно было думать о картинах, написанных среди слякоти, мороза, непролазной грязи. Тлеющие костры, теплые стога. Крестьяне-старики с желтыми бровями, бабы с бордовыми рожами, нищие дети, черные избы, голые леса, студеные пруды. И золотые города, гранитные фасады, широкие ледяные реки. Красавицы вдовы с сумраком в глазах, холеные банкиры с раздвоенной бородой, подозрительные студенты с самокрутками и батюшки с пудовыми крестами. Какие они были счастливые люди, эти художники, несмотря на нищету, болезни, страдания, безысходность! Какая у них была любовь к жизни! Они были счастливы, сами того не зная. Как много в их жизни было восхищения. И вот теперь остатки их позабытых душ собраны там, наверху, а я здесь, в темной клоаке, радею об их сохранности. Сознание порученного мне долга облегчало задачу. И — о да! — я даже преисполнялся чем-то сродни гражданскому чувству или, если позволите, патриотизму. Ведь я был на государственной службе. Я спасал культурное достояние от гибели.

Коридоры тянулись бесконечным черным лабиринтом. Иногда я встречался с другим котом. Если не было повода сообщить что-нибудь интересное, мы молча разминались. Если было, то уже издалека мы подавали друг другу знак хвостом. Это была наша азбука. Например, встречный кот заслышал где-то писк. Он прикидывал силы и понимал, что одному ему не справиться. Тогда он искал подкрепление. Он быстро сгибал кончик хвоста справа налево. Это означало: рядом группировка противника, надо идти на штурм. Я присоединялся и следовал за ним. Действительно, скоро мы набредали на крысиный корпус. Крысы очень хитры и опасны. Единственный способ выйти победителем из схватки — внезапная и резкая атака. Желательно с двух или более флангов.

При этом кто-то должен держать партер, а кто-то предупреждать удары с воздуха. Ведь крысы способны почти вертикально прыгать на метр.

Через пару недель один из наших лишился лапы, напав в одиночку на трех крыс. Разумеется, он был демобилизован и отправлен в дом инвалидов. Так что, несмотря на наше физическое превосходство, надо было всегда держать ухо востро.

Коллектив у нас был дружный. После улова мы встречались в нашем углу. В ночь мы убивали две-три крысы. За трапезой вспоминали охоту, делились впечатлениями, но в наших разговорах никогда не было сальностей и армейских шуток известного рода. Наверное, потому, что все мы были кастрированы. Мы рассказывали друг другу, что собираемся делать после того, как служба закончится, кто чем займется. Вспоминали родных, свои подвалы, коробки и заветные норы. Почему-то ни у кого не было сомнений, что служба когда-нибудь закончится. Откуда у нас была такая уверенность? Будь проклята война.

Под утро мы расходились. Куда исчезали остальные, я не знаю. Можно предположить, что в других крыльях галереи обитают свои Петровичи, Михалычи и Иванычи, которые точно так же сидят на проходной и имеют в распоряжении по такому же, как я, коту-охотнику. Красивая теория.

В залы экспозиции вход мне был заказан. Это неудивительно. Но все-таки я научился проникать туда незамеченным. Чувство это было сродни тому, как герой-пожарный посещает спасенный им некогда от огня роддом.

Я бродил по галерее на рассвете, когда музей еще спит, но картины уже освещены первыми утренними лучами. Эти лица, кафтаны, фижмы и рюши. Эти нелепые парики. Мне представлялся скомканный лист бумаги, где плоскость нарушена, где белая гладь времени разбита. Исподняя сторона путается с лицевой. Людские милые пороки и страсти, привычки и забавы — они тоже были всего лишь вплетенным в этот канат волокном. Ступенькой, без которой огромная лестница рухнула бы в одно мгновение.

Солнце поднималось. Полосы желтого света, пробиваясь сквозь шторы, высвечивали глаза моделей, кисти рук, или веер, или лодку, или грот, или крыло купидона. Я путешествовал из зала в зал и думал. Кажется, что в любом прошлом есть покой и упорядоченность. Из чего бы ни было сделано прошлое, оно укладывается в правильную постройку, и каждый камень плотно подогнан к другому, словно их тесали и обжигали в одной мастерской. Но я знаю, что это не так. Будущее не знает ничего, а прошлое похоже на дырявый мешок, растерявший по дороге половину добра.

В Питере изобразительный музей назвали Эрмитажем*. Какое верное слово! Нигде не чувствуешь себя таким одиноким, таким отшельником, как

---

* Эрмитаж — жилище отшельника, уединенный уголок (*фр.*).

тут, среди давно умерших людей, которые тебя переживут. Только в залах Третьяковки я вдруг понял, что, может быть, людям живется ненамного проще, чем нам. А часто даже и труднее. Да, на каждый возраст им предоставляются целые гардеробы, набитые нарядами условностей, социальных благоглупостей и всяческих утех. Выбирай, какой хочешь. Но именно эти тяжелые наряды, всегда сшитые не по размеру, и делают их такими несчастными. Всю-то жизнь они таскают на себе эти непомерные шубы, где один рукав волочится по земле, а другой едва прикрывает локоть; где на голову женщины водружен опутанный волосами аквариум; где штаны надеты на руки, а ноги остаются голыми. И как в кошмарном сне, поначалу человек пребывает в ужасе, но потом, присмотревшись по сторонам, попривыкнув к бессмыслице, думает: "А ведь так, наверное, и должно быть. Так и надо! Как же это я сразу не понял!"

Однажды утром я гулял и заметил в глубине анфилады какого-то кота. Насколько я мог судить, он был не из нашей бригады и раньше я его никогда не видел. Я приветственно поднял хвост и направился к нему. Незнакомец хитро улыбался мне, сохраняя неподвижность, пока я проходил через залы. Я уже был совсем рядом, как вдруг, не сводя с меня взгляда, он поднял хвост и пометил стену рядом. После этого он бросился прочь. Я помчался за ним, но он успел нырнуть в отверстие для пожарного крана, и створка захлопнулась за ним. Я не стал его преследовать.

Странный кот. И почему я никогда его раньше здесь не видел? Тут я заметил, что с противоположных сторон ко мне ковыляют на своих круассаноподобных ногах две смотрительницы, вооруженные метлой и шваброй. Одна из них злобно воскликнула: "Ах ты ссыкун!" Я только успел бросить взгляд на картину перед собой и шмыгнул в отверстие в стене. Я оказался в длинном узком тоннеле. Давешнего кота и след простыл.

Что это было? Очевидно, незнакомец решил меня подставить. Зачем? Неясно. Он хотел пустить мою служебную карьеру под откос? Вероятно. Чтобы занять мое место? Возможно. Странно все это. Было что-то нехорошее и насмешливое в его физиономии. Недоброе что-то было в нем. Злое и безжалостное.

А картина, на которую я бросил взгляд, оказалась портретом Марии Лопухиной кисти Владимира Лукича Боровиковского. Про эту картину я слышал одну легенду.

Несколько лет назад в Третьяковку зачастила группа странных мужчин. Все они были одеты в длинные черные пальто, черные же шляпы ковбойского фасона. Перчатки, ботинки, шарфы и брюки, как нетрудно догадаться, ничем не уступали в черноте остальной одежде. Их было что-то около семи. Они были разных возрастов: от совсем юноши до преклонного старика, единственного обладателя белейших усов. Они никогда не сдавали одежду в гар-

дероб, но целеустремленно проходили в залы, в последний момент мелькнув перед смотрительницей удостоверением "Друг Третьяковки". Они не задерживались перед Рокотовым и Левицким, не удостаивали вниманием ни Кипренского, ни Брюллова, не питали ни малейшего интереса ни к Врубелю, ни к Серову. Нет. Вместо этого они останавливались перед портретом Марии Ивановны Лопухиной и уже больше никуда не спешили.

По тому, как часто их видели в Третьяковке (не менее трех раз в месяц), и по тому, что явной целью их посещения был портрет Лопухиной, можно было предположить, что мужчины образовали что-то вроде клуба ее почитателей. Они выстраивались перед Марией Ивановной полукругом и в течение тридцати минут молча на нее глядели. Они не уступали место ни школьным группам, ни китайским делегациям. Они не пропускали никого между собой и портретом. Они не реагировали на просьбы смотрительниц и охраны. О чем могли думать члены таинственного сообщества? Должно быть, перебирали в голове немногочисленные вехи жизни Марии Ивановны. Воображали будни ее короткого и несчастливого брака с егермейстером Лопухиным. Проникаясь ее странным, надменным, наивным и полудетским взглядом, они думали о своих собственных жизнях. О жизнях, лишенных вспышек и огней, слишком тяжелых и плотных, чтобы разглядеть пролеты метеоров и комет. Не потому ли они выбрали символом своих неудавшихся любовей восемнадцатилетнюю Марию Ивановну? Они следили за вырезом ее ворота и думали о нежности, которой сами были лишены. Они наблюдали за мановением колосьев и цветков на заднем фоне и сами становились колосьями и цветками. Они предвидели на этом лице развившуюся вскоре чахотку. Вполне напитавшись очарованием портрета, гроссмейстер тайного ордена двумя пальцами подавал знак другим, и они, не проронив ни слова, уходили прочь.

Выйдя из галереи, они направлялись к Андроникову монастырю, в церковь архангела Михаила, в фамильную усыпальницу Лопухиных. Путь от Третьяковки до Андроникова занимал час с небольшим. Они сворачивали с Лаврушинского в Толмачёвский, миновали Климента, потом через Садовнический проезд выходили на Устьинский мост. Они молча шагали по мосту, влекомые смутным мистическим чувством, вперив вдаль хмурый взгляд. Двое участников несли корзину цветов и фруктов. Полы их пальто колыхались вместе с праздничными флажками, выставленными вдоль моста.

Мелкий сухой снег собирался на полях их шляп, плечах и скатерти, которой была покрыта корзина. А они всё шли и шли. По Яузской, мимо библиотеки иностранной литературы, по Николоямской. Удивляя своим видом прохожих, собирая гудки машин, вызывая перезвон на колокольнях. Они проходили магазин "АБК", каланчу, пункт помощи бездомным и оказывались у ворот монастыря. Тут они снимали шляпы и до церкви архангела Михаила шли с обнаженными головами. В церкви они спускались по узкой крутой лестнице в склеп. В тускло освещенной сводчатой комнате они ставили корзину у заветной плиты, а сами брались за

руки и, закрыв глаза, тихим хором читали стихотворение Якова Полонского "Она давно прошла, и нет уже тех глаз...". Каков был их устав? Чем они занимались в часы, свободные от куртуазного культа? Почему их пленила именно работа Боровиковского? Никто этого никогда не узнал.

Две смотрительницы, не выпуская из рук швабры и метлы, дошли до патронессы и сообщили ей все подробности утреннего происшествия. Ко всему сказанному они присовокупили описание моей внешности и приглашение пройти и отнюхать результат моих проказ на стене. Патронесса вежливо отказалась и вызвала к себе Сергеича. Я был уволен.

Как мог я доказать, что мои тестикулы уже давно не были способны на такое? Как мог заставить своих работодателей посмотреть запись с видеокамер и убедиться в моей невиновности? Разум их был глух, а сердца черствы. Ну что ж... Тот, кто сыграл со мной такую шутку, еще преподнесет им не один сюрприз. Тогда я буду уже далеко и не расслышу их запоздалых криков раскаяния. Пусть будет так.

Не дав мне проститься с сослуживцами, не позволив совершить финальную прогулку по залам, меня вышвырнули. То есть не совсем. Сергеич налил кипятка в лапшу и, пока та медленно набухала и впитывала специи и приправы, обратился ко мне.

— Дурак ты, Сергеич. Все у тебя было: дом, жратва, любимая работа, гибкий график. А ты? Эх, — вздохнул мой бенефактор, помешивая лапшу в кастрюльке. — Ничего. Я тебя теперь к себе возьму. Будешь жить со мной в Кузьминках, — сказал Сергеич и облизал ложку.

Я не хотел жить в Кузьминках, где бы эти Кузьминки ни находились. Нет, не хотел. Еще меньше я хотел подачек, компромиссов и уступок. Я спрыгнул с вахтерского стола и юркнул в открытую дверь на улицу.

Мне предстояло восстановить некоторые знакомства и связи. Мне нужно было найти ночлег и место, где я мог бы ежедневно столоваться. Был март. Созвездие Рыб, покачивая замерзшими хвостами, проплывало вон, чтобы уступить место созвездию Ягненка. Я отпил талой воды из лужи. Посмотрел вокруг и к своему удовольствию заметил, что мир не стал хуже за месяцы моей службы. Наоборот, он прибавил в красках и цвете. Он оживился, обновился и готов был с новой силой наращивать свои витки. С прекрасной и бессмысленной яростью.

IV.
ЭТО

Это случилось в апреле. Точнее, в те последние дни месяца, когда низкие чугунные ограды столичных парков уже сверкают свежей черной краской, а до скамеек кисть муниципалитета еще не дошла. Рабочие собирали летние веранды, пахнувшие свежеструганой древесиной. Укладчики меняли асфальт. Продавцы из киоска "Ваш попкорный слуга" варили кукурузу. Велосипеды громко прочищали свои клаксоны и звонки после долгой спячки.

На дорожке парка появился пожилой господин в темном костюме и бесцветной шляпе. Остановился перед скамейкой. Буквально стек на нее и благостно выдохнул. Сиденье гостеприимно восприняло его сухопарый зад, а закругленный верх скамейки дружелюбно предоставил шее свой изгиб. Этого было недостаточно. Прохожий вынул из кармана мятый замшевый мешочек, поднес его к губам, и через мгновение мешочек стал расти, набухать и скоро превратился в упругую подушку. Ее пожилой господин подложил себе под шею и совершенно расслабился.

Он передвинул шляпу на затылок, а палкой стал чертить на гравии непонятные знаки. Окончив очередной иероглиф, он тут же его стирал, чтобы начать все заново. Затем извлек из кармана книгу и принялся читать. Потом отвел глаза от книги, посмотрел на небо и сказал гнусавым голосом так громко, что воробьи вспорхнули с веток, нависших над скамейкой: "Эти дни тянутся, как бесконечные вагоны, груженные в разной мере одним и тем же сырьем. Пора, мой друг, пора!" Прежде чем подняться, господин спрятал книгу в карман, качнулся назад, так что ноги приподнялись, затем качнулся вперед, встал... И вдруг замер посреди дороги, сложив ладони на ручке палки.

Случилось так, что в это самое время я мирно прогуливался по парку, по своему обыкновению, отыскивая какое-нибудь пропитание. Я остановился перед незнакомцем и вежливо поприветствовал его. Мне показалось, где-то я его уже видел. Господин приподнял брови вместе с указательным пальцем и произнес торжественным шепотом: "И, подошед к нему, возблеял агнец!" Последние слова вышли у него как-то слишком многозначительно. Мне это не понравилось. Во-первых, я к нему совсем не "подошед", он просто встал на моем пути. Во-вторых, я не агнец, это очевидно. В-третьих, даже если у господина неважное зрение (что весьма вероятно ввиду очков на его носу), то уж со слухом у него вряд ли должны быть проблемы: фатум редко разит дважды в одну точку. Короче, он же слышит, что я мяукаю, а не блею. Я откланялся и решил было обойти незнакомца, но тот резким движением преградил мне дорогу палкой. Одновременно в руке у него возникла пачка "Шебы" с уткой. "Ну что ж, — подумал я про себя, — добродетель подчас строга и неприветлива". Старик схватил край пачки зубами, мотнул головой, так что "Шеба" раскрылась и две сочные капли упали к его ногам. Он выплюнул обрывок упаковки, захватил палку подмышкой и, не сгибая ног, низко-низко опустил корпус. "Балетная выправка. Великая советская школа", — подумал я. Старик положил разверстую "Шебу" передо мной. "Буду в Питере — отнесу цветы на могилу Вагановой", — думал я про себя, уплетая утиные кусочки в нежном желе.

Вдруг… Я ничего не понял… Он ударил меня со всей силы палкой по спине. Я закричал. Потом он ударил меня по лапе. Я заковылял хвостом вперед. Вся шерсть извалялась в грязи, но мне было уже не до этого. Я заметил, что уголок его рта подергивается. И эти усы. Мерзкие усы-щеточки. Как у какого-то голливудского актера тридцатых годов. Это не сулило мне ничего хорошего. Как назло, вокруг никого не было. А если бы кто и был? Ну, подумали бы, что хозяин ловит своего кота. Боже мой, что же мне делать? Чего он хочет? Зачем? Старик медленно шел на меня, опираясь на палку, шел хромая, чуть кособоко. Он шел, не замечая, что забыл снять с шеи надувную подушку и что его туфли вместе с палкой оставляют на горячем асфальте глубокие дымящиеся вмятины. Свободной рукой он делал робкие движения, словно зазывая меня. Я потрусил прочь. Он прибавил шаг. Я прыгнул в кусты. Он заметил мой маневр и повернул ко мне. Я юркнул за дерево и скрылся в общественном туалете. Он потерял меня и направился вон из парка.

Туалет совсем недавно отремонтировали. Перед входом построили греческие колонны с ионическим ордером поверху. Внутри, как и положено, было сыро и прохладно. Кабинки были устроены вдоль полукруглой стены подобием каре, мраморный пол вымощен в черно-белую клетку, кое-где затопленную — что-то уже успело протечь. Странная, неуместная роскошь, подумал я. Но по крайней мере здесь есть вода. Я мог отдышаться и привести себя в порядок. Я отхлебнул из лужицы под раковиной. Передняя лапа сильно болела. Я осторожно прилег у батареи и сразу же задремал. Мне уже показалось, что я вижу эпиграф к увлекательному сновидению, как вдруг услышал хлюпкие шаги. Я надеялся, что это обычный посетитель. Но это был снова он. Я открыл глаза: старик стоял в дверях и быстро махал палкой справа налево, не позволяя мне проскочить на улицу. Я попятился назад. Только тут я заметил, что отыскать меня не составляло труда — за мной волочился кровавый след. Я почему-то понадеялся, что уже само предчувствие нехорошего по какому-то тайному метафизическому закону убережет меня от этого нехорошего. Как я оказался неправ!

— Замыслил я побег, — бесстрастно и негромко произнес старик.

— Да, побег. Но это вполне естественно с моей стороны, согласитесь, — бормотал я. — Вы поступили бы так же на моем месте. Разве нет? Да и любой поступил бы так же. Скажите, зачем вам это нужно?

Откуда-то сверху из колонок доносилась песня *Libertango*. Старик надвигался на меня в прохладном сумраке туалета. Фотоэлементы писсуаров реагировали на его ход и поочередно выбрасывали холостые потоки воды.

— Послушайте, ведь здесь повсюду камеры! Вы же станете героем интернета. Зачем вам это нужно?!

Тут я подумал: может, он и хочет стать героем интернета? Если один придурок ради вящей славы в веках сжег храм (и добился ведь таки своего!), неужели другой ради того же не остановится, чтобы убить какого-то бесхозного кота?

Не надо, пожалуйста! Не надо!!!

Если все, что я когда-либо знал, можно было назвать дурью, то да, старик вышиб из меня эту дурь. Вместе со всем прочим. Когда вызволяешь из щели в диване старый карандаш, он окутан пылью, волосами и всякой требухой. Так же и душа. Она отправляется туда не голая, но в одежде нажитых за годы примет и привязанностей. Чтобы, когда *тот самый* будет окликать имена тех, кто пропущен через его таможню, души можно было отличить друг от друга и они не путались у входа, наступая на ноги и лапы.

Старик ударил меня ботинком в живот. Само по себе это было не очень больно, но от удара я подлетел и расшиб голову о край батареи. Из пасти пошла кровь. Потом он со всей силы опустил каучуковый набалдашник мне на хребет. Потом ударил по пасти. Полетели зубы. Запахло почему-то подгнившими бананами. Я очень хотел, но никак не мог потерять сознание. Никак не мог. Потом он бил меня еще, но я уже не понимал, чем, как и куда.

Что-то хрустнуло. Тогда он отбросил палку и извлек из бокового кармана молоток. Я обомлел. Я только знал, что вот-вот, сейчас, и жизнь выйдет из меня, как свалявшийся клубок старой шерсти. У меня больше не было голоса, я только открывал рот — то ли пытался напоследок отхватить из атмосферы как можно больше воздуха, то ли от предсмертного рефлекса. У меня больше не было сил думать. Старик опять, как давеча, склонил надо мной корпус. Я больше не хотел цветов для Вагановой. Всё. Сейчас. Но жизнь не пролетала передо мной кинопленкой, пущенной наоборот. Где-то там, за краешком моего сознания, за уголком этого листа, на иссохшейся древесине стола, на котором была написана моя жизнь, мелькнула мысль: "Может быть, это все-таки еще не всё? А?" Я ухватился когтями и клыками за эту призрачную скатерть, я вцепился и повис на ней, даже зная, что ее толком нет. Я повис на ней, ожидая, когда ваза с цветами медленно съедет на край стола и свалится вниз, разбив вдребезги и мою и свою жизнь. Я закрыл уши задними лапами, а глаза передними и крепко зажмурился...

Ничего не происходило. Или уже произошло. Один мой глаз не открывался, в другом стояла малиновая муть. Но я понял, что он передумал. Он почему-то передумал. Перехватил молоток за гвоздодер и всего лишь стукнул меня еще раз рукояткой по голове.

Что это было? Он, как опытный старый душегуб, больше не наслаждался причинением боли? Мучение его теперь не удовлетворяло? Да, он хотел большего. Он хотел свободы? Только так. Он хотел управлять судьбой. Быть перстами, творящими участь. Перстами, бросающими непроизвольный жребий судьбы. Только так он становился хозяином своей жертвы.

И он, скрипя подагрическими костями, подобрал с кафеля палку и поплелся к выходу. "Но есть покой и воля", — важно прогнусавил он и на слове "воля" поднял указательный палец и по-учительски возвысил голос.

Вне всякого сомнения, после этой церемонии я оказался гораздо легче и чище. Меня не осталось. Я все потерял. На несколько белых дней. Несколько белых, тихих дней. Я ничего не помнил. Ничего.

———————

Кажется, в нашей истории наметился провал.
Но мы не можем отложить повествование.
В таком случае, пока следы главного героя потеря-
ны, перенесемся в роддом имени Клары Цеткин.
Поднимемся по центральной лестнице,
вот так, повернем направо, мимо купидона с вазо-
ном (осторожнее, паутина!).
Прямо, направо, еще раз направо. Отворим дверь.
Поднимем крышку сундука в углу, он не заперт.
Да, это тетради художника Белаквина, которые
никогда, никогда, никогда не будут найдены.
Сдуем с них пыль (будьте здоровы!),
откроем тетрадь. Почитаем при свете
зажигалки путаные, бестолковые и разрозненные
записи пропавшего художника.

V.
ЗАПИСИ
БЕЛАКВИНА

Говорили, что за окном все эти дни шел дождь. Я ничего не знала, потому что окна были плотно занавешены и никакие звуки с улицы до меня не доходили. Я хотела побыть наедине со своей памятью. И воображением. Я попросила их поставить пластинки с детскими сказками. В детстве мы с братом обожали слушать сказки. Они нашли проигрыватель. Я написала им список сказок. Я не помнила точные названия, но сейчас это все нетрудно найти. Набираешь ключевое слово — и тебе сразу ссылки и ссылки... Они отыскали на каких-то сайтах все пластинки. Все. Встретились с хозяевами и купили. Целые дни напролет я слушала их. Прошло столько лет. Столько лет. Боже мой. Я узнавала каждое слово, каждую интонацию, каждый звук. Как будто по старым высохшим каналам потекла вода. Проигрыватель "Вега-117". "Черная курица", "Волшебная лампа Аладдина". Когда одна сторона доигрывала, игла наскакивала на картон. Этот звук был очень похож на дождь. Так что каким-то образом я все-таки застала тот дождь, о котором они мне говорили. Да, это был настоящий дождь. Самый настоящий. Лучший дождь в моей жизни. Я больше ни о чем не жалела. О чем было жалеть? Все случилось ровно так, как я хотела. Даже больше того. Их жизнь прекрасна. Конечно, они этого еще не понимают. Как и я в свое время не понимала. Но потом, позже, они всё поймут. И, надеюсь, они не будут ни о чем жалеть. Бывает и такое, что людям не нравится понимать что-то новое, потому что это неудобно. Как будто вам срочно нужно делать капитальный ремонт в любимой квартире, на который у вас нет ни денег, ни желания. Но это не про моих. Они люди подвижные. Они ко всему приноровятся. Они всё успевают. Теперь все такое быстрое. А они всё успевают. Новые рекорды. Думаешь, куда же еще? А спортсмены прыгают всё выше, бегут быстрее, метают дальше.

Эти фотоальбомы. Когда мама была жива, она нам с братом про каждого что-то рассказывала. Тетя Надя. Дядя Игорь. Петр Иванович. Тетя Эля. Я их путала, эти имена. Каждый раз пыталась запомнить, кто там кому кем приходится, и каждый раз забывала опять. Добрые лица. Хорошие лица. Может быть, они добреют, когда альбомы раскрывают? Может быть, там, в темноте закрытых страниц, выражения их лиц совсем другие? Скоро я к ним присоединюсь. Все узнаю. Буду такой же загадочной тетей. Для внучатых племянников, для всех, всех, всех, которые не будут помнить моего с ними родства. Потом мою фотографию, возможно, купят задорого через сто пятьдесят лет как раритет. Например, в Аргентине. Когда кто-нибудь из моих неизвестных будущих потомков туда уедет. Ведь тогда уже совсем не останется фотографий. Теперь ведь всё в воздухе. В облаках. Всё в воздухе. Все меньше можно потрогать. Даже деньги видим все реже. Они бегают от одного хозяина к другому. Где-то там в воздухе. В невесомости. И я займу свое место. Свое собственное. Может быть, даже более реальное, чем это. Я помню, в школе на уроках меня поражало: вот жил себе какой-нибудь трилобит сотни миллионов лет назад. Тоже со своей небогатой, но все-таки биографией. Путешествовал, питался, по-своему любил свою подругу, а потом через эры, через апокалипсисы, рассветы и закаты нашел свою измельченную ракушку на школьной доске, на кончике завитка в какой-нибудь цифре 2, во фразе, которую учительница выводит мелом. И я так же, так же. И это хорошо, все очень хорошо.

В юности ты как будто едешь в лифте быстро наверх. Всё выше и быстрее. А к старости вдруг начинаешь думать про все эти этажи, которые проезжал, которые казались "не твоими", ненужными. И вдруг оказывается, что там-то и было что-то настоящее.

Как много было красоты. Как много. Кабинет географии. Раковины, расставленные по росту в шкафу, удивленно раскрыли свои розовые неба. Засохшие капли краски под подоконником. Почему я это вспомнила? Я не думала об этом так много лет. Бабушкины духи *Climat* в синей коробке. Удивительно, когда нас в первый раз обокрали, воры не взяли ни Кардена, ни *Chanel*, а *Climat* взяли. Понравились? Или они своей бабушке захотели подарить?

Хрупкие китайские фонарики. Они стояли много-много лет. Дотронуться до них было страшно, сразу же могли рассыпаться. В лучшем случае можно было подуть на каждый цветок. Что я и делала. Настенный светильник в два вазона, выкрашенный под бронзу. Мама очень злилась, если на труднодоступных для тряпки изгибах и завитках все-таки оставалась пыль. Большущий телевизор на треноге, шестиканальный оракул. Я хорошо помню, что на телевизоре стояло миниатюрное бревно на козлах, наполовину распиленное маленькой двуручной пилой. На ней изящным курсивом было выведено: "Пили, но знай меру". Тома детской энциклопедии и словарь Ожегова. Их мне подкладывали на стул, когда я, маленькая, занималась на пианино. Старое пианино. С пожелтевшими, кое-где немыми клавишами. Пыль сразу же оседала на нем снова. Всегда расстроенное, всегда в черном, лакированном трауре. Изодранные котом подлокотники кресла, стыдливо прикрытые расшитыми полотенцами. Откуда эти полотенца к нам попали? Из Игналины в восемьдесят первом? Из Львова в восемьдесят восьмом? Потом стенка — это был целый городок со своими артелями, забегаловками, музеями, проспектами, историческим центром. За стеклом — венецианские маски, календарики, выцветшие плакаты. Мирок, составленный из подаренных сувениров, памятных побрякушек, янтарных камешков, статуэток, подсвечников, свечи от которых давно сгорели, из кусков мыла, обшитых в лиловый атлас. И книги, книги, книги, книги. Эти вещи простаивали годами, и как-то не поднималась рука сложить их в ящик или, не дай бог, отнести на помойку из какого-то суеверного страха. Казалось, убери с полки какой-нибудь предмет, например валдайский колокольчик, и нарушится сложная, тонкая аура, что-то навсегда сломается, что-то пойдет не так. Все было на месте. Изъяны превращались в достоинства: например, выпуклости на линолеуме создавали естественный ландшафт для игрушечных баталий брата. А вывороченные бруски паркета в коридоре становились могильными плитами в готическом соборе.

Я сейчас думаю об этом и понимаю, что события внешнего мира: убийство Листьева, октябрь девяносто третьего, Буденновск или дефолт девяносто восьмого — имели для нас меньшее значение, чем перестановка фигурки нэцкэ на полку выше. Такой вот космос.

Приходили гости. Взрослые пели на кухне. Дети нацепляли на гвоздики в стене простынь, включали проектор и усаживались на пол смотреть диафильмы. Изображение было кривым, и часть картинки с изломом уходила на другую стену, так что какой-нибудь Ежик или Дюймовочка могли быть как будто разложены в двух измерениях. И строчки снизу убегали по диагонали наверх. Мы не успевали прочесть слова, потому что Света, которая была старше нас на два года и всегда брала на себя функции механика, специально меняла кадр слишком рано, чтобы показать, что она читает быстрее. Я обожала диафильмы (но пластинки — больше). Когда я смотрела на этих странных человечков или зверей, следила за их историями, я чувствовала, словно моя собственная жизнь сгущается. Вот кто-то открыл окно, сквозняк по простыне, пробежала волна от ветерка, и изображение всколыхнулось. Вот я сижу на полу по-турецки, во мраке светятся глаза кота. Мультфильмы по телевизору были для всех, а диафильмы — только для тебя одной. В них никогда не было ярких красок, они были тусклыми и мягкими, но именно это подчеркивало мое собственное существование, отделяло меня от других вещей, от других жизней. У каждого должна быть своя пещера с сокровищами. Хотя бы с одним-единственным драгоценным камнем. Такое место, куда не проникает внешний свет. В эту пещеру не надо часто заходить. Но о ней следует всегда помнить, никогда не забывать туда дорогу. Сейчас я понимаю это особенно ясно.

Так повторялось из года в год. Гости. Те же самые мамины друзья. Они никогда не говорили ни о чем серьезном. Много вспоминали, смеялись, плакали. Обсуждали школьные успехи или неуспехи детей. Делились планами на летний ремонт или поездку в Анапу. Но ни о чем серьезном. И они постарели гораздо раньше срока. Не говоря ни слова о своих потерях со времен последней встречи, они внутренним взглядом наблюдали в себе навсегда отжившее. Этого отжившего становилось все больше и больше. Потом, наконец признавшись себе в собственной несчастливости, они закрыли прошлое на засовы, повесили один замок, другой, нацепили для верности собачку на тонкой цепочке и вдруг нашли утешение в церкви, как за двадцать лет до этого находили его в сериалах и легких коктейлях в банках. Но это было гораздо позже. А тогда за окном ревела стужа, тропинки и дорожки заносило снегом, вокруг было темно и страшно. Такие встречи согревали. Они давали ощущение порядка. Пускай зыбкого, но порядка. Ощущение бескорыстной заботы друг о друге, когда вокруг от старого мира остались только обшарпанные, треснувшие сваи.

И все это похоже на то, как ты складываешь в чемодан горы вещей: и знаешь, что вещей очень много, чемодан небольшой, но другого у тебя нет. И вот ты запихиваешь последнюю пару носков, сжимаешь его бока, и молния все-таки поддается. И чемодан стоит, нагруженный, толстый, тяжелый. А потом в гостинице ты его раскрываешь и не можешь понять, как же все это в него влезло? Вынимаешь джинсы, кроссовки, полотенце. И вот — всё. Так и с жизнью. Кажется, неужели это было десять лет назад, неужели вот Коля уже двадцать семь лет как погиб? Неужели двадцать пять лет, как купили тот *Hyundai*? Неужели уже сорок восемь, как закончила школу? Да, все именно так. Все как-то влезло в эту маленькую резиновую жизнь. Все заняло свое собственное, только ему уготованное место.

Я всегда жила так, как будто наводила фокус в бинокле и ждала, что вот-вот, и все станет ясно и четко. Но ведь все с самого начала было ясно и четко. Папы не стало в тридцать семь, я старше его более чем в два раза. Успокоился ли он? Передал ли ему Господь этот великий дар покоя и бесстрашия? Я уверена. Он был сильным человеком. Легким и сильным. Таких очень любят. Мама сказала, что за все время болезни только один раз, за пару месяцев до смерти, он ей сказал вскользь: "Загнусь я, наверное".

Сначала все медленно, размеренно. Именно так, чтобы все успела почувствовать, понять, увидеть. А потом, когда видишь все так ясно и так далеко, годы начинают спешить; как почерк ребенка: к концу страницы пытается вместить все, и слова уменьшаются и лезут вверх. Лишь бы все поместилось.

Никогда никогда никогда никогда. Но даже это ужасное, черное слово заканчивается тихим, благожелательным утверждением, согласием. Может быть, нет никакого *никогда*? Тихий вопрос, который не требует ответа. Потому что сам и есть ответ. Это теплое молчание. Ответ в тишине. Вот где правда. Ответ там, где его уже не нужно будет искать

ночь ночь шелест материнской юбки. атласные складки блестящие переливы. узор обоев цветки. корешки книг покой покой. расщепить эту иглу навсегда. бабушкин черный волос на странице наискосок я видела ее только седой. скоро день. скоро навсегда. детские крики на улице. утренняя почта черная копоть на белом доме. концерт у МГУ картинки и аисты. аисты улетели навсегда. автобус "В" красный, всегда подходит раньше на противоположенной стороне. как красиво. как много нежности. награды в шкатулке. планки и ленты. только так только сегодня понимаешь зачем все это было. только сейчас узнаешь имена черная теплая ночь как в парке у того художника. покой покой никогда не забудется никогда не потеряется будут рядом всегда как варежки соединенные резинкой как этот день лучший день любимый день следы теннисного мячика на школьной стене все вместе самые любимые самые близкие и любимые снежные шапки на надгробиях направо от сестры Утесова через шесть рядов после Резников и еще раз направо там не ошибешься дрожащий мизинец над черной клавишей колыхание занавески на ветру и вот

* * *

У меня было шесть парок, но, когда по утрам так херово, я всегда хочу двух вещей: побриться и купить себе новую парку. Утро было херовым вдвойне, потому что накануне я уже побрился, а новую парку мне позавчера подарила мама по случаю ДР. Но я не унывал, я намылил гладкую щеку и прошелся по ней бритвой еще раз. Я никогда не похмеляюсь, я испиваю эту горькую чашу до дна. Я закончил процедуру, втер в кожу "Нивею" и отправился в подиум-маркет за новой паркой. Но надо рассказать, что и как.

Это была не простая парка. Я ее высмотрел у бывшего босса. Я работал в сервисе, и меня уволили. Я даже у *Galaxy S8* не успел экран поставить. Подходит Арчи (босс) и так и говорит: "Брателло, ничего личного, но кризис-шмизис, санкции-фиганкции, в общем, денег нет на трех мастеров. А поскольку ты младший — уволить придется тебя". И те, другие, так зыркнули на меня со своих мест и опять телефоны чинить, мол, они не при делах. Вообще, он нормальный чувак, этот Арчи, и у него зачетная парка. Он это знал и никогда не снимал ее, так что я даже не мог разглядеть бренд (а когда я его спрашивал, он только отшучивался). В общем, Арчи нормальный чувак, но жучара тот еще. Это потому, что он за паровозов топит (за "Локомотив", значит, кто не в теме). И вот он так и сидел, чинил в офисе телефоны, не снимая парки, и капюшон у него такой сзади, чумовой. Он этот капюшон использовал как склад для перхоти и задних мыслей. Зачетно сказал. Но я все равно узнал, что это за парка. Я как-то повернул выключатель батарей с двушки на пятерку. Арчи сидел, сидел, а потом жарковато стало, он повесил парку на крючок. Потом пошел в сортир — тут я быстро и выяснил, что за модель. В общем, *ASOS North*. Продавалась в "Подиум-маркете" на Охотном. Стоила двенадцать косарей. Но она того стоила. Вот. Был уже ноябрь. Холода наступали. А заплатили мне только три косаря. Вариков ноль. И баблоса ноль. Короче, денег нет, но вы держитесь. А парку, сука, хочется.

Одолжил у мамы шестеру, и еще шестера была у меня. Прихожу в "Подиум-маркет". Висит, моя родная, на самом козырном месте висит. Осталась последняя и как раз моего размера. Купил ее, бережно убрал чек во внутренний карман, чтобы не дай боже не потерять, и гуляю по Москве в парке своей мечты. Это кайф. ЭТО КАЙФ! С Дашей встретился, с Коляном, с другим Коляном. Все оценили обновочку. Мама поздравила. Короче, не расстаюсь с ней нигде, даже дома в ней хожу и в ФИФУ в ней играю. Я вполне понял Арчи.

В общем, прошло одиннадцать дней, и я иду свою любимую парку возвращать. Ну, потому, что деньги нужны, а гарантийный возврат действует в течение двух недель. Спускаюсь в переход на Охотном, чтобы перейти к "Подиум-маркету", и тут… твою мать… восемнадцатый тур Российской футбольной премьер-лиги… Болелы "Локомотива", человек двадцать пять, не меньше. Стоят, лыбятся, запястья почесывают. Все добропослушные и законопорядочные граждане в панике разбежались, ни ментов, ни охраны… Только две продавщицы обомлевшие курят и я такой в новой парке. Я было повернулся бежать и, не поверите, поскальзываюсь. Паровозы так не спеша ко мне подходят. Один с красным рылом нагнулся и спрашивает: "За кого топишь, баклан?" Я как можно вежливее отвечаю: "Не интересуюсь футболом, брателло". "Напрасно, напрасно". В общем, подняли меня на ноги, содрали мою парочку *ASOS North* и дали под дых, так что я снова на пол опустился. Больно, дышать не могу, а эти две мымры… сигареты держат в вытянутой руке и под локоть так другой рукой придерживают. И я думаю: "У вас же дома тоже такие, как я, сынишки есть, что же вы, гадины, не поможете-то, а? Хоть крикните на них, завойте по-бабски. Есть же у вас какой-то материнский, сука, инстинкт или че там у вас". И они смотрят так на меня злобно и как будто отвечают мне про себя: "Нам, гаденыш, дел больше нет, как свой материнский, сука, инстинкт на тебя растрачивать".

Вот так. Но через три месяца я все равно еще раз купил эту парку. На четыре косаря дешевле. Через интернет. Вот в ней сейчас всю эту историю вам и рассказываю.

* * *

После мы оба отвернулись друг от друга и уставились каждый в свой телефон. Она сказала: "Дорогой, мы с тобой так долго трахались, что у меня даже телефон не успел заблокироваться". Я посмотрел в ночное окно. Светильник двоился в темном стекле. Я встал и пошел в ванную. Отлил. Посмотрел на себя в зеркало. Мне кажется, я не сильно изменился за все эти годы. Да, пропал мой фирменный ангельский румянец, за который меня так любили бабы. Еще на лбу появились короткие горизонтальные морщины. Они похожи на засечки, которые мой дед-охотник оставлял на прикладе ружья, когда убивал какого-нибудь крупного зверя. Пошел в большую комнату. Сел на диван, выпил залпом оставшийся коньяк и включил телевизор. Новости, снова новости, реклама какой-то надувной постели, старый фильм, снова новости: повязали какого-то чинушу. Ведут по коридору. Какими жалкими они сразу становятся. Прикрывает лицо листком.

Что остается? Одна только накипь. Ничего больше. Дырявые гнилые облака. Где я ошибся? Где сделал неверный шаг? Да, все бросить. Как всегда. Все бросить. Как часто я повторяю это? Раз в месяц, в неделю? В день? Откуда эта трусость? Вот сейчас встать в полный рост, сжать изо всех сил кулак, чтобы ногти до крови вошли в ладонь. Со всей-всей силой. Поклясться богом, в которого не веришь, но на которого надеешься. На экране разодетые черт знает во что идиоты отчаянно стараются изобразить веселье. Должно быть, повторяли какой-нибудь новогодний "Огонек". Внизу экрана бежали слова. Буквы заполнялись красным и исчезали.

От продажи квартиры в Измайлово у меня девять миллионов. Четыре из них разбросаны по четырем же банкам. Как же быстро это все тогда произошло. Агент уверяла, что в Измайлово квартиры идут очень плохо, что до нового года надеяться не на что. А первые покупатели позвонили на следующий же день, а через неделю выплатили аванс. И через месяц уже банк. Рядом стояла риелтор Светлана. Я все никак не мог привыкнуть, как к ней обращаться: то говорил ей "Светлана Дмитриевна, вы…", то "Света, ты", наконец нашел компромисс — "Света, вы…" Счетная машинка по ту сторону бронированного стекла с тарахтением пересчитывала купюры, кассирша равнодушно работала пальцами, складывала деньги в пачки. Я переводил взгляд с кассирши на покупательницу. Она стояла рядом, уставшая так же, как и я, от полуторачасовых чтений, проверок и подписей документов в переговорной комнате. Я смотрел на деньги и думал: вот они, все эти годы, собранные и спрессованные вместе, обращенные в правильные бумажные прямоугольники. Не мои годы, чужие годы. Чужое время, которое я присвоил себе и продал. Эти семейные собрания, рождения, похороны, праздники и многолетняя тишина. Вся эта долгая жизнь обратилась в несколько схваченных резинками брусков, аккуратно убранных в пакет. Воздух из пакета был откачан с помощью специальной машинки. И вот он передо мной — строгий бумажно-целлофановый эквивалент пяти десятилетий. Вакуум. Дома у меня еще пять. Я продам Олегу две точки. Сколько? Тысяч тридцать долларов, не меньше. Может, и все пятьдесят. В парке Горького в выходные очередь к киоску от пристани выстраивалась. Сейчас еще и бургеры в меню включим. И что мне делать со всеми этими деньгами? Бросить дуть. Бросить бухать. И что? Поступить на Высшие режиссерские, отправиться жить в Южную Америку? Что я буду делать?

Эти дни. Вот эти дни. Они похожи на песчаные холмы. С таким трудом переваливаешь за гребень, только чтобы оказаться у подножия следующего. Опустошенный и обессиленный. Зачем? Но мне уже в двадцать один казалось, что все идет не так. А в пятнадцать казалось, что жизнь кончена. Чего же я всегда боялся? Всегда боялся. Всю жизнь, как в компьютерной игре, перепрыгивал по плиткам, которые сразу же падали в бездну. Всю жизнь смотрел на себя со стороны и боялся посмотреть вокруг своими собственными глазами. Всю жизнь искал *их* баб, но никогда — свою. И вот он я — одетый в чужую одежду, фаршированный чужими мыслями, напичканный всяким хламом, выжатый и высосанный. Так ни разу и не побывал на могиле бабушки. Ни разу за двадцать лет, ни одного гребаного раза! Если все обещания, которые я давал за всю свою жизнь, сейчас ворвутся в комнату, станет так тесно, что я не смогу пошевелиться. Я задохнусь. Я задохнусь. На часах 3:44. Скоро начнет светать. Послезавтра начнется Лига чемпионов. Доживем как-нибудь. Что-нибудь придумаем. Что-нибудь сообразим.

* * *

Я зашла на детскую площадку и присела на качели. Прислонила голову к ржавой штанге и, покачиваясь, слушала, как простывшие на ядреном апрельском воздухе качели громко кашляют, когда я подаюсь вперед, а потом высоко и пронзительно свистят, когда возвращаюсь назад. Ноги мои стояли в ледяной лужице. Я постукивала ботинками друг о друга, и подошвы чувствовали скользкое дно и взбивали талую воду. Рядом в черном, нищем сугробике застряла детская игрушка. За долгую зиму черты ее стерлись, и было невозможно понять, какую роль она исполняла при жизни: то ли клоун, то ли крокодил.

Пятно на блузке уже почти высохло. Я сняла бедж и убрала его в карман фартука. Я тщательно умылась, но все равно чувствовала на лице запах кофе. Сигарета, которую я бережно сжимала в кулаке, покривилась, и, когда на второй раз я прикурила, прямо посередке в нее угодила капля с перекладины качелей. Я знала, что обида только расцветает. Что сейчас она нагонит меня, как та боль в детстве, когда ударишься коленкой и считаешь до трех. Раз, два, три — и она тебя поглощает. И вот я уже начала пробегать эту лестницу диалога туда и обратно, туда и обратно, быстро и медленно, сверху вниз и снизу вверх, перепрыгивая через ступеньки или останавливаясь на каждой подолгу. Я стала, как это всегда и бывает, менять, додумывать слова. Подбирать лучшие фразы, которые никогда не приходят в голову, когда они так нужны, а только потом стучатся в дверь, как запоздавшие гости. Вспоминать его красные глаза, эти мерзкие бесцветные рыбьи глаза, которые не умеют смотреть, а умеют только считывать, как кассовый аппарат, твою стоимость. Они так ко всему и относятся. Сколько ты стоишь? Какова твоя сумма? Я ведь и хотела ему налить без сахара. Я просто ослышалась. Он ведь у меня не один. Я просто попала под горячую руку. Звонит телефон. Саша. Если бы он был рядом. А хотя, что бы он мог сделать?

Мне надо привести в порядок мысли. Но это никчемная забота. Это бесполезное дело. Просто такой день. Вечером будет Саша. Тот маленький заряд нежности, положенный для твоей жизни, уже давно исчерпан, и ты ищешь оправдания череде дней, что еще ждет тебя впереди. И тогда ты припоминаешь, что у тебя есть ладони. Ты припоминаешь, зачем они тебе нужны. Ты знаешь, почему они такие теплые и мягкие. Чтобы защитить голову. Чтобы выстроить тонкий простенок между тобой и не тобой. Чтобы уплотнить зазор между тобой и ними. Крепко прижимаешь их к ушам, зажмуриваешь глаза, а голову опускаешь как можно ниже к груди. Ты опускаешься на землю. Притягиваешь колени к голове. Скрещиваешь ноги и сидишь так десятилетиями, похожая на скомканный лист бумаги. Сидишь и сидишь и слушаешь гул в раковине. Розовый матовый гул. То облачко в углу снимка, которое оказалось всего лишь пальцем фотографа, попавшим в объектив. Слушаешь изнанку времени. Тихое бархатное подполье. Надежда на надежду. Никогда не сказанное, никогда не выговоренное, никогда не прозвучавшее. В небе ворочаются рыхлые серые облака. И волосы на затылке теребит ветерок. Сжимаешь в кармане пальто связку ржавых ключей. Осязаешь резьбу каждого, вспоминаешь на ощупь дверь и замок, который этот ключ когда-то открывал. Или не открывал никогда.

Я брошу эту работу. Я найду новую. Я сама открою свое кафе. И туда будут ходить только те, кто сделан из стекла. Да, я так и назову кафе — "Стеклянные люди". Пора возвращаться, менеджер зовет.

* * *

Потом, когда я вспоминал эти дни. Это были счастливые дни, похожие друг на друга, но оттого еще более счастливые. Быстрый хоровод или даже так — крутящийся барабан револьвера (у кого-то я это уже встречал?). Лист бумаги, залитый синей краской. Сплошная синева. Где-то гуще, где-то бледнее. С подтеками. Этим дням не хватало самих себя, и они брали немного взаймы у завтра. И гасли они быстро и шипели, как окурки, брошенные в воду. И вот так они шли, так они проходили. Был восторг. Я вел ежедневник. Я писал заметки вразнобой, как придется. Поэтому 4 апреля могло прийтись на 24 января. Или наоборот. Заметки были совершенно одинаковые, абсолютно. Я только писал их по-разному: то печатными буквами, то прописью. То задом наперед. Но латиницей. То выдуманными иероглифами. Одно и то же, каждый день: "Там, наверху, сквозь толщу воды я различаю крики птиц". И вдруг... а ведь это всегда происходит вдруг... мы увидели себя и в одно и то же время подумали, что все кончилось. Все "наше". Мы посмотрели на себя и увидели, что стали похожи на... знаете, праздничные шарики недельной давности. Полуспущенные, сморщенные, но еще с остатками того праздничного воздуха. Похожие на старые женские груди. Мы поняли, что надо начинать новую жизнь и узнавать друг друга заново.

Мы Те навсегда ушли, а Этих мы еще знали. И боялись.

Как же это было сладко. Как же это было нежно. Стоит большого труда все это припомнить. Но… Да, конечно, наши внешние мечты остались осуществленными только наполовину. Как не высвободившиеся из камня фигуры на барельефах. Но… Но… Какое нам до этого дело?

VI.
ДЕНИСОВСКИЙ, 24

К огда прошло двадцать миллионов лет, я открыл глаза. Надо мной склонились какие-то люди в высоких золотых коронах, должно быть короли, и о чем-то тихо между собой переговаривались. Язык их был мне незнаком. Потом снова стало темно.

Очнувшись в следующий раз, я увидел хоровод из ослепительно белых солнц. Еще я видел блестящие, серебряные предметы. Были люди, но уже не короли, а кто, я понять не мог, потому что было слишком ярко. Все тонуло в белизне, и все сверкало. Я слышал короткие электронные звуки. Они повторялись. Еще я запомнил какой-то странный, удивительный запах. Он был ни на что не похож. Хотя нет, кажется, я уже однажды слышал этот запах. Это было в тот день, когда мне резали мои тестикулы. Он был очень сильным и нежным. Он был благостным. От этого запаха я вернулся в детство и еще раньше, в свой маленький дворец со слюдяными стенками. Я свернулся в клубок и медленно вращался внутри этого дворца. Высокий электронный звук стал учащаться, учащаться, и я снова впал в беспамятство.

Не знаю, сколько прошло времени. Когда сознание вернулось вновь, я мог смутно распознать оконный проем. Силуэты людей. Опять разговоры на непонятном языке. Я долго пил воду. Спал. Опять пил воду. Помню, я почувствовал, что меня гладят. Потом опять ничего не помню.

И снова сменялись эры, галактики вспыхивали и гасли. "Ай, кёшкя ачнюлс!" — сказал кто-то. И вот тут я обнаружил себя уплетающим за обе щеки рагу со вкусом телятины. Передо мной стояло два блюдца. Покончив с рагу, я приступил было к сухому корму, но в пасти стало так больно, что я выплюнул еду обратно. Я обернулся. На кровати лежал молодой человек лет двадцати, азиат, одетый в спортивный костюм, и смотрел на меня. Я понял, что уже давно автоматически продолжал выполнять различные действия: ел, пил, ходил в туалет, но сознание зажглось во мне только в это мгновение. Молодой человек широко улыбался.

— Кёшкя ачнюлс! — повторил он и хлопнул в ладоши. — Сен, мышык, чыныгы эркексиң! Сен, мышык, жигитсиң! Сен кучтуусуң жана эрктуусуң! Сен темирден кайраттуусуң ошол учун мен сени

Темиржан деп чакырам!* — добавил он на своем языке. Указал на меня пальцем и повторил: "Темиржан!"

Я ничего не понял, кроме того, что Темиржан — это, вроде как, получается, я, но спорить не стал. Вместо этого я попытался определить, отчего у меня так заболело в пасти. Я заметил на столе серебристую кастрюлю и попробовал добраться до нее, чтобы рассмотреть себя в отражении, но оказалось, что все тело невыносимо ломит. Кости болели, а мышцы стонали и не слушались. Кажется, парень прочитал мои мысли. Он перенес меня на стол. В полете я успел оценить степень моих внутренних повреждений. Пара ребер были сломаны. Вместе с тем я почувствовал резкую боль в правой передней лапе и смещение в хвосте. Очутившись на столе, я предпринял попытку обернуть лапы хвостом и только тут понял, что сам-то хвост отсутствует более чем наполовину. Я взвизгнул. То есть то, что, как мне казалось, болит, на самом деле просто исчезло. Я не поддавался панике… Нет, я поддавался панике. Но так как мне трудно было сделать лишнее движение, то паника работала в режиме внутреннего сгорания. Все-таки я собрался и мужественно продолжил себя изучать. Худшее было впереди. Я посмотрел в кастрюлю. Вместо глаза я обнаружил красивую тем-

---

* Ты, кошка, настоящий мужчина! Ты кошка-джигит! У тебя сильное тело и непреклонная воля! Ты крепче железа, поэтому я буду звать тебя Темиржан! *(кирг.)*

но-лиловую тьму. Я видел всего лишь полмира, но дошло это до меня только сейчас. Я открыл пасть, чтобы закричать, и недосчитался в отражении нескольких клыков. Я долго стоял с раскрытой пастью и не мог шевельнуться.

Смысл произошедшего стал до меня доходить. Худо-бедно заработала память. Последние события печальной процессией поднимались к моему сознанию, скрипя ступенями и половицами, толпились у входа, галдели, наступали друг другу на ноги и наконец ввалились гурьбой, приведя меня в отчаяние. Я вспомнил тени веток в парке, гудки велосипедов, мраморный туалет, Агриппину Ваганову, странную мелодию *Libertango*, отвратительного старикашку и запах крови. Вспомнил и пожалел, что не умер.

В выпуклой кастрюле рядом со мной выросло лицо моего нового друга. Он стал говорить через отражение, объяснять на своем языке, что со мной случилось.

— Менин атым Аскар. Мындан ары сен биз менен жашаисың. Сен, мышык Темиржан, аз жерден калдың, Аллахтын кучу менен аман калдың. Биз сени канжалап жаткан жеринен парктан таптык. Бир жума эсине келе албай жаттың, анан мен айлыгымды алып, Жоомарт да айлыгын алып, Ырыскелди телефонун сатып Талгатка да айлыгы тийип, акча чогултуп сени жаныбарлар догдуруна алып барганга. Башында догдур жинденип, сени дароо алып келбегенибиз үчүн.

Анан догдур айтат, сен ага тааныш көрүнүп атасын деп. Догдур аябай жакшы киши жана оз ишинин чебери. Сени тиги дуийнөдөн куийругундан тартып чыкты. Сен, мышык Темиржан, аябай жарадар болупсун, катуу сабап кетишиптир, эми азыр эч нерседен камсанаба. Кабыргаларын калыбына келет. Көзүндү жоготтун, бирок бирө менен андан артык көрөсун. А куйругуң анча деле кереги жок болчу. Азыр менин жердеш — досторум келишет. Алар абдан кубанычта болушат, сенин өзүнө келип, тируу калганыңа эч нерсе болбогондой*.

* Меня зовут Аскар. Теперь ты будешь жить с нами. Ты, кот Темиржан, уже почти что окочурился, но Аллаху было угодно продлить твои дни. Мы нашли тебя в парке истекающим кровью. Целую неделю ты пролежал у нас в отключке, но потом я получил зарплату, и Жоомарт тоже получил зарплату, а Ырыскелди продал свой телефон, а Талгат тоже получил зарплату, и мы скинулись, чтобы отнести тебя в госпиталь для животных. Сначала доктор разозлился, потому что мы не принесли тебя раньше. Потом доктор сказал, что твое лицо ему знакомо. Доктор был хорошим человеком и мастером своего дела. Он вытянул тебя за хвост с того света. С помощью Аллаха, конечно. Если бы ты не был котом, то тебе следовало бы совершить намаз, но так как это невозможно, то я сделаю это за тебя. А пока что отдыхай и набирайся сил. Ты, кот Темиржан, получил много ранений, тебя сильно побили, но теперь тебе ничто не угрожает. Ребра склеятся обратно. Глаз, конечно, не вернуть, но зато теперь ты будешь смотреть одним как за два. Использовать его по полной. А хвост тебе и так не очень-то был нужен. Скоро придут мои друзья-земляки. Они будут рады, что Темиржан пришел в себя и станет жить дальше как ни в чем не бывало (*кирг.*).

Сказав это, он перевел взгляд с моего отражения в кастрюле на меня и почесал мне за ухом.

Я находился в большой комнате на первом этаже неизвестного мне дома. Комната была загромождена чугунными сейфами, списанными ксероксами, старыми мониторами и бесчисленными стопками папок. Вдоль стен стояли кровати. Пол был покрыт полинявшим ковролином. У окна, наглухо закрашенного белой краской, стоял большой стол, заваленный посудой. Потолок занимали подвесные плоские люстры, которые мелодично позвякивали, когда их включали. У двери раковина. На стене календарь с золотым полумесяцем на зеленом фоне. Напротив — постер с изображением какого-то футболиста, который прижимает палец к губам, как будто делает "Тш-ш!". Между двух кроватей тумбочка, на которой Аскар устроил мне лежанку: сложенный плед. Под тумбочкой миски с водой и кормом, тут же на полу микроволновка. В углу у двери лоток. Шкаф с закоптелым, грязным зеркалом. Вот такая обстановка. Пахло бараниной, дезодорантами, грязной одеждой и табаком. Котов здесь никогда не бывало.

Я обнюхивал комнату, когда отворилась дверь и один за одним вошли друзья Аскара. Их было четверо. Все они были одеты в спортивные кофты и джинсы. Все они были чрезвычайно друг на друга похожи, и им это, насколько я понял, очень нравилось. Только тот, что был ниже всех, носил странный головной убор: высокий черно-белый колпак с орнаментом и кисточкой на макушке. Высоким этим колпаком он как бы компенсировал недостаток роста.

Они меня увидели и точно так же, как Аскар, широко заулыбались и захлопали в ладоши. Они долго говорили что-то про меня, про Аскара. Потом один из них, тот, что был помоложе, убежал на улицу и скоро вернулся с двумя бутылками водки. Через пару часов он еще раз сбегал за водкой и еще раз сбегал за водкой. Все дружно напились и легли в пятом часу утра.

А я занялся анализом своего положения. Дальнейшее существование представлялось мне смутным и бессмысленным. Я был похож на уснувшего после окончания киносеанса, которого некому разбудить и препроводить к выходу. Что это было? Возмездие за дар преждевременного видения, тогда, в материнской утробе? Сведение счетов? Со мной? Каких таких счетов? Случайность? Преднамеренная шутка? Сорвавшийся план? Какая чушь. Какой бред. Я, лишенный репродуктивной функции, теперь еще и наполовину ослеп. Я лишился орудий для размельчения пищи и потерял инструмент для балансировки. Я молчу про эстетическую сторону катастрофы: мой вид должен вызывать отвращение. Но я продолжил жить. Я не умер. День ото дня я убеждался, что смерть мне покуда не грозит. Хотя, согласно простейшей кошачьей арифметике, я уже успел бы израсходовать во много раз больше жизней, чем те несчастные девять, положенные каждому коту. А если так, то делать нечего. Надо привыкать.

Несколько раз меня вывозили к врачу, моему старому приятелю Игорю Валентиновичу. Игорь Валентинович говорил: "Хм. Кажется, этого кота я уже где-то видел. Впрочем, едва ли". Он делал мне уколы, от которых под кожей страшно зудело и чесалось. Он позорно вставлял мне сзади градусник. Он промывал мне раны и засовывал в пасть какие-то таблетки. Смазывал чем-то обрубок хвоста. Однажды мне ввели какое-то средство, и я уснул. А когда проснулся, то в глянцевой поверхности стола, на котором лежал, увидел, что на месте лиловой тьмы теперь не было ровным счетом ничего. Мне зашили то, что когда-то было глазом. Ровная серая гладь, как если оторвать пуговицу от плюшевой подушки.

Через две недели я уже мог лежать на боку — ребра выправились. Обрубок зарос, и теперь во мне даже появилась некоторая грациозность, если позволите. Издалека меня можно было принять за бобтейла.

Мой новый хозяин не заботился о моих перемещениях. Окно не запиралось, я легко пролезал сквозь решетку на улицу. Скоро я уже мог безболезненно приземляться на лапы. Выпрыгнув однажды из окна, я обежал здание и обнаружил, что нахожусь у дома 24 по Денисовскому переулку. Дом представлял собой старую двухэтажную постройку. Цвет его трудно было определить: что-то среднее между зеленым, серым и бурым. На втором этаже имелся балкончик, огороженный балюстрадой из полуразрушенных кеглей. Окна были отделаны резными рамами. Краска сильно облупилась и свисала со стен ошметками. У входа висела табличка "Отделение по району "Басманный" УФМС ЦАО г. Москвы".

В доме 24 по Денисовскому переулку кипела работа. Головы просителей клонились в окошечках. Люди в униформе ритмично постукивали штампами, отбивали ноктюрны на клавиатурах. Кулеры бурлили, принтеры печатали. "А мои новые друзья неплохо устроились", — подумал я. То есть они умудрились снять комнату прямо в здании миграционной службы. Ну что ж, вот Мопассан ненавидел Эйфелеву башню, но частенько забирался на нее пообедать, оправдываясь тем, что только внутри башни он может ее не замечать. Туда и обратно ходил разный люд, чрезвычайно похожий на моих сожителей. Однажды среди пестрой толпы я даже различил моего старого друга Абдуллоха — дворника с Шелапутинского. Он курил у входа, и на запястье у него висел маленький радиоприемник. Я оперся передними лапами о его ногу и задал ему риторический вопрос: "Жив, курилка?" Он кивнул головой. Видимо, согласился, что жив. Он меня не узнал. Да и кто бы теперь мог меня узнать?

Моих благодетелей было пятеро: Руслан, Жоомарт, Талгат, Ырыскелди и, конечно, Аскар. Ему в гораздо большей степени, чем остальным, я обязан своим спасением.

Аскар приехал в Москву из села Кичи-Джаргылчак Джеты-Огузского района. Село живописно раскинулось на самом берегу озера Иссык-Куль, жемчужины и гордости Киргизской республики. Само село, которое вернее было назвать группой заплутавших в степи домиков, ничем не отличалось от тысяч других. Аскар отучился в школе и работал сторожем на овощном складе вместимостью восемьсот тонн. Но овощей на складе не водилось, поэтому и не водилось охочих до них похитителей. Аскар днями и ночами бродил бесцельно вокруг амбара, играя в змейку на телефоне или давя дубинкой живых змей под ногами. Тем не менее за два года он успел поднакопить нужную сумму и решил отправиться искать счастья в Москву. Односельчане, особенно старики, с грустью наблюдали, как молодежь покидает родную страну. Они не видели впереди ничего хорошего ни для молодежи, ни для себя, ни для Кыргызстана, ни для самой России. Но в то же время и они, и Аскар прекрасно понимали, что на родине делать молодым совершенно нечего. К тому же в Москве Аскара дожидался двоюродный брат Руслан. В письмах, которые Руслан посылал брату через сайт "Одноклассники", он сообщал, что успел обзавестись настоящими друзьями, что отлично устроился и даже получил престижную работу. Он звал брата пожить у себя. Аскар уехал.

В поезде Аскар познакомился с Жоомартом, уроженцем Бишкека. "Шаардык нерсе!"* — сказал Аскар Жоомарту, расслышав его акцент. "Жети-өгүздүн кушу!"** — ответил ему на это Жоомарт. И всю дорогу до Москвы приятели пели песни, пили пиво с семечками и играли в бурду. Через три дня пути состав въезжал в черту российской столицы. Друзья глазели в окно и улыбались. Их переполнял восторг. Новостройки в тысячи окон, огромные разноцветные кубы гипермаркетов, каких не было даже в Бишкеке. Путаные развязки и эстакады, похожие на клубок змей. Фабрики и заводы, пышущие в небо массивными клубами дыма. Это выглядело величественно, торжественно. Со всем этим хотелось познакомиться, стать ближе к чужому огромному городу, уяснить его себе. Перед самым прибытием друзья переоделись в праздничные красные футболки с желтым державным солнцем посередине. Сойдя на платформу, осмотрелись. Справа и слева, покуда хватало глаз, у каждого вагона стояло по двое-трое таких же, как они, молодых людей, в тех же красных футболках и высоких белых колпаках. Жоомарт собирался ехать к знакомым в общежитие на окраине города, но Аскар убедил его пожить с ним в квартире брата. Жоомарт согласился, и так друзья оказались в Денисовском, 24.

Брат Руслан стал делить комнату с Талгатом и Ырыскелди недавно. Случилось это так. Как-то

---

*   Столичная штучка *(кирг.)*.
**   Птица с Джеты-Огуза! *(кирг.)*

ночью друзья напились и были доставлены в отделение на Басманной. Гастарбайтерам грозили крупный штраф и депортация, но на их счастье в отделение по каким-то личным делам зашел полковник УФМС Чернодон Л.П. Весь последний месяц полковник ходил печальный и грустный: у него не было денег, и в ближайшее время их приток отнюдь не предвиделся. Наоборот, денег, которых и так не было, должно было стать еще меньше. "Это невозможно", — восклицал полковник, меря кабинет шагами. "Но это так!" — жалобно отвечал он сам себе и с глубоким вздохом плюхался в черное кожаное кресло. Он ослаблял узел галстука и тер переносицу. Он опрокидывал подряд три рюмки водки и тщетно пытался успокоить нервы партией в маджонг на телефоне. Дело в том, что в июне собиралась выходить замуж его единственная дочь; к тому же полковник затеял строительство дачи на берегу Рузы; в-третьих, из-за каких-то ведомственных конфликтов вся их контора лишилась квартальной премии. Нужно было возвращать уже одолженные на строительство деньги и придумывать, как заработать новые.

И полковник придумал. План был прост и незаконен. Он отнюдь не решал всех финансовых проблем, но нравился полковнику своей наглостью и лихостью. Расспросив у дежурных, что там за ватага в обезьяннике, он подошел к решетке и тут же предложил сделку. Молодых людей немедленно выпускают. Их не депортируют, не изымают паспорта, и они отправляются спать домой. Но с завтрашнего утра они переезжают жить в комнату по адресу Денисовский, 24. В здание УФМС. Ежемесячно они обязуются оплачивать проживание в размере семидесяти тысяч рублей. Плюс к этому в условие сделки входила помощь полковнику в строительстве дачи на реке Руза и выступление с народной киргизской песней на свадьбе дочери.

Квартплата была непомерной. Ни один известный друзьям заработок не мог покрыть этой суммы. К тому же о переводах домой, родным семьям, не стоило и думать. Друзья отрицательно замотали головами. Полковник, со съехавшей на затылок фуражкой, держась за прутья решетки, медленно и с расстановкой послал каждого из друзей изысканным матом. Потом пригрозил им не только депортацией, но еще и предварительным полугодовым заключением. Данные их паспортов были переписаны, так что сбежать в Кыргызстан друзья теперь тоже не могли. Пришлось подчиниться. Со своей стороны полковник пообещал оказывать друзьям различную поддержку, если понадобится. К тому же он завтра позвонит своему знакомому в парке Горького, и тот по блату устроит гостей столицы на высокооплачиваемую работу.

На следующее утро трое друзей, наспех опохмелившись пивом, отправились в парк на встречу с другом полковника. Друг принял их не особенно тепло. Он был одет в бежевый форменный костюм, во рту держал спичку, которая быстро мигрировала из угла в угол. Ноги он взгромоздил на стол, а на подбитый глаз низко надвинул бейсболку. Наверное, ему нравилось думать, что он герой какого-то американского фильма. Перво-наперво он наказал обращаться к нему не иначе как *дорогой начальник Юрочка* и, дирижируя указательными пальцами, попросил продемонстрировать, как они будут это делать. Друзья переглянулись и, кивая головами в такт, произнесли хором "*дорогой начальник Юрочка*". Тот сказал "неплохо", а затем предельно откровенно объяснил, что тут и как. Оказалось, что департамент культуры выделил парку на летний сезон некую астрономическую сумму (*вы, чучмеки, слыхали что-нибудь про астрономию?*). Деньги в первую очередь должны были пойти на зарплаты служащим. Все, кроме главы департамента, понимали, что *платить такое бабло безродным чучмекам, в то время как наши старики по помойкам обираются, — не тема.* Так что друг полковника рассудил, что справедливее будет платить подчиненным только две трети заложенных в бюджет денег. Друзьям не пришло в голову спросить, на что *дорогой начальник Юрочка* собирался употребить остававшуюся треть. Наверное, он планировал отправиться на столичные помойки и великодушно раздать остатки голодным, неимущим пенсионерам.

Когда Руслан, Талгат и Ырыскелди услышали размер оклада, то не поверили своим ушам. Пятьдесят тысяч каждому. Это было невероятно. Зачем друг полковника посвятил их в коммерческие тайны, для них осталось секретом. Да их это и не интересовало, покуда все оставалось правдой. Должно быть, друг полковника получал удовольствие от сознания собственной откровенности и в то же время безнаказанной наглости. Напоследок *дорогой начальник Юрочка* посоветовал им *зарезать барана в честь департамента культуры, в его, Юрочкину, честь, а также в честь Максима Горького.*

Барана они в этот раз не зарезали, а пошли пить пиво в ближайший "Бургер Кинг" у метро Октябрьская. Там они надели на головы по картонной короне, угощали друг друга длинными картофелинами, посылали друг другу смски по-русски и пускали в пиво через соломинку пузыри. Было очень весело. Через три часа они стояли на улице, обнявшись, и Руслан предлагал тост: "Достор, келгиле антташабыз, мындан ары акчаны тең бөлүшөбүз". Атайын казыналык түзүүнү сунуштайм. Ант беребиз, эч качан бири-бирибизди сатпайбыз, ар бир суроону чогу акылдашып, жумалыкта жогорку кеңеште чечебиз. Же болбосо, жөң гана Кеңеш?" — "Ант беребиз!"* — ответили Талгат и Ырыскелди.

Назавтра каждому из них выдали комплект бежевой униформы (точно такой же, как у *дорогого начальника Юрочки*), снабдили рациями, рюкзаками и инвентарем. Работы было очень много. Она была

---

* "Друзья, давайте поклянемся, что отныне все деньги будем делить поровну. Для этого предлагаю учредить специальный казыналык. Поклянемся, что мы никогда не предадим друг друга, а все вопросы будем решать сообща на еженедельном жогорку кенеш. Ну, или просто кенеш?" — "Клянемся!" *(кирг.)*

тяжелая, но разнообразная. Перетаскивать вручную доски, арматуру и отопительные колонки из одного конца парка в другой. Красить скамейки, указатели и мусорные урны. Рассаживать цветочные луковицы. Счищать водоросли и тину с лопастей катамаранов. Обрабатывать деревья и растения средством против вредителей. Выметать по десять раз на дню дорожки и аллеи. Мыть унитазы, пол и раковины в туалетах. Домой Руслан, Талгат и Ырыскелди возвращались через черный вход УФМС, уставшие и счастливые.

Теперь московская жизнь пришла в полное соответствие с мечтами о ней еще там, на родине. В то время как знакомые им киргизы за копейки батрачили на стройках, разгружали вагоны или таскали мешки с картошкой по рынкам, спали, набившись по двадцать человек в маленькую каморку, друзья смогли за месяц устроиться по-байски. Ели от пуза. Баловали себя коньяком "Трофейный", а иногда шиковали: пили виски с белым жеребцом на этикетке. Исправно посылали домой деньги. Их жизнь в комнате УФМС никого не смущала и подозрений не вызвала. Прилегающий двор стал чище, мусору на улицах поубавилось. Квартирантов приняли за новых дворников, каковыми они, в общем-то, и являлись. После основной работы в парке Горького друзья с удовольствием брали в руки метлы и наводили порядок вокруг дома номер 24 по Денисовскому переулку Басманного района города Москвы.

Тут как раз и объявились Аскар с другом Жоомартом. Руслан был рад, что брат оказался в Москве. Они будут работать и жить вместе, и платить за квартиру станет еще легче. Ведь полковник ничего не сказал о том, сколько человек может проживать в комнате. А то, что Аскар приехал с другом, было еще лучше.

Новоприбывшие сразу отправились в парк разузнать об оставшихся вакансиях. На их счастье как раз формировалась еще одна ударная бригада, Аскар и Жоомарт успели в нее записаться. Они, как положено, нарядились в бежевую униформу, надели кепки, взяли в руки инвентарь и немедленно приступили к прополке большой цветочной клумбы. Работа, как говорится, спорилась. К десяти утра они закончили с клумбой, к одиннадцати покрасили вольер для фазанов, к двум тридцати тщательно обстругали доски, заготовленные для веранды кафе "Чакра". Попутно покормили выводок уток. Трудились молча, увлеченно и, что главное, качественно. И это несмотря на то, что никогда подобной работы не выполняли, а осваивали навыки исключительно опытным путем. Встречаясь с другими своими товарищами, Аскар и Жоомарт не задерживались на сигарету, а сразу продолжали свой путь. Коллег это несколько смущало. Они принимали их рвение за желание выслужиться пред начальством, подозревали в них виды на повышение. Но, во-первых, все знали, что карьерная лестница разнорабочего состояла всего лишь из одной ступени. Ступень эта никуда не вела, и с нее можно было спрыгнуть только вниз. Во-вторых, всякий, увлеченно занятый любимым делом, забывает о внешних условностях и этике. Поэтому если Аскар и Жоомарт и не говорил встречному "кандайсың"*, то дело тут было не в снобизме, а всего лишь в рассеянности.

Аскар любил свою работу. Ежедневный труд и мгновенный видимый результат доставляли ему радость. Ему были интересны посетители парка, интересны москвичи, ему вообще нравились люди. Он хотел узнать, что каждый из них думает про жизнь и про него, Аскара. Хотелось добавить их всех в друзья в "Одноклассниках" и свозить в Кичи-Джаргылчак, показать Иссык-Куль, горы Кюнгей-Ала-Тоо, овощную базу на восемьсот тонн. А после этого, обогащенных увиденным, еще раз спросить, что они теперь про него думают.

Он любил наблюдать за молодыми русскими, которые по странной моде зачем-то старят себя, отращивая усы и бороды. Юноши были похожи на портреты героев прошлого, которых рисуют на купюрах. Девушки ходили в коротких шортах, длинных рубашках и носили солнечные очки, даже когда шел дождь. Аскару это нравилось, потому что было непонятно. Эти девушки и юноши собирались на деревянных помостах (которые пилил, стругал

---

* Здравствуй (*кирг.*).

и сбивал сам Аскар с Жоомартом), включали большую колонку, по очереди выходили в круг и очень забавно танцевали.

Это была совсем другая музыка, не та, которую он привык слышать, к примеру, с широких телевизоров, развешанных по стенам "Бургер Кинг". В "Бургер Кинг" музыка была как-то проще и понятнее. Герой клипа обычно что-то страстно вещал, пытался в чем-то убедить. Отношения между певцом и слушателем скоро становились очень доверительными, исповедальными. Аскару казалось, что они знакомы уже давным-давно. Певец молитвенно складывал руки, делал несчастное лицо и так сдвигал брови, как будто он голодный беспризорный пес. Сходство дополняла массивная блестящая цепь на груди. Певец указывал зрителю на часы, очевидно, намекая на ценность своего времени, потраченного зря на какую-то подругу. Потом ему становилось так жарко, что он вдруг сбрасывал с себя одежду и прыгал кульбитом в бассейн. А в бассейне его уже поджидали друзья. Они тоже носили цепи, серьги и кольца. У них тоже брови были домиком. И вообще всем своим видом демонстрировали, как же они понимают друга. И их конечности, искаженные подводным свечением, казались каким-то недоразвитыми. Потом певец поднимался из бассейна, и на его мускулистом теле обнаруживалась живописная татуировка. Судя по всему, она рассказывала в символах все ту же невеселую историю. Собравшись в бассейне мыслями, певец продолжал свою повесть. Объяснял, молил, увещевал, призывал в свидетели небеса, а потом вдруг грохнулся на колени и сделал так рукой: "а, все равно не поймешь!" Сел в мокрых плавках на мотоцикл и уехал на закат, по высаженной пальмами аллее.

В следующем клипе действовала девушка. Она, конечно, не могла знать предыдущую историю, но вела себя так, словно держала ответ перед тем самым парнем с цепью. Она полулежала на кровати в раскованной позе. Пыталась набрать номер на телефоне, но длиннющие ногти мешали ей это сделать. Тогда она выбрасывала телефон прочь и сжимала ладонями завитую голову. Телефон медленно летел в стену и разбивался на мелкие осколки, которые волшебным образом замирали в воздухе. Тогда девушка поднималась с постели и брала один осколок в руки. Разглядывала его, и оказывалось (о чудо!), что этот осколок сообщал ей какое-то теплое воспоминание о прошлой жизни с любимым. Вот они несутся вприпрыжку на фоне Эйфелевой башни. Девушка держит в руках оранжевый кленовый лист (хотя деревья вокруг едва покрылись салатовыми первоцветами). На голове у нее берет, а на шее возлюбленного поэтически болтается клетчатый шарф. Они кружатся, взявшись за руки. Камера показывает то ее лицо, то его. А неподалеку их тайком запечатлевает местный художник. Наверное, гений. У него дремучая седая борода, рубаха с широкими буфами, и цвета на его палитре не смешаны, а размечены нетронутыми кружками. А молодым нет дела до целого мира...

Но вот через другой осколок героиня видит Африку. Сафари. Красная почва в трещинах. Он и она катаются по саванне в открытом кузове джипа. Жизнерадостная беднота танцует по обочинам. Дорога ухабиста и вертлява. Джип качает из стороны в сторону. Она одной рукой придерживает пробковый шлем, другой вцепилась в любимого. И они смеются, смеются... Но вот он замечает в тени огромного развесистого дерева носорожицу с детенышами. Он бьет по кабине кулаком. Джип тормозит, и он берет зверя на прицел... но она умоляюще смотрит в его глаза и мотает головой. Вообще-то он не привык считаться ни с чьим мнением, тем более с женским. Он суров и в меру кровожаден. Таков закон природы, не он его выдумал, отвечает он ей взглядом. Но только она может растопить его подернутое ледяной корочкой сердце. Мать с детенышами спасена. А влюбленные уже плещутся нагишом под струями водопада. Она стоит к камере в профиль, и отблески солнца мешают разглядеть то, что так хочется разглядеть. Им очень хорошо... Третьей картины почему-то не последовало, и девушка снова оказывается на кровати. Она еще что-то пытается сказать, но вдруг, исчерпав вербальные возможности, пускается в пляс, и к ней присоединяются откуда ни возьмись появившиеся подружки. И у них тоже были очень грустные лица, но все-таки они танцуют... потому что... потому что они подружки. И каждая подружка тоже могла бы рассказать свою печальную историю, но, к сожалению, главная роль в этом клипе была отведена не ей.

У этих же ребят в парке музыка была хмурая. Она никакой истории не рассказывала. Она трещала заводским речитативом. Она гудела низким индустриальным басом. Аскар работал в отдалении, но пристально за ребятами наблюдал и даже пытался повторить некоторые их движения. Ему казалось, что этот танец — какой-то выдуманный язык, никому, кроме самих ребят, не понятный. Язык, на котором они между собой общаются взамен обычной речи. Недаром они так мало друг с другом разговаривают. Это было совсем не похоже на то, как парни и девушки живут в Кичи-Джаргылчак. Да что там, даже в Бишкеке такой молодежи Аскар не встречал. Хотя сам он был одних с ними лет. И тут и там у молодых людей было очень много свободного времени. Но если в Кыргызстане маялись бездельем только оттого, что совсем не было работы, то здесь работы было полно, но молодежь почему-то от нее бежала. И это тоже ему нравилось. Их безделье было совсем другим. Они ничем не занимались, как будто знали что-то наперед про эту жизнь; как будто где-то там в отдалении их что-то поджидает, а сейчас им просто не хочется зря растрачивать силы. В них была уверенность.

Несколько раз Аскар обращал внимание в толпе на киргизских девушек. Все они были обрусевшие и, поймав его взгляд, сразу отворачивались. Аскар, конечно, догадывался почему, но про себя не мог не осудить их за пренебрежение к землякам. Потом он стал замечать, что и сам захотел измениться. И сразу понял, почему старики на его родине так не любят, когда молодые киргизы уезжают в Россию.

И вот в один из выходных компания друзей в полном составе отправилась на променад по парку. Бродить на досуге как ни в чем не бывало мимо своих трудовых мест, мимо знакомых бригад было особенно приятно. И коллеги здоровались с ними издалека, а друзья отвечали им как-то иначе, чем обычно, по-другому, подчеркнуто свободно и непосредственно. А на следующий день они поменяются с коллегами ролями, а потом еще раз. В этом был особый, только им понятный шик. Профессиональный нюанс. На головах у друзей были короны "Бургер Кинг", и каждый держал по кукурузному початку. Они гуляли по парку и оглядывали творения рук своих: крашеные таблички, стриженые кусты, сытых уток. Потом Аскар отлучился по нужде в общественный туалет и там, под мраморными сводами, увидел ужасную картину. Он увидел меня, лежащего у батареи без признаков жизни в луже собственной крови. Аскар положил руку мне на бок и почувствовал, что сердце мое еще кое-как бьется. В каких сферах в ту минуту парил мой разум, я сказать не могу. Где-то очень, очень далеко.

Тогда Аскар осторожно взял меня на руки и вынес на улицу. Я истекал кровью. Он положил меня на асфальт, и друзья склонились надо мной. Им стало так меня жалко, они так захотели, чтобы я не умер, что их желание воплотилось в небольшой заряд живительной силы: я слабо приоткрыл один глаз, но только чтобы сразу же снова потерять сознание.

Дальнейшую историю вы знаете. Созвали внеочередной кенеш. Было решено оставить меня дома и выделить из общего казыналык необходимую сумму на мое лечение (если, конечно, до лечения дело дойдет: выглядел я так, словно к вечеру уже должен был отчалить в край моих саблезубых предков). Тем не менее я выжил. Через пару недель Игорь Валентинович вмял в меня обратно вылезшие детали, старательно зашил внутренности и заклеил внешности. Проникнутый состраданием, он за свой счет вставил мне два керамических имплантата. Они приживались очень долго, но в конце концов прижились. Так что я стал почти как новенький. Если представить себе совершенно новое изделие, вышедшее с заводским браком.

Для гостей столицы я стал чем-то вроде талисмана. Они зорко следили за моим самочувствием и аппетитом. Для их Темиржана было накуплено множество различных витаминов, мазей и капель. Разумеется, все это запихивалось в меня насильно, по собственному желанию я никогда бы не стал есть эту горькую отраву. Но лекарства действовали. Друзья, в особенности Аскар, готовы были пренебречь собственным здоровьем, лишь бы с Темиржаном все было в порядке. Например, Аскар экономил деньги и отказывался идти к дантисту лечить больной зуб. Вместо этого он дважды в день, утром и вечером, капал из специальной склянки на ватку некое средство и прикладывал ее на полчаса к больному зубу. К тому же... Хотя тут надо остановиться. Дело в том, что... Это особая тема, и ради нее, если позволите, я выберу другой шрифт. Это не отнимет много времени.

Вот. Совсем другое дело. Итак, voilà:

Домен: *Эукариоты*
Царство: *Растения*
Отдел: *Цветковые*

Класс:	Двудольные
Порядок:	Ворсянкоцветные
Семейство:	Жимолостные
Род:	Валериана

Это был очень необычный запах. Чем глубже я его вдыхал, тем яснее я ощущал в комнате чье-то присутствие. Чем дольше я его слышал, тем больше мне казалось, что он обрастает физической оболочкой, что он воплощается в некую сущность. Иногда моя фантазия доходила до галлюцинации. Мне ясно виделся у окна какой-то старик в дождевике, кепке и с брезентовым рюкзаком на сутулых плечах. Он смотрел в окно, потом поворачивался ко мне. Во рту у него висела махорка, загнутая кверху, и он говорил мне чистым детским голоском: "А вот то и будет, что ничего не будет!" Он приседал, разводил руками и выпячивал губу. Потом заливался звонким смехом и растворялся.

Источник дурмана находился на подоконнике. Я поддался соблазну и в два прыжка оказался рядом. Горловина пакета была стянута не туго, так что мне не составило труда развязать его. В пакете оказался пузырек. Запах ударил с десятикратной силой, так что я вздрогнул, пошатнулся и сел как-то неуклюже набок, в совершенно непривычную для себя позу. Но остановиться я уже не мог. Все дальнейшее представлялось мне чем-то сродни тому, как дети яростно и дико раздирают упаковочную обертку, чтобы поскорее добраться до заветного подарка. Однако запах не был чем-то единым, целостным. Принюхавшись, я понял, что кроме собственно *Valeriana officinalis*, в лекарстве есть еще и мятная приправа и рацемическая камфора. Но что мне было за дело до последних двух?

Я оказался посреди настоящего фармакологического маскарада. Буйное движение закружило меня и увлекло за собой. Маски, маски... Взявшись за руки, мимо мчались самые разнообразные соединения: зажига борнилизовалерианат и фанфарон тритерпен. Мелькали сесквитерпен, пальмитин и валепотриаты. Какие-то дубильные вещества неслись веселой ватагой. Малыши гликозиды, томная стеариновая кислота и еще черт знает кто! Большинство из них уже были мне знакомы. Одного я вспомнил по старому саду в Шелапутинском. Запах другого я однажды учуял, прогуливаясь возле аптеки. Но один из ингредиентов выделялся и царствовал неподвижно над всеми другими. Я сразу его узнал. Тогда, перед кастрацией, и потом, во время моей болезни, когда я ненадолго пришел в себя и все вокруг было белым-бело. Да, точно! Это был непеталактон.

Итак, передо мной лежал маленький пузырек. Колпачок, к счастью или нет, был прикручен неплотно, и я терпеливо ждал, когда на перешейке созреет крупная капля. Ждать пришлось недолго. Капля набухла, шлепнулась и растеклась янтарной лужицей. За ней сразу последовала еще одна, поменьше.

Я не мог унять дрожь во всем теле. Наконец на слабых лапах я сделал шаг, протянул морду и слизал жидкость. Крестообразно провел языком один раз, другой. Нарисовал что-то вроде вензеля. Стал ждать. Во рту было горько. Неприятно было во рту. Ничего не происходило. Было тихо, только где-то за окном причитала и ныла электропила. Так прошло минут десять. Меня потянуло в сон, я зевнул и вдруг боковым зрением заметил слева какой-то предмет. Я повернул морду и увидел прямо перед собой на подоконнике давешнего старичка. Только ростом он был теперь сантиметров двадцать, не больше. Лицо у него было в глубоких морщинах и похоже на оплывшую свечу. Он радостно махал кепкой и кричал мне все тем же детским чистым голоском, словно ему было лет семь. Он кричал, подставляя свободную руку рупором ко рту, как будто я был далеко, по ту сторону реки, а не сидел прямо рядом с ним. "Савва, дуралей! По мосточку, по мосточку и ко мне!" — кричал старик. Я посмотрел на реку: никакого мосточка не было. Вместо моста я видел сваи, долгой извилистой грядой попарно тянущиеся вдаль, на тот берег. Потом старичок вдруг как-то посерьезнел, присел на корточки и, теребя в зубах колосок, сказал, наоборот, неестественно низким басом: "Кто черту не враг? Кто бабушке не внук?"

Тут по усам моим побежали разноцветные всполохи. Внутри все запульсировало и забилось. Кровь стала горячей. В голове застучало. Хотелось бежать, но бежать было некуда. В пасти пересохло. Я не знал, что мне сделать, чтобы это прошло. Эти прибои шли нахлестом, один сильнее и значительнее другого. Мне стало страшно. Это было похоже на багрово-желтое мерцание в кратере вулкана. Река заволновалась. Я пригляделся: поверхность воды была сплошь вымощена кошачьими мордами разных полов, пород и размеров. Они все что-то говорили, косясь друг на друга. Слов их я разобрать не мог. Я летел с бешеной скоростью над водой, до меня долетали отдельные слова, ропот, шипение. Коты и кошки внизу шептались и пересмеивались. Я летел так низко, что мог коснуться их усов и от брызг весь стал мокрый. Я не знал, куда я несусь, — на горизонте ничего не появлялось. Я хотел позвать маму, но дыхание перехватило. Потом волны как будто успокоились. Наступал штиль. Кратер внутри затухал. Волны разгладились, вода стала прозрачной. Вместе с этим уходил и страх. В области живота что-то распускалось, и медленно поднимались вверх ароматные, нежные флюиды. Стало тепло и хорошо, легко и спокойно, как тогда, давным-давно, в коробке из-под бананов Chiquita, в моей милой колыбели. Не знаю, как это объяснить, но все вокруг исполнилось какой-то волшебной, неизъяснимой женственности. Меня захватила блаженная нега. Все было пропитано неизвестной мне великой кошкой. В ней (о, я и сам того не знал!) были сосредоточены все мои чаяния и надежды; к ней вели мои стези и тропы; она незримо вела меня, раскидывая по дороге свои смарагды, рубины и топазы, чтобы я не сбился с пути. И уж конечно, в воздухе играло мое любимое *allegro* из концерта *L'amoroso*. Я чувствовал невероятный приток сил. Энергия разливалась по моему телу, сообщалась с каждым волоском, с каждым усом и как будто струилась из моего единственного глаза. Я шел по пустыне. Я был из стекла. Песчинки со звоном стукались о мои прозрачные стенки. Вдруг посреди пустыни возник рояль. Положив локти на его деку, стоял мой тезка Савва Морозов. На нем был фрак, и в руках он держал хризантему, от которой отрывал по лепестку. Потом посмотрел на меня исподлобья и сказал: "А сестренка тоже недурна, недурна..." — и запрыгал к окну, которое я не сразу приметил. Причем ноги он умудрялся по-кошачьи ставить впереди головы, а хвост его был убран в дополнительный рукав.

Снова вокруг разлилась тихая, теплая нота. Время остановилось, а потом начало медленно раскручиваться в обратную сторону. Я застыл. Окоченел доисторической мошкой в капле янтаря. Я замер. В этом оцепенении я хотел бы оставаться всегда. Я в нем и остался навсегда. Но потом всегда тоже закончилось. Я вспомнил шум электропилы за окном. И тут я понял, что это отнюдь не электропила, а что-то совсем другое. Это был звук крыльев насекомого. Издалека нарастало жужжание. Черная точка в небе медленно увеличивалась, пока не стало ясно, что ко мне приближается лиса. Лиса летела при

помощи хрупких стрекозьих крылышек, прикреплен-
ных к холке, так что лисьи тяжелые лапы и хвост
свободно свисали вниз. Опустившись на подоконник,
так что меня обдало ветерком, лиса сложила крылья с фиолетово-зеленым разводом на мембране, деловито подошла к старичку, схватила его зубами за
шиворот и вновь взлетела.

"Ну что ж, пора и честь знать, — крикнул мне
звонким детским дискантом старик. — Еду в Висба-
ден или, как у нас говорят: «Мышык, эсиңе кел! Ач
көзүндү! Эмне болду? Эсине кел»*", — и лиса улетела
со своей добычей прочь.

"Мышык, эсине кел! Эмне болду", — эхом продолжали звучать слова старика. "Эсине кел!" Я открыл глаз. Я лежал на спине в луже воды. Рядом ва-
лялся электрочайник. По комнате были раскинуты
рекламные проспекты пиццы с доставкой. Голова
гудела. В лапах я держал пузырек с каплями, и Аскар
понял, что привело меня в такое состояние. Вместе
с друзьями они долго смеялись.

Аскар был добрым и справедливым патроном. За
хорошее поведение он назначил мне щедрую премию
в размере двух капель чудо-зелья еженедельно. Я отнюдь не был против, хотя весь следующий день не
мог открыть глаз — до того болела голова. Так повторялось раз пять или шесть, пока кто-то, кажется Ырыскелди, не прочел в интернете, что *Valeriana officinalis*,

---

*   Кошка, очнись! Очнись! Что случилось? Приди в себя *(кирг.)*.

содержащаяся в зубных каплях, крайне опасна для здоровья котов. Я и сам стал ощущать на себе пагубное влияние препарата. Помимо привычной головной боли снизился аппетит, ухудшился стул. Сны стали черно-белыми, зернистыми и обрывались на самом интересном месте, как трофейное кино.

Да, я уже стал привыкать к каплям; короткими перебежками, прячась за стволы и изгороди, зависимость приближалась и захватывала пядь за пядью мою нервную систему. Наслаждение от капель нельзя было сравнить ни с чем. Непеталактон заменил мне и банановую колыбель, и банный чайник в воскресные утра у Пасечников, и моего икеевского друга Стиллавинью, и даже радость чревоугодия. Однако недаром мудрые говорят, что яд в малых дозах приносит не смерть, а исцеление. Так вот, странное дело, но через месяц после того, как я окончательно слез с непеталактона, я заметил, что… да, меня вновь посетило желание. Забытое с поры юности желание видеть в кошках не только товарищей по играм.

Однажды я совершал утренний туалет у открытого окна и вдруг увидел внизу за решеткой молодую кошку. Она смотрела на меня, а потом сказала: "Бедняга. Ты, наверное, когда-то был очень хорошеньким". С одной стороны она была абиссинкой, с другой… я не мог понять, кем она была с другой стороны. И эта вторая неопределенная сторона влекла и томила. Шерсть ее была темно-рыжего цвета, глаза зеленые. Она знала, как привлекают ее глаза, и успешно этим пользовалась. Усы по моде того лета она держала чуть приподнято, на задней правой лапе имела белую отметину. Этот крохотный нюанс, этот знак несовершенства делал ее еще более желанной.

— Привет, я Леля. Нравлюсь?

— Очень.

— Пролезешь через решетку?

— Пролезу.

— Ну давай.

Моя подруга пахла каштанами, липой и еще чем-то. Да, была еще одна сильная нота, самая главная. Как только я глубоко ее в себя вдохнул, мне открылся тайный алфавит. Я как-то сразу же выучил один древний язык. Точнее, вспомнил. Да, я, оказывается, прекрасно все помнил. Откуда, интересно? Определенно, старина непеталактон знал свое дело. Все это я обдумывал, кусая Лелю за ухо и сжимая лапами рыжий гладкошерстный стан. Я был обезвожен, я жаждал. Я слышал, как откуда-то с вершин гремят, разрушая все на своем пути, великие потоки. Как они сходят и разливаются по высохшим руслам рек. И солнце оказалось в созвездии рычащего Льва. И я пролетел по Млечному Пути. И был парад планет, и слоны выпили целый океан и оросили фонтаном вселенную. Лапы мои подкосились, и я без сил опустился на землю.

— У меня никогда серенького не было.

И хотя мой брандспойт остался сух, весь я как будто полегчал. А потом мое ясное небо заволокло черными тучами. Так уж повелось: внемля древнему зову, а потом испытав наслаждение, чувствуешь, как на душе становится гадко. Отчего это?

"Post coitum omne animal triste est". Aristotle*. От себя добавлю: *"Et autem ante est". Sabellus***.

Я никогда больше ее не встречал.

Но дурной пример заразителен. Нет, Аскар и Жоомарт не искали утешения в зубных каплях (они бы его и не нашли, на людей этот препарат действовал строго в соответствии со своим назначением). Друзья попробовали нечто другое. Не знаю, как оно называется, но когда они пришли в себя, то оказалось, что их уволили. Отчислили. Вычеркнули из списков сотрудников парка. Да, лучшие работники двух месяцев подряд, гордость и слава второй ударной бригады были со скандалом изгнаны из ЦПКиО имени Горького. И выпестованные ими же самими гиацинты и ирисы грустно клонили головы им вслед. Вот как это случилось.

Одним погожим утром Аскар постригал куст шиповника, а Жоомарт в стороне поливал газон. Он спросил Аскара, не хочет ли тот ускорить свою производительность и увеличить эффективность? То есть не желает ли успеть со всеми делами к пяти, чтобы пойти попить пива с кукурузой? Аскар ответил, что, конечно, желает, но не знает, что для это-

---

*   "Всякое животное после соития грустит". Аристотель *(лат.)*.
** "Как, впрочем, и до". Савелий *(лат.)*.

го надо сделать. Жоомарт отставил шланг и сказал: "Бир жол бар"*. Друзья скрылись под сводами старинного Гротескового мостика. Там они забили маленький чубук каким-то порошком. Но то, что они покурили, не ускорило их производительность. Нет, эффективность от этого не увеличилась. К своим обязанностям они больше в этот день не вернулись. Они вообще к ним больше никогда не вернулись. Через пятнадцать минут друзья вышли из-под моста странной вихляющей походкой. На причале они растолкали очередь, уселись в свободный катамаран и отправились на штурм утиного островка посреди пруда. Но штурм провалился. Десант был окрякан, покусан и оттеснен на берег. Тогда Аскар и Жоомарт решили по рации вызвать *дорогого начальника Юрочку*. Когда тот вышел на связь, друзья по-русски, а потом еще и по-киргизски высказали ему все, что накипело в их простых степных душах, и смело высказали свои соображения о сущности Юрочки, его отца, матери и сестры (которой у того, правда, никогда не было). Затем им на пути попался электромобиль. Аскар залез в кабину, Жоомарт прыгнул на запятки, и компания понеслась на предельной скорости в тридцать км/ч по аллеям парка, попутно срывая с прохожих летние головные уборы. Гонка продлилась недолго. Не вписавшись в поворот, электромобиль рухнул в овраг, и трофейные уборы

---

*   Есть способ *(кирг.)*.

облачком зависли в воздухе, прежде чем попадать вниз.

Тем же вечером Аскар и Жоомарт потеряли работу в ЦПКиО имени Горького.

Но жогорку кенеш на то и жогорку кенеш, чтобы решать возникающие трудности. Все вновь собрались в "Бургер Кинг" в галерее у метро "Бауманская". Друзья расселись по местам. Каждый надел корону. Вопперы стыли вотще. Аскару и Жоомарту было стыдно, и они смотрели под стол. Слово взял Руслан. Он постучал картофелиной по стакану пива, ассамблея притихла, и Руслан сказал: "Кантсе да биз бул жерде жакын досторбуз, улуу катары мен айтайын. Мен коп ойлондум, аркы берки жагын салыштырып. Анан, Аскар менен Жоомартка дагы бир жолу мүмкүнчүлүк бергенибиз оң. Биздин жыйында калышсын, бирок акыркы жолу экенин билишсин!"* — и сопроводил свои слова жестом, как будто откручивал лампочку.

Друзей не стали изгонять с Денисовского, ведь они и так уже понесли заслуженную кару. Но им

---

* Раз уж мы тут все близкие друг другу товарищи, а я, получается, вроде как самый старший, то поэтому я и скажу. Печальные события произошли в нашем доме. Как говорят у нас, "Один катышек овечьего помета испортит целый бурдюк масла". Ведь так, Аскар? Я долго думал. Сопоставлял пользу и ущерб. Строго говоря, вам следовало было бы указать на дверь, брат Аскар и малыш Жоомарт, от вас одни проблемы. Но, рассудив по холодному уму, я счел более мудрым решением дать вам, негодникам, еще один шанс. Но пусть знают, что это последний раз! *(кирг.)*

пришлось искать новую работу. Жоомарт отправился узнавать про вакансии к метро "Бауманская". Уже через два часа он примеривал на себя костюм чебурека-зазывалы у входа в закусочную. Оклад был маленький, костюм тяжелый и жаркий. Зато бесплатно кормили и рабочий день составлял всего шесть часов.

Амбиции Аскара шли дальше. Он решил устроиться в службу доставки "Дзынь-Рикша". Соискателям было предъявлено три условия: 1) азиатская внешность; 2) навык езды на велосипеде; 3) знание русского языка. Аскар поехал в главный офис на собеседование. Фойе перед переговорной комнатой было до отказа набито самыми разными представителями монголоидной расы со всего бывшего СССР: буряты, калмыки, тувинцы, казахи, якуты, ненцы, киргизы и прочие, и прочие. Конкуренты сидя, стоя или лежа заполняли анкеты, передавали друг другу ручки или копались в телефонах в ожидании своей очереди. Все они были очень молоды, и истории их жизни почти ничем друг от друга не отличались.

В переговорной комнате за большим столом сидели трое сотрудников "Дзынь-Рикши". Их отражения двоились в зеркальной поверхности стола, отчего они походили на карты высоких мастей. Собеседование не продлилось и десяти минут. Аскара взяли. В его распоряжение был предоставлен велосипед о трех скоростях, огромный терморюкзак и настоящие доспехи самурая: рогатый шлем, панцирь и даже черный лакированный меч. Задача была несложная. Эсэмэской Аскару вменялось в течение получаса забрать заказ из ресторана и в течение получаса же доставить его адресату. Вот и всё.

Утром первого дня на новой работе Аскар долго наряжался перед зеркалом. Застегивал ремешки, туго завязывал шнуровку поножей, плотно прижимал липучки на перчатках. Попрощавшись с друзьями и потрепав меня за уши, он вышел за дверь. Но через минуту, брякая амуницией, вернулся, взял меня в охапку и снова вышел.

С удивлением я обнаружил, что не испытываю ни страха, ни любопытства. Я был готов на все. Аскар выкатил с заднего входа велосипед. Он вставил в специальные пазы два оранжевых флага на бамбуковых стеблях с черным логотипом "Дзынь-Рикша". Меня он усадил в переднюю корзину, надел рюкзак, и мы покатили по утренней Москве.

С его стороны было довольно рискованно и безответственно сажать непристегнутого кота в открытую корзину велосипеда. Но я был уже не мальчик: знал, как себя вести на скорости в открытом транспортном средстве: никак не вести, максимально прижаться и не высовывать голову из корзины. К слову, со временем я так привык к дороге, что даже научился спать на ходу.

Город блестел и переливался в утренних лучах. Сохли лужи после ночного ливня. Все вокруг вдруг показалось мне ладным и осмысленным, удобным, хорошим и добрым. Я подумал, что все должно быть именно таким и никаким иначе. Я сразу же полюбил велосипедные прогулки. Они приводили меня в восторг. Мы быстро выехали с Денисовского в Гороховский, миновали Никиту Мученика и поехали по Старой Басманной к Садовому. Ветер играл моими брылями, прижимал усы и уши, щурил глаз. Оранжевые флаги за спиной Аскара туго хлопали, звонок распугивал стаи голубей. Выглядели мы весьма экстравагантно: самурай в черных доспехах на оранжевом велосипеде, а спереди в корзине одноглазый кот. Водители нам бибикали, салютовали.

Мы парковались у ресторана суши. Аскар грозил мне пальцем и говорил: "Темиржан, тентек кылбай отуруп тур! Мен жакында келем!"* И я вел себя хорошо, а он действительно возвращался скоро. Аскар по-старинному седлал велосипед: ставил ногу на педаль, несколько раз подскакивал, набирая ход, а потом перекидывал другую ногу через раму. Весь город дребезжал. В то лето по всему центру шли строительные работы: тесали новые бордюры, проводили подземные коммуникации, выкорчевывали плитку, демонтировали на столбах троллейбусные снасти, так как многие маршруты решили отменить. Город гремел, стонал, пах горячим асфальтом и сварочными работами, от которых почему-то очень хотелось есть. Мы искусно огибали колдобины, пере-

---

* Темиржан, веди себя хорошо! Я скоро вернусь (*кирг.*).

прыгивали рытвины и провалы. Если впереди была пробка, то, не щадя спиц и шин, мы съезжали по лестницам, и мои керамические клыки не попадали друг на друга и все во мне тряслось. Однажды клиенты даже не приняли заказ, так как роллы в рюкзаке размотались, суп том ям протек, а желток из яйца раскрошился. Тогда самурай Аскар разбил лагерь посреди детской площадки, воткнул оранжевое знамя в песочницу и устроил обед. Аскар, как и всегда перед едой, что-то пробормотал, провел руками по лицу, словно умывался, и съел весь заказ, рассчитанный на троих. Я вспомнил, что давным-давно уже видел, как точно так же умывался один бородач, хозяин питбуля, у ветклиники в тот день, когда меня кастрировали. Но я решил не рассказывать об этом Аскару. Конечно, Аскар угощал и меня. Я лакомился кусочками тунца в соусе тэрияки, морскими гребешками, парными креветками и, главное, лососиной, лососиной и лососиной. В эти дни я ел столько рыбы, что казалось, от количества фосфора начну светиться в темноте.

Некоторые маршруты мы особенно любили. Например, дорогу вниз от Рождественского бульвара до Трубной площади. Мы разгонялись перед спуском, а потом, поймав ветер, неслись сломя голову. Аскар отпускал педали и разводил ноги. От ветра сбивалось дыхание. Справа и слева трепыхались султанчики, привязанные к рулю. Я визжал от страха и удовольствия. Аскар кричал мне "Карман, Темиржан", а я кричал в ответ "Карманып атам, Аскар, карманып атам!"*

Иногда Аскар брал меня с собой к дверям квартиры или офиса. Некоторые клиенты нас полюбили, и мы возвращались к ним каждую неделю. Но случалось разное. Как-то дверь нам открыл немолодой полный мужчина. На лице его играл гипертонический багрянец. Он был одет в черный халат, турецкую феску и тапочки с меховой оторочкой. На нас пахнуло ароматическими благовониями, из глубины доносились звуки ситары, а также неприличные стоны и крики на немецком. Он внимательно изучил доставленный заказ и неторопливо, точными гроссмейстерскими бросками развесил лапшу на рогах Аскарова шлема. "СОЕВАЯ лапша! Я просил СОЕВУЮ лапшу, а не гречневую. Вон!" Дверь перед нами захлопнулась, и мы увидели табличку *"Проф. Костюшко А.А., сексология, когнитология, гештальт"*.

Однажды мы ехали по Николоямской, пересекли Садовое кольцо. Сердце мое забилось чаще. Мы миновали Дровяной переулок, Пестовский и быстро приближались к моему родному Шелапутинскому. Я не был в этих краях несколько лет и пытался усвоить изменения, произошедшие в округе. Но, кажется, все оставалось по-прежнему. Велись дорожные работы, стоял грохот и лязг, но эти препятствия

---

* "Держись, Темиржан!" — "Держусь, Аскар, держусь!" *(кирг.)*

только концентрировали мое внимание. Я привстал в корзине и сосредоточенно следил за каждым зданием, проплывавшим мимо: музыкальная школа Алексеева, медицинский колледж, банк "Руспромтраст" теперь стал "Межкомторгом" и вместо красно-синих шариков на его входе висели желто-белые. Парикмахерская "А-Элита" обратилась в барбершоп *Beard & Whiskers*, кафе "Интрижка" стало крафт-баром "ХМЕЛЬ-ШМЕЛЬ". Я не заметил ни одного знакомого мне существа: ни мамочки, ни сестричек, ни Вити Пасечника, ни кротов-могильщиков, никого. Дома́ выглядели такими же, но были пустые и ненужные, как платья в шкафу, чья хозяйка давно умерла. Да и я уже был другой. Связь с тем миром потеряла свое натяжение и теперь, став воспоминанием, обрела сопутствующие ему атрибуты — сладковатую и бесполезную ностальгию, которой, впрочем, я не так уж и предавался. Если мое детское сознание было подобно доисторическому единому материку, то теперь оно напоминало, скорее, разрозненный архипелаг, населенный племенами, которые ничего друг о друге не знали. Каждый эпизод моей жизни был закупорен и снабжен этикеткой с надписью. Теперь я был подручным разносчика еды, и это было следствием случайного столкновения тех элементарных частиц, которые все вместе и образуют судьбу; мое настоящее было одним из тысяч возможных исходов, случайностью не худшей и не лучшей. И что я думал об этом? Ничего. Или почти ничего. Тетя

Мадлен много лет назад сказала: "Бывает хуже. Бывает гораздо хуже". Где-то теперь тетя Мадлен?

Мои размышления можно было суммировать двумя словами: "Иди вперед", — и я шел вперед, потому что ничего другого мне не оставалось делать. История мира, как и история каждого отдельного существа, строится из одних и тех же камней. Новые башни всегда возводятся на старых руинах. Нет такого карьера, из которого мы могли бы извлечь новый материал для своей жизни. И в том, что выбор куда как скуден, есть своя прелесть. И в недостатке есть свое обаяние. И дефицит обостряет наши желания.

…За храмом святителя Алексея велосипед резко повернул направо, и мы поехали мимо фабрики Станиславского. В конце дома на углу висели три огромные ржавые буквы "СТИ", что расшифровывались как "Студия театрального искусства". Туда мы и направлялись. Это было очень красивое и необычное место города. Справа от театра располагался широкий деревянный помост, из которого почему-то произрастали березки. Под березками на скамейках коротали обеденный перерыв офисные работники. А слева мы увидели вишневый сад, высаженный в странных контейнерах такого же неопределенного ржавого цвета, как и буквы "СТИ". Прямо перед нами был театр — кирпичное здание в русском стиле. Через высокие и широкие окна просматривался натертый до блеска деревянный пол, на который падали косые солнечные квадраты. У белых стен скучали без седоков кушетки и диваны. На самих стенах висели старинные фотографии — должно быть, каких-то театральных деятелей или меценатов. Скорее всего, где-то среди них можно было отыскать и Савву Морозова. Я заметил часы-теремок с тяжелыми шишками грузов на цепочках и предполагаемой кукушкой-глашатаем за дверцей (точно такие же часы висели в квартире Пасечников!). Виднелся длинный стол, накрытый белой скатертью и уставленный мисками с зелеными яблоками, орехами и розетками с вареньем. Вокруг стола были расставлены стулья с выгнутыми спинками, с подлокотниками и без. Ни один стул не повторялся. Все выглядело так, словно вот-вот откуда-то должны спуститься гости, которым никогда не бывает друг с другом скучно, и все они будут такие же разные и непохожие, как кресла и стулья, на которые они усядутся. И будут эти гости долго обедать, и весело и громко болтать, и вообще приятно проводить летний вечер.

Мы ожидали заказчика в вестибюле у кассы. Вскоре в дверях показался странный мужчина с рыжей бородой и в прожженной больничной форме: недоставало рукава, грудь была в обгорелых дырках. Из белой шапочки торчал клок рыжих волос. Мы испуганно переглянулись с Аскаром, не сразу догадавшись, что перед нами актер, который выбежал с репетиции за едой. Мужчина проверил содержимое доставки, расплатился и готов был убежать обратно, как вдруг, заметив меня, остановился, присел и стал меня изучать. Я осознавал, что теперь представлял собой весьма любопытный для изучения объект, тем более для натуры артистической, которая непременно переплавит свои впечатления от осмотра искалеченного кота в яркие сценические образы. Возможно, мое уродство вдохновит этого актера на какую-нибудь особенную интонацию, пассаж или как там это у них называется. Кто знает, кто знает: творческие стези кривее бараньего рога.

Рыжий мужчина спросил у Аскара, что со мной случилось. Аскар замялся и не смог ответить. Тогда актер нахмурился и вдруг протянул ко мне руки. Он аккуратно обхватил мою голову, так что вся моя морда как-то съежилась. Потом взял меня на руки и уставился мне прямо в глаза, которые было бы правильнее назвать в единственном числе глазом, но уж оставлю как есть. Он смотрел на меня насупив брови, строго и хмуро, думая что-то свое, будто я подтверждал какую-то его догадку, будто эта догадка пришлась кстати некоторым его размышлениям. Я сложил лапы на груди и неожиданно для себя заурчал. Я урчал шестью восьмыми, двумя пятыми и семью одиннадцатыми. Сперва я урчал *largo*, потом перешел на *andante non troppo*, но, не в силах сдержаться, продолжил уже в *allegro assai*. Этому мужчине было что-то около тридцати. И я подумал, что это могло бы стать началом прекрасной дружбы. Не знаю, что уж там между нами возникло, но, клянусь, я готов был уйти от Аскара и отправиться жить к этому актеру. Но тут открылась дверь, и девушка в очках закричала: "Дружище, ты с ума сошел! Быстро на сцену!" Рыжий осторожно вернул меня на пол, ответил: "Иду, Олечка", — и скрылся за дверью.

Вот так мы колесили по столице, доставляли голодным москвичам провизию, любовались городом и его обитателями. Так счастливо мы прожили несколько недель.

А потом был какой-то праздничный день. Все остались дома и отдыхали. И вдруг за стеной киргизы услышали шум, ругань, крики. Случилось невероятное: в УФМС по Денисовскому, 24 неожиданно нагрянули с проверкой сотрудники УФМС по Денисовскому, 24. Именно так. Точнее было бы сказать, не "нагрянули", а просто перешли из одной комнаты в другую, предварительно надев на голову маски, взяв в руки автоматы и включив для эффекта камеру. Около двенадцати часов дня, когда полковник Чернодон Л.П., мучимый похмельем, набирал воду из кулера, дверь в его кабинет распахнулась, и с криками "Лежать!" к нему подбежали его же собственные подчиненные и сослуживцы. Полковника уложили на пол и заломили руки. Затем стражи порядка вместе с арестантом прошествовали в комнату гастарбайтеров. При этом сослуживцы полковника делали вид, что все это им в новость: с преувеличенным удивлением окали и акали на камеру, как будто ничего не знали о тайной комнате в их учреждении.

Когда открылась дверь, я, как водится, спал. Мои друзья повставали с лежанок. Я тоже решил встать. Из солидарности. Полковник давал признательные показания. Протоколист протоколировал. Я громко возмущался. От меня потребовали заткнуться. Так и сказали: "Заткнись!", что я и сделал, приведя всех в восторг. Моих радетелей попросили представиться на камеру и показать свои паспорта. Спросили, как они попали сюда. Они посмотрели на полковника, по лицу которого уже невозможно было понять, как надо себя вести, и решили рассказать все как есть.

Через полчаса сотрудник УФМС мирно сидел в кабинете полковника и объяснял ему причины произошедшего. Оказалось, что буря имела несколько театральный характер и в первую очередь преследовала цель напугать и предупредить Чернодона о будущих рисках.

Дело в том, что все шесть бригад в парке Горького были расквартированы по адресам, числящимся за УФМС. Их всех курировали полковник Чернодон и *дорогой начальник Юрочка*. Гостиничное дело шло в гору. За прошедшее лето полковник успел заработать и на дачу, и на свадьбу дочери. Но, судя по всему, *Д.Н.Ю.* остался не слишком доволен системой распределения гонораров. О том, что он рискует не меньше самого полковника, он предупредил его один раз, потом другой. На третий раз он сказал ему откровенно, что так дело не пойдет, что выше всего на свете он ставит открытый дух партнерства и товарищества. И даже вспомнил что-то про Римскую республику и равенство двух консулов. Полковник его и на этот раз не услышал. Тогда *дорогой начальник Юрочка* решил натравить на полковника Чернодона его же собственных коллег. Те сделали вид, что возмущены, что не потерпят и т.д. Отчасти они вправду возмутились и уж точно не собирались терпеть. Они громко цыкали языками, склоняли головы и прикладывали ладони к щекам. Затем составили протокол и записали свидетельства очевидцев на камеру. Полковнику только оставалось решить, с кем он теперь. Полковник решил, что он теперь, как, впрочем, и всегда, на стороне закона и власти. Сослуживцы одобрили выбор полковника, *но только чтобы теперь никого не обидеть, чтобы всем было хорошо. Ведь так, Леонид Петрович? Так, родные, именно так,* — отвечал полковник.

Гостиничную сеть решили расширить за счет нескольких полузаброшенных домов, определенных под снос. *Артель чучмеков* на территории УФМС постановили сохранить на память, как первую ласточку. Завхоза ЦПКиО имени Горького гражданина Зимородова Юрия Владимировича пока что предупредили в мягкой форме о недопустимости шантажа в отношении представителей исполнительной власти. Короче, если Юра согласится с уже существующим прейскурантом, то ему же лучше, нет — пусть ожидает повестку в суд. (*Нечего с ним цацкаться. Вы, Леонид Петрович, все-таки полковник МВД, а не хрен собачий!*) Если тот попробует настучать кому выше, то стражи закона оставляют за собой право отвечать на провокации любыми средствами, вплоть до самых жестких. На том официальная часть была окончена, и делегаты скрепили договоренности коньяком.

Вечером киргизам сообщили, что они могут жить тут и дальше, но с условием выселить кота, *потому что так, чучмеки... ИТЬ... не положено,* — сказал полковник, борясь с икотой. *Вы бы еще барана ИТЬ сюда принесли,* — добавил он, удаляясь по коридору. Аскар, Жоомарт, Руслан, Талгат и Ырыскелди переглянулись, посмотрели на меня и снова переглянулись. Потом отправились в "Бургер Кинг" держать кенеш. Но я не стал дожидаться, какой они вынесут вердикт, водрузив на головы картонные короны. Нет, не стал. Одну истину я усвоил хорошо: всему приходит конец. Настало время покинуть общежитие в Денисовском переулке. Ни о чем не жалея, не оглядываясь на пройденный путь единственным глазом, я бросился вперед навстречу новому.

VII.
СЕЛО ЕЛОХОВО

Я покинул Денисовский переулок и взял курс на Богоявленский кафедральный собор, что в бывшем селе Елохово. Именно там, под сенью старых тополей, в тени куполов, я намеревался получить временный приют. И не ошибся. Село Елохово дало отчизне двух великих уроженцев: юродивого Василия Блаженного и поэта Александра Пушкина. Могла ли эта земля не быть ко мне участлива и милосердна?

Я шел по улице и озирался по сторонам. Прохожие провожали меня сочувственными взглядами. Кто-то тянулся меня погладить, но, вспомнив о лишае и блохах, отдергивал руку. Август был на исходе. Как будто предчувствуя скорый конец лета, солнце жарило из последних сил. Хотелось пить. Все лужи высохли. Я сел передохнуть у входа в метро "Бауманская" и вскоре заснул, а проснувшись, обнаружил перед собой газету с куриными потрохами. Я слопал предложенный обед и опять уснул. Когда же снова открыл глаз, то увидел едва надкусанный гамбургер и миску с водой. Так повторялось несколько раз: я просыпался, и на газете появлялась какая-нибудь новая снедь. Печеночный паштет сменял котлету, наггетсы — чебурек, а фрикадельки — трехпроцентный творог "Саввушку" (разумеется).

Это навело меня на определенные мысли. Я заключил, что, во-первых, чем больше сплю, тем больше вокруг случается хорошего. И во-вторых, увечья, как ни странно, порядком облегчают мою жизнь. Если так пойдет и дальше, я смогу окончательно перестать бороться за свое существование. Я посвящу большую часть жизни, как и полагается котам, сну, в то время как еда сама будет лезть ко мне в пасть по пробуждении. Я решил остаться у метро "Бауманская" на пару дней, проверить свои догадки. И действительно, полицейские, прохожие, простой рабочий люд и, конечно, бабуси — все несли мне пищу, все обо мне заботились. Я даже до некоторой степени переменил свое отношение к печальным событиям весны. Старик меня не убил. Сделал ли он меня сильнее? Едва ли. Но несчастье привлекало ко мне внимание. Да, обо мне заботились и раньше, но только сейчас забота была вызвана не умилением, а состраданием.

На третий день я вспомнил о своей паломнической миссии. Возможно, умнее было бы остаться у метро, но мне надоело лежать на проходе, слышать безостановочный топот и цоканье тысяч пар ног. Я тронулся в путь к храму. Он был уже совсем рядом.

У паперти на привязи скулил старый безродный пес. Он был грустен, на шее его был надет лечебный воротник. Впоследствии я узнал, что еще в щеняче-стве Боба (так звали пса) сильно покусали сороди-чи, он носил полгода воротник, но, уже выздоровев, так с ним свыкся, что не расставался до самой своей старости. Я спросил Боба, где бы здесь можно было подкрепиться усталому пилигриму. Боб нагнулся ко мне, обнюхал и молча указал мордой во двор.

Я был отнюдь не первым, кого потянуло к Ело-ховскому собору. В подворье обитал целый кошачий прайд. Кошки самых разных кровей, мастей и воз-растов. Дети, дряхлые старики и даже беременные. Я как раз успел к обеду. Стоял обычный для кошачь-ей трапезы гвалт. Поначалу коты продолжали есть, не замечая меня. Потом на меня обратил внимание один молодой полосатый кот, другой... По очере-ди каждый отвлекался от еды и поворачивался в мою сторону. Наконец все смолкли, перестали возиться и уставились на меня. Только сейчас, оказавшись через долгое время среди себе подобных, я уяснил, что же я собой теперь представляю. А представлял я собою нечто такое, что заставило их почтительно расступиться и пропустить меня к еде без лишних слов. Вместо ожидаемого презрения и брезгливости я вызывал уважение и даже почтение.

Кормили здесь неважно. Остатки человечьего обеда были приправлены рыбьими хрящиками и какими-то безвкусными отрубями. Все это было обильно посыпано засохшими хлебными крошками (скорее всего, заплесневевшими просвирками). Для иного животного, которое сутками не держало в пасти маковой росинки, самые тухлые отруби могли бы показаться амброзией. Но я-то еще не успел переварить те изысканные угощения, которыми меня баловали у метро. Я ел, совершенно игнорируя пристальное к себе внимание туземных обитателей. Кто-то из них попробовал было вступить со мной в беседу, но осекся, запутался и отошел за спины других.

Все-таки один серый кот, который стоял ближе ко мне, решился взять на себя роль парламентера. Он сказал:

— День добрый, как говорится. Приятного аппетита. Предлагаю знакомиться. Я Оливер. А вы?

Я ответил Оливеру многозначительным молчанием. Все пристально наблюдали за мной. Их глазами я словно осмотрел себя самого, заглянул вовнутрь и обнаружил, что душа моя зароговела, стала жесткой и неподатливой, как плохо прожаренный кусок телятины. И тогда я понял, что зубчик попал в паз. Мне было удобно оставаться тем, за кого они меня принимают. Я согласился им быть. Я продолжал жевать.

— Прошу прощения, — зашел с новой стороны Оливер. — Если вам не угодно раскрывать вашего настоящего имени, вы можете представиться так, как вас называл хозяин. У нас тут это нормально. В порядке вещей.

Я молчал.

— Многие так делают, — добавил Оливер, как-то скиснув.

Я не хотел называть своего имени — ни настоящего, ни тех, что приобрел. Я увидел вывеску кафе через дорогу и сказал, обратившись ко всем и ни к кому:

— Меня зовут Жиль. Я проделал долгий путь, и сейчас мне нужен отдых. Может быть, в вашем гостеприимном общежитии осталась койка для бедного паломника?

— Да, конечно, спуститесь в подвал. Там вы сможете устроиться на ночлег и оставаться столько, сколько вам вздумается, — сказал Оливер.

Так я и сделал. В проводники мне дали совсем юного кота по имени Изюм. По дороге он объяснил мне, что́ тут и как. Этот прайд был создан что-то около года назад на добровольных началах. Сперва им управляли два отца-основателя, которых сам Изюм уже не застал, но память о них еще жива. Они решили устроить настоящую кошачью коммуну, гавань справедливости и милосердия в океане горя и зла. Каждый сирый, слабый и обездоленный кот мог прийти сюда и запросто стать членом прайда. Насытить чрево свое, испить чистой проточной воды и размять кости игрой в мяч (специально для этого даже была создана игротека). Поначалу дела коммуны шли в гору. Местный настоятель, отец Поликарп, благоволил животным. Коты прибывали поодиночке, парами и даже семьями. Стекались с обеих Басманных, Аптекарского, Горохового, даже Покровки. Один кот (собственно, основатель) пришел с далекого запада, из того края города, где растут серебристые высотки. Без страха за себя и близких горемыки бросали якорь в подворье Елоховского собора. Располагались в подвале и оставались жить.

То первое время совместной жизни все считали парадизом. Но потом что-то разладилось. Говорили, что между отцами-основателями произошла ссора. Никто не мог бы сказать точно из-за чего, но намекали, что причиной были разные взгляды на политический курс прайда. Тот, что был родом из здешних мест, настаивал на преимуществах авторитарного режима, объясняя это множеством внешних угроз (собаки, суровый климат, голод), с которыми может справиться только крепкая лапа. Четкое распределение социальных ролей, субординация и беззаветное служение общему делу — залог процветания и безопасности прайда. Его оппонент, пришедший из-за большой реки, принимая во внимание те же самые обстоятельства, считал, что нужно дать прайду полную свободу поведения. Он говорил, что подчинять кота воле одного индивида, навязывать социальные условности и прививать культ долга — фикция, фантом, эфемерность и, в конце концов, противно самой природе *Felis catus*. Построение вертикали власти не выручит прайд в трудную минуту, а только скорее его разрушит с помощью бюрократии и перекладывания ответственности с нижнего чина на высший или наоборот (как это и происходит, например, у людей). Здешний ему возражал, что ни о какой "вертикали власти" речи не идет. Он говорил, что вовсе не собирается строить управленческий аппарат, усложнять жизнь прайда введением должностей, чинов и санов. Он собирается сделать проще: назначить себя главным (тут его морда приняла добродушное, даже сочувственное выражение), взять себе в помощники двух-трех смышленых котов (он перешел на шепот и привстал на лапы), а несогласных вышвырнуть вон. Тот, что пришел из-за реки, навострил уши. Он спросил: "Правильно ли я понимаю..." — "Правильно", — перебил его здешний и угрожающе двинулся вперед. "И как же новый властелин прайда собирается поступить со своим другом?" — "А друг как раз сейчас это и узнает", — вежливо ответил тот и остановился. Он вдруг стал очень печальным. Он склонил голову набок и глубоко-глубоко вздохнул, как будто его тяготила какая-то давнишняя, неизбывная скорбь. "Эх, Момус. Какая досада. Какая досада", — грустно сказал он, а потом снова двинулся вперед. "Вильгельм, ты ли это? — сказал Момус, пятясь к стене. — Что-то я перестаю тебя узнавать, старина".

Вильгельм ничего не ответил, но в глазах его вместе с грустью была еще какая-то черная точка, похожая на муху, какой-то знак, который можно было перевести как предвкушение немыслимого садизма, который он сейчас учинит. Морда его дрожала, глаза словно стекали вниз от съедающей душу тоски. Позади Момуса внезапно выросли три кота, и он понял, что отступать ему некуда. Он на мгновение замер и, чуть качнувшись назад, резко прыгнул на Вильгельма, но тот успел увернуться, и Момус с разбегу ударился об стену. Вильгельм кинулся на Момуса, полоснул его со всей силы лапой, так что рассек ему морду от брови до подбородка. Момус ответил точным выпадом, мгновенно выскользнул через окошко на улицу и кинулся прочь из подворья. Вильгельм со своей охраной бросились за ним, но Момус успел перелететь через проезжую часть и скрылся во дворах. Больше Момуса никто никогда не видел. Однако Вильгельм недолго наслаждался безраздельной властью. Через пару недель его присмотрела себе одинокая старушка, насильно запихнула в клетчатую каталку и увезла в неизвестном направлении.

— Шекспировские страсти, — сказал я.

— Ей-ей, — подтвердил мой провожатый Изюм.

Что я могу сказать? Тень отца преследовала меня всю жизнь. Я даже не сильно-то удивился, услышав вновь его имя. Хотя, возможно, преследовал его как раз я. Или нет, мы оба преследовали друг друга. Да, именно так, мы оба преследовали друг друга. Круги, по которым мы бегали, сужались, и скоро мы должны были встретиться в самой сердцевине мишени.

В подвал собора, куда мы пришли, вело маленькое окошко, достаточно широкое для кота и слишком узкое для собаки. Юркнув в это окно, кот попадал в каменный коридор, который скоро приводил его в просторный сводчатый зал или, как все говорили, гостиную. В жару здесь было прохладно, зимой жарко. По сути, это была усыпальница. Пол был выложен старыми плитами, на полустертой поверхности которых можно было распознать имена, сан и даты жизни здешних служителей. По дальней стене проходила отопительная труба, обмотанная какой-то ватой, за которой и был устроен ночлег. Коты ложились вповалку. Как мне показалось сперва, каждый устраивался, как ему вздумается. На самом деле это было не так. Новенькие, больные и подростки ложились по внешней окружности, потом шли пожилые и бывалые коты. В центре располагалась аристократия — Оливер и ближайшие друзья. Мне также отвели место в центре. Это было почетно. Чем я снискал такую честь, я не понимал, да поначалу не очень и интересовался.

Так началась моя жизнь в Елоховском подворье.

Я быстро привык к обстановке. Изучил местные нравы и обычаи. Приучился к новому рациону. Каждое утро я делал гимнастику: в течение двух минут кружился вокруг себя в правую сторону, затем в левую. Несколько раз забирался на дерево и обратно. Тщательно точил когти. Я был в прекрасной физической форме. Некоторые елоховцы присоединились ко мне в моих упражнениях. Они выстраивались на площади в шахматном порядке и повторяли за мной мои движения. Я был не против. Это напоминало мне групповые занятия ушу среди китайских пенсионеров, которые я наблюдал много лет назад по телевизору в доме Пасечников.

Прайд питался четыре раза в день. Если какого-нибудь кота замечали за трапезой в одиночестве в неустановленное время, ему делался выговор. После пятого выговора кот подвергался остракизму. Его выгоняли из прайда с правом вернуться через полгода. Впрочем, для котят, беременных и стариков делались исключения. Они могли есть, когда им вздумается. К подобным же нарушениям относились систематические драки, провокации, брань и привод незнакомых зверей без согласования с начальством. Кстати, по поводу начальства. Прайд управлялся коллегиально, "пятеркой достойнейших", как они сами себя величали. Все они были ветеранами Елохова, все относились к первой волне поселенцев. Лидера как такового среди них не было. Самым активным был Оливер, но на должность главного он явно не тянул. Наедине с друзьями он был раскован и остроумен, но как только доходило до публичного выступления — тушевался, терял мысль и заикался. Твердый в намерениях и сильный в теории, он был совершенно нерешителен и мягок, когда дело доходило до поступков. Ему не хватало авторитета. Но, с другой стороны, никто, кроме него, и не претендовал на главенствующую роль. Четверо других "достойнейших" как будто совсем не имели лидерских амбиций. На заседаниях они больше молчали, в нужный момент одобрительно кивали и больше посматривали в сторону паперти, на игру не обремененных властными полномочиями котов. Руководящий аппарат относился сам к себе с некоторой долей недоверия. Бредя на заседание, тот или иной кот спрашивал себя, а нужна ли вообще прайду "пятерка достойнейших", и встречался взглядом с другим котом, который, кажется, задавался тем же вопросом. Тем не менее они шли дальше и заседали. Возможно, все слишком хорошо понимали, насколько прайд зависим от воли одного человека, поэтому играть в управляющего прайдом по меньшей мере было наивно.

Этим одним человеком был отец Поликарп. Официально в среде котов он носил титул "бенефактора-учредителя". Если бы о. Поликарп об этом прознал, то был бы чрезвычайно горд, так как в молодости был человеком честолюбивым и амбициозным, обожал внимание и почет. Но карьера служителя церкви у него не сложилась, не задалась, так что к старости о. Поликарп переключился с человеческих душ на кошачьи: те, в отличие от людей, искренне его ценили и любили.

Настроение у о. Поликарпа было изменчиво. Если вечером он выпивал (а выпивал он регулярно), то раньше полудня в Елохове его ожидать не стоило. Следовательно, о завтраке и первом обеде можно было забыть. Если у него болели зубы (а болели они у него удручающе часто), то он вообще мог не явиться в храм. При этом после каждого посещения стоматолога ему выдирали по одному зубу, и некоторые продвинутые в арифметике коты высчитывали, когда же зубов наконец у него совсем не останется, чтобы больше нечему было болеть. Но, к сожалению, болели не только зубы. Накануне похолодания или дождей у о. Поликарпа ныли кости, и он весь день просиживал на скамейке, охая и кряхтя, так что коты напрасно строились перед ним в каре и по команде хормейстера затягивали песню о пользе регулярного питания. В довершение всего о. Поликарп был страстным болельщиком московского "Динамо". Увы, победы его любимой команды чередовались с поражениями в соотношении один к четырём. Если поражение было особенно чувствительным, то о. Поликарп мог не покормить прайд из чистой злости. Поэтому, когда предстоял матч с принципиальным соперником, некоторые коты забирались на карниз будки охранника у входа в подворье и с волнением наблюдали за результатом поединка. Если "Динамо" побеждало, косточки не ныли, а зубы не болели, о. Поликарп закатывал на всю колонию настоящий пир.

А еще, бывало, о. Поликарп ссорился с супругой. Изгнанный из дома, он мог явиться в Елохово в любое время суток. Глубокой ночью скрипела калитка, Боб салютовал батюшке двумя короткими и одним длинным "ав", и заспанные елоховцы выбегали из подвала к паперти. О. Поликарп, бормоча проклятья старой супруге, размешивал в лохани похлебку отрубей с куриными потрохами, наполнял резервуар чистой водой и залпом опустошал чекушку водки "Белочка". Потом, пьяный или трезвый, за неимением человеческой паствы он читал проповедь котам. И порой, когда вдохновение вдруг по ошибке стучалось в дверь о. Поликарпа, как заблудившийся почтальон, в словах его вдруг начинало биться живое чувство и то наивное и трогательное желание правды и справедливости для всех, которым он был исполнен в далекие отроческие годы. И коты переглядывались и думали, как бы это и в самом деле было бы хорошо: зажить по совести и попробовать стать хотя бы немного лучше.

Прайд в целом жил дружно. Но внутри выделялись две большие партии: те, кто родился на улице, и те, кто потеряли дом. Первые были, как ни странно, здоровее, веселее и выносливее. Вторые держались особняком. Бывшие домашние знали, что́ они потеряли. Горе их было особенным. В отличие от меня, все до единого они покинули дома не по собственному желанию. Все они с утра до вечера занимались решением одной древней задачи — "Что лучше: страстно хотеть и никогда не получить или иметь, но навсегда потерять?" При всем при том нельзя не сказать, что нравы и повадки их были мягкими и учтивыми. Например, два кота спорили за место в очереди к миске:

— Прошу меня пропустить. Я занял очередь раньше вас.

— Вранье!

— Следите за своим языком!

— А то что?

— А вы не думайте о будущем, живите настоящим.

Был еще один полосатый кот, которого почему-то звали Дашей. Мне рассказали, что так его назвали хозяева, приняв поначалу за девочку, но, установив истинный пол Даши, все-таки решили имени не менять. Даша не сильно сопротивлялся, ему было все равно, как его зовут. Но, что интересно, то ли по таинственному воздействию имени на судьбу, то ли потому, что грунтовые воды подсознания текут неисповедимыми путями, Даша с годами превратился в тихого и безнадежного гомосексуалиста. Он долго не мог примириться с потребностями своей натуры. Он всячески сопротивлялся: заводил романы с десятками кошек, дрался с котами за своих подруг. Играя с собственными детьми, уже совсем было уверился, что его склонность только кажущаяся, временная блажь, которая исчезла так же скоро, как и появилось. Но нет. Время шло. Более не в силах врать себе самому, он вдруг ослаб, размяк и отдался на волю жизненных волн. Но волны не прибили Дашу к берегу его желаний. Почему-то им было угодно продолжить страдания Даши. Он не мог встретить свою любовь. К тому же оказался болезненно робким, и те редкие коты, которые разделяли его пристрастия, по какой-то причине не хотели иметь с ним ничего общего. Так или иначе, Даша пристал к прайду в Елохове, обжился, занял свою крохотную ячейку и больше ничего от жизни не хотел.

Об Изюме сказать было почти нечего. Почти! С ним было связано только одно, но уникальное для кошек явление: имя, данное ему при рождении, совпало с тем, которым его наградили люди. Ничем другим он примечателен не был, но эту свою особенность Изюм как будто носил на груди невидимым орденом.

Оливер был тщеславным и хитрым котом. Однако недостаточно хитрым, хотя бы потому, что эта хитрость была всем очевидна. Что он хотел? То же, что хотели все: выстроить заново давно разрушенный дом, где было хорошо. Или казалось, что было хорошо. Память изменчива. Порой она наделяет отжившие времена как раз теми качествами, которых нам в них больше всего и недоставало, когда мы эти времена проживали. Как никогда не говорили древние: в памяти остается не рука, сложенная в собачью морду, а сама тень в форме собачьей морды.

Время тянулось безмятежно. Дни проходили бесшумной чередой. Так миновало больше месяца. Я уже всерьез подумывал, не бросить ли мне навсегда тут свой якорь. Обзаведусь подругой жизни, построю социальную ячейку. Да, маленькую, уютную бездетную ячейку. И я все более склонялся к этой мысли.

Был праздный полдень. Послушник Аркадий поливал цветы. Шланг в его руке танцевал. Можно было подумать, что он выписывает струей имя возлюбленной девушки Нади (которую сам и выдумал). Звери разлеглись на площади перед входом в собор. Горячая эта площадь напоминала какую-нибудь итальянскую *piazza*, а журчание стекающей в канализационную решетку воды звучало как фонтан и только усиливало это сходство. Два котенка гонялись за своими хвостами. Я и Оливер расположились в тени скамейки и следили за игрой молодняка.

— Знаете, Жиль, — сказал Оливер, наблюдая игру детей, — я думаю, вы совсем не тот, за кого себя выдаете.

— А кто же я?

— Откуда мне знать. Но только Жиль — это название кафе, на которое вы посмотрели, когда я спросил ваше имя при знакомстве. Я, может быть, и не обратил бы на это внимание, да только именно из "Жиля" меня благополучно погнали вот уже два года как. Так что, можете понять, я питаю к этому заведению особенное чувство.

— Ну хорошо. Допустим, у меня были свои основания скрывать настоящее имя.

— Думаю, не было. Думаю, не было. Просто вы такое же, как и все мы здесь, потерянное животное, которое не знает, доживет ли до следующей весны. Или даже до завтрашнего дня.

— И поэтому я скрываю свое имя?

— Нет, не поэтому. Имя вы свое скрываете, потому что, уж извините за пафос, вам больно возвращаться даже мысленно туда, где вам было хорошо. Угадал?

Я молчал и продолжал смотреть на него.

— Что вы молчите?

— А почему вы думаете, что мне было так уж хорошо в прежних местах?

— Судя по вашей морде, когда-то вам было все-таки лучше. Я знаю, что именно так. Но только вот собаки, в отличие от нас, хотя бы могут скулить. Им, не поверите, действительно от этого легче. А мы — уж так распорядилась природа или кто там еще — принимаем удары судьбы стоически, молча. А кричим только веснами, и то совсем не от боли, а, уж простите, от нестерпимого полового влечения.

— Послушайте, зачем вы мне все это говорите?

— Сейчас объясню. Дело в том, дорогой Жиль или как вас там, что вы не могли не заметить, с каким пристальным вниманием вас встретили местные коты.

— Да, я сильно удивился.

— Но только не подали виду. Решили разыграть этакого бывалого, высушенного невзгодами кота. Верно?

— Я никого не играл. Просто у меня...

— Да, тяжелый период в жизни.

— Именно так. Вы и сами видите.

— Так вот, Жиль, резиденты Елохова были поражены, но только, поверьте, совсем не вашим плачевным видом. Дело в том, что вы как две капли воды похожи на одного из наших отцов-основателей. Буквально одно лицо.

— Вы имеете в виду Момуса.

— Точно. Вы, значит, уже наслышаны о нем.

— Так.

Послушник Аркадий закончил поливать цветы. Он осмотрелся, нет ли поблизости кого из начальства, и закурил.

— Смотрите... э-э...

— Темиржан.

— Нет, не Темиржан.

— Август.

— И не Август.

— Хорошо, Пушок.

— Опять не то.

— Савелий.

— О, а вот это больше похоже на правду.

— Как вы поняли?

Оливер, изображая охотника, комически по-
шмыгал носом по сторонам:

— Чуйка. Да, имён у вас, как у испанской ин-
фанты. Но самое интересное, что из одного только
их списка можно довольно точно обрисовать всю

вашу биографию. Прекрасная биография, на самом деле. Побили, конечно, хорошо побили, но с кем не бывает? А так — любящая мама, судя по всему. Назвали в честь отца, я так понимаю?

— Нет, — мне понравилось, что он ошибся.

— Ну, неважно. Пара-тройка приличных домов. Последнее пристанище у каких-то узбеков, да?

— Киргизов.

— Вот. Все у вас замечательно. А посмотрите на Аркадия.

Послушник, оставив шланг, прикурил от тлеющего окурка новую сигарету.

— Если я ничего не путаю, по уставу ему строго-настрого запрещено курить. У Чехова где-то есть, как супруги в бане не стеснялись мыться голыми перед своим слугой, потому что не считали его за человека. Вот и Аркадий. Перед начальством-то он, поди, курить не осмелится, а перед нами можно. Мы — никто, — Оливер вдруг уставился прямо на меня серьезно и многозначительно. — Это унизительно, — наконец сказал он и глубоко и сокрушенно вздохнул. Эта искренность ему не шла, но в то же время он этим вздохом как будто проговорился, выдал себя другого, каким он, наверное, почти никогда не бывает даже наедине с собой.

— Послушайте, Оливер…

— Давай на "ты".

— Я ничего про это не знаю и ничего не понимаю. Я мало общался с котами. Я социопат.

— Ну да. Ну да. Так вот, я хочу обратиться к тебе с предложением. Но для начала надо тебе немного рассказать про Момуса. Я не знаю, что ты там про него слышал, но, думаю, в этом было мало правды. Момус был харизматичным котом. Большая личность. Он пришел к нам издалека. Оттуда, — Оливер мотнул мордой на запад, — из-за большой реки. Он жил в порту, удил рыбу. Держал там небольшую, как он выражался, "группу единомышленников". Короче, банду. У него была власть и уважение. Много еды, девок и всякой всячины. Потом он вдруг все бросил и стал актером, представляешь? Узнал, что где-то неподалеку есть кошачий театр. Он пришел туда, сел у служебного входа и стал проситься к ним. День сидел, два, а на третий к нему вышел какой-то мужик с накрашенными губами, румянцем на щеках и в красном колпаке. Мужик посмотрел на Момуса и попросил его изобразить все, что тот умеет. Момус изобразил все, что умеет. Мужик снял с себя колпак и попросил Момуса повторить все, что тот умеет. Момус еще раз повторил все, что умеет. Короче, его сразу приняли в труппу. Он стал звездой. Момус поправил финансовые дела театра. Он объездил с театром полмира, стал сенсацией, его обожали. Школьные автобусы выстраивались от МКАДа до Третьего транспортного кольца, когда шли спектакли с его участием. Даже выпустили футболки и магниты с изображением Момусовой морды. Однако, как известно, театр — террариум, ядовитый гадюшник. Момусу завидовали, строили козни, плели интриги. Но он повел себя верно: тут же обозначил свои права, не вступал ни с кем в конфликты, а просто создал партию, во главе которой поставил себя. Он так все устроил, что артистам было выгодно дружить с ним и враждовать с его неприятелями. Но на пике популярности, снявшись в рекламе какого-то корма, Момус сбежал из театра. За реку, ближе к нам. Ему наскучили сцена и слава. Он стал жить где-то на Таганке. Попробовал себя в роли семьянина, но оказалось, что и домашний очаг — это не для него. Он перебрался в Елохово. Куда бы Момус ни приходил, он, как брошенный в воду камень, всегда оказывался в центре круга. Так произошло и тут. Скоро он образовал вокруг себя прайд. Управлял им умно и грамотно. Снискал любовь подданных. Но его сбил грузовик. Я при этом присутствовал. Страшная картина. Отвратительно было видеть скрытый механизм его драгоценного, насмешливого разума раскатанным по асфальту. Бр-р... — Оливер встрепенулся. — Даже сейчас трясет от этого воспоминания.

Снова помолчали.

— Да, Момус остался великой легендой. Его вспоминают с благоговением. Его не хватает. Очень не хватает. Возможно, он часто был не так уж справедлив и добр к нам... Но, знаешь, кошачья память увивает цветами самую дикую пустыню. Короче, местные не сомневаются, ты — реинкарнация Момуса, хотя большинство из них никогда его и не видели. Они хотят, чтобы ты был главным.

— Зачем мне это?

Оливер как-то обиженно и грустно посмотрел через дорогу.

— Савва, средняя продолжительность жизни кошки в условиях большого города... знаешь сколько? Два с половиной года. Это приблизительная статистика. Но я, основываясь на своих наблюдениях, полгода бы еще убавил. Надо ли тебе расписывать преимущества жизни в прайде? А? Как люди говорят, у Христа за пазухой?

— Возможно...

— Ты думаешь, я не понимаю, что с тобой происходит? Думаешь, ты один такой? По городу бродят десятки тысяч голодных искалеченных животных. Без надежды на исцеление, или дом, или хотя бы кусок мяса на завтрак. Ты что-нибудь слышал про интернет? Целые полчища милых девочек и мальчиков, которые не знают, что делать в жизни, проводят возле экранов своих телефонов и компьютеров сутки напролет. Они отправляют по пятьсот рублей в разные фонды, никак не отслеживая, на что уходит их скромное вспоможение. Зато их уютным нежным душам становится еще уютнее и нежнее от чувства выполненного долга. Они же теперь становятся гражданами. Они такие цивилизованные. Боже мой, они протирают ободки унитазов, если вдруг на них нассут, они сдают кровь раз в месяц для нуждающихся. Они не пользуются косметикой, которую тестируют на животных. Но что их пятьсот рублей для старой кошки с переломанным дверью хребтом? Что эти пятьсот рублей котенку с отмороженными лапами? Что это бедолаге, умирающему от перитонита? Им нельзя помочь. Да, их можно накормить разок от пуза. Удалить из уха клеща. Но это делает их еще несчастнее, потому что зажигает вдалеке маячок надежды на лучшую участь. А в отличие от тебя, они видят только одну дорогу перед собой. И в этом их спасение. У них нет выбора. Во всяком случае, они о нем никогда не думают. Им достаточно поверить, что завтра все будет хорошо, а большего им и не надо. И они правы в этом своем убеждении. Пусть ничего у них никогда и не будет. Пусть их никто не подберет и через месяц они сдохнут в парке от голода, даже не имея сил вырыть себе могилу. Но им надо верить до последнего вздоха, до самого последнего взгляда на солнце, до последней капли слюны им надо верить, что все будет хорошо. Ты очень неглупый. Люди обожают умных животных. Просто обожают. Они смотрятся в нас, как в кривые зеркала. Их умиляет наша недочеловечность. То же чувство они испытывают от просмотра тупых фильмов или разглядывая посредственную живопись. Вид самого умного животного будит в них чувство интеллектуального превосходства. За это нас так сильно любят. И еще черт знает, чем они нас наделяют. Люди думают, что мы какие-то врачеватели, астрологи, алхимики и телепаты в одном флаконе. Знаешь, когда я был в "Жиле", я часто делал вид, что вижу в воздухе что-то необыкновенное, и мотал мордой, как будто следил за какой-то точкой. Как людям это нравилось! Но представляешь, если бы мы могли ответить на телефонный звонок или обыграть их в шахматы? Среди людей началась бы эпидемия самоубийств. Потому как для сотен миллионов превосходство над нами, рождающее то покровительственное умиление и заботу, — последний якорь, который удерживает их на земле. Им надо узнавать себя в нас. Ты меня понимаешь? И как же ты распоряжаешься своим даром? Ты похож на размагниченную стрелку компаса, которая вращается, не в состоянии определиться, какую сторону указать. Это твоя беда.

Я не знал, что ответить. Оливер лег в позу сфинкса, внимательно на меня посмотрел и, не дождавшись ответа, сказал:

— Я предлагаю тебе то, что могло бы тебя спасти. Я бы справился с этой ролью в тысячу раз лучше тебя, но я не обладаю авторитетом. Меня слишком хорошо знают. Я танцую вокруг палки, которую сам и вкопал. С этим я не могу ничего поделать. Такой уж получился. А в тебя они с первого взгляда поверили. Я не знаю, как это происходит, но это так. Чтобы в тебя верили без оглядки, ты должен быть неизвестен. Они тебя не понимают, хотя видят каждый день, разговаривают с тобой, шутят. Вон даже какую-то гимнастику за тобой повторяют. Ты без своей воли заронил в них что-то. Одним своим сходством с тем, первым. Даже если случится землетрясение, если нас отсюда смоет потопом, даже если этот дурак отец Поликарп решит нас вдруг разогнать, когда его "Динамо" опять проиграет, мы всегда сможем устроиться на новом месте. И все до последнего пойдут туда, куда ты им скажешь. Все. Самые строптивые и наглые, котята и старики. Ты просто вытянешь морду в угодном тебе направлении, не зная, что там нас ожидает, но все пойдут. И в этом великая сила.

— Я тебя понял. Я отказываюсь. Это не мое.

— А что твое?

— Не знаю.

Оливер вскочил на лапы. Кажется, он начал терять терпение.

— Так в этом и дело. Тебя как бы и нет, идиот. Почему ты боишься? Ты трусишь! Что тебя останавливает? Ты не маленький. Как ты собираешься жить дальше, не выбирая пути? Или это такое твое высокомерие по отношению к жизни? Ты считаешь, что твой путь неизвестен, уникален — или что? Ты думаешь, что он у тебя будет свой собственный? И какой-то бесплотный дух тебя возьмет за шкирку, как мамка, и перенесет, и поставит на дорогу четырьмя лапами? Ты правда надеешься на что-то особенное? Почему? Почему? — повторил он, повысив голос.

— Оливер. Я надеюсь. Но не на это.

Оливер пристально глядел в мой единственный глаз.

— Я предлагаю тебе в последний раз. Ты становишься главным. Я помогаю тебе руководить и управлять. Я подсказываю тебе нужное решение в каждой сложной ситуации. О привилегиях, которые будут тебе положены, я даже не буду говорить. Поверь, их будет много. Ты, кстати, не кастрирован?

— Кастрирован.

— Ну ничего. Много на свете еще радостей есть. С валерой знаком?

— Что?

— Капли лижешь?

Я вздрогнул, вспомнив о каплях. Мне даже в голову не приходило, что про капли могут знать другие коты.

— Да, знаком… с валерой. Лизал, в общем.

— Ну, представь себе: капли каждый день. И не фуфло всякое, а настоящие, немецкие. Без отходняков.

Пожилая прихожанка с фиолетовыми волосами спустилась с паперти, отвязала сумку-тележку в шотландскую клетку и извлекла из нее пакет. Она распотрошила вокруг себя кулебяку и высоким "кись-кись" стала созывать котят. Те бросили игру и сбежались на угощение. Один дал другому по морде и съел самый большой кусок.

Мы с Оливером следили за этой сценой. Мне почему-то стало противно от того, что наши глаза были обращены на одно и то же. И я понял, что ненавижу Оливера. Я не хотел, чтобы у нас было хоть что-то общее. Даже объект внимания.

Оливер повернулся ко мне. Он как будто прочел мои мысли и даже улыбнулся. Он сказал:

— И еще. На самом деле выбор у тебя небольшой. Либо ты занимаешь место Момуса, либо навсегда покидаешь Елоховский. На ответ я даю тебе сутки.

Я молча встал и ушел в сквер перед собором. Я лег в тени у памятника революционеру Бауману и стал думать. Николай Бауман погиб во цвете лет. Он проезжал в открытом кабриолете мимо толпы рабочих, читая вслух новости газеты "Искра". Но те, чьи интересы, как ему казалось, он защищал, отплатили ему черной монетой. Один из рабочих почему-то решил дать Николаю по голове железной трубой. Николай вскрикнул "ой" и упал замертво, а через сто лет вся округа стала носить его имя. Теперь бронзовый Николай Эрнестович возвышался на постаменте, расставив ноги на ширине плеч, сжимая в руке выпуск "Искры", а другую руку убрав в карман (там скульптор наверняка вылепил невидимый нам револьвер). Бауман смотрел на прохожего, как бы соглашаясь на свою трагическую участь, но при этом хитро подмигивая, мол, "да, мне дали по башке, зато вон сколько улиц и скверов названо моим именем. А ты дурак!".

То, что предлагал мне Оливер, на первый взгляд могло показаться удачей. Безбедное существование, уважение и почет. Но я не верил таким уловкам судьбы. Однажды на бульваре я увидел выставку фотографий "Вокруг света". На одном снимке с высоты птичьего полета был изображен торговый караван, бредущий сквозь пустыню. Едва различимые верблюды отбрасывали исполинские косые тени на много миль вдаль. Это выглядело величественно и прекрасно. Эта фотография была чем-то сродни предложению Оливера. Что мне их драгоценный груз: пряности, шелка, смарагды и гашиш — в сравнении с безразмерной тенью тревоги и страхов, которые всегда будут сопровождать неверную радость? Я не мог разобраться в себе самом. Не мог руководить собственной жизнью. Что же я мог предложить елоховскому прайду? Ничего. Это синекура, это легковесная власть. Что-то подсказывало мне, что за ближайшим поворотом меня будет поджидать скорая расплата. Я принял решение уйти. В то же мгновение Бауман приподнял брови, указал свернутой газетой в сторону центра и снова замер в своей привычной позе.

Я обернулся на собор и без сожалений и тоски в сердце оставил Елохово навсегда.

VIII.
РАДИ ЧЕГО

М оя молодость давно миновала. Дни ускоряли ход. Наступала пора пожинать плоды прошлых посевов. Но на что я мог рассчитывать? Я был наполнен всякой дрянью, как старый ржавый бак на задворках дачного дома. Вот и весь мой урожай. Тем не менее я не терял присутствие духа. Мой единственный глаз вглядывался в даль с двукратной силой. Обрубок хвоста предупреждал о грядущей перемене погоды намного раньше официальных сводок. Перебитая лапа, утратив чувствительность, могла разить противника без боли.

Я спустился вниз по Басманной. День догорал на куполах Никиты Мученика. Дул северо-западный ветер с порывами до 7,2 метров в секунду. Солнце вновь гостило в созвездии Льва. На столичный регион надвигался обширный циклон. Обстановка на международной арене оставляла желать лучшего. Снова кипел Ближний Восток. Еще один американский подросток прострелил себе голову, а перед этим проделал то же самое с дюжиной своих одноклассников. Северокорейцы произвели неудачный запуск баллистической ракеты. Снаряд набрал высоту, но потом развернулся на сто восемьдесят градусов и полетел вниз. Погибли все сто пятьдесят офицеров в командном пункте и еще шестьсот крестьян из близлежащей деревни. Народы волновались и буйствовали. Кто-то поднимался с колен, чтобы поставить на колени других. Кто-то думал, что провидению угодно, чтобы он отобрал у соседа его землю, а самого соседа убил. Все это было завернуто в обертку великой духовной миссии и тайного священного предначертания. У какого пророка они это вычитали? На каких скрижалях разобрали мистические прописи? Я давно заметил, что чем хуже почерк у Господа, тем тверже рука у вершителей его воли. Заключались союзы, распадались коалиции, созывались ассамблеи и устраивались конгрессы. Нефть дешевела, дорожало золото. Или наоборот. А в это время от Антарктиды откололся айсберг весом в один триллион тонн и медленно дрейфовал в сторону мест людского обитания.

В Москве же шла стройка. Днем и ночью, без выходных и праздничных отгулов. Долго и упорно. Срывались сроки сдачи объектов, опережались графики, выписывались премии и объявлялись выговоры. Центр гремел, стучал, дребезжал и рычал от беспрерывных работ. Почва не выдерживала нагрузки. Так, на Яузском бульваре недавно обвалился грунт. Любознательный москвич останавливался на краю бездны, извлекал телефон и запечатлевал под собой различные артефакты: черепа, надгробия, колеса телеги, полуистлевшие цилиндры, камзолы, кресты, пищали, туеса, крынки и канделябры. Еще большая воронка образовалась в районе Сретенки. В нее угодили автобус и две машины. Чудом никто не погиб. То же самое на Ордынке, Лубянке и Долгоруковской. Оползни учащались. На дорогах и стенах домов возникали широкие трещины, разломы. Горожане пугались. Начальство уверяло, что держит ситуацию под контролем.

Грохот сводил с ума. По городу носились стаи обезумевших собак. Люди хоть и не лаяли, но мало чем от них отличались. Кривая душевнобольных неукоснительно росла вверх. Психиатрические клиники и диспансеры еще никогда не испытывали такого наплыва посетителей. Пациентов завозили поодиночке, парами, группами. Многие москвичи приезжали самостоятельно. Обняв и расцеловав на прощание родню, они взваливали на плечи брезентовые рюкзаки, поправляли на переносице очки и с энтузиазмом переступали порог лечебницы, чтобы больше никогда, никогда, никогда не переступить его обратно.

Я шагал вперед. Со стены дома свисала на тросах группа граффити-художников. Они оканчивали гигантский портрет какого-то маршала. Художники не рассчитали композицию рисунка. На месте одного из орденов белел наружный кондиционер, а правый глаз героя войны пришелся как раз на окно квартиры. Когда окно открывалось, маршал как будто игриво подмигивал прохожим. И уж совсем становилось не по себе, если обитатель квартиры грустно высовывался из маршальского глаза покурить.

Я свернул в сад имени Баумана. В небе, корча рожи, скаля зубы и просто улыбаясь миру, кружили ромбики, треугольники и трапеции воздушных змеев. Я углубился в сизые провалы сада. На скамейке спала девочка. Руки ее были как-то неловко сложены на груди, как будто обнимали сбежавшую во сне кошку. Я оглянулся вокруг, но кошки не увидел. Женщина в шелковых шароварах занималась йогой: она вытянулась в стойке на голове и производила резкие громкие выдохи. И-Э-А-О-У-Ы. Звуки сада, судя по всему, не вполне отвечали духовным запросам йогини, поэтому из колонки раздавался еще и шум прибоя. На берегу заросшего пруда дремал рыбак. Из целлофанового пакета рядом с ним за мной следил своим мутным, равнодушным взглядом карась. Невидимые белки материли меня с ели. На лужайке, следя за маневрами змееловов, сидела девушка. Я тихо подошел и устроился рядом, чуть позади. Она, не отводя глаз от неба, сказала:

— Как ты думаешь, такой кошку выдержит?

— Какой именно?

— Вон тот, синий с зеленым хвостом.

— Нет, конечно. Этот нет... А вон тот — да.

— Какой "тот"?

— С красной улыбкой.

— Уверен?

— Это твоя хозяйка спит на лавочке?

— Нет. У меня нет хозяйки.

— И никогда не было?

Она замолчала. Змеи в небе вытанцовывали причудливые фигуры. Люди подбадривали их на разные голоса.

— Во-первых, хозяева бывают у вещей, а не у животных. Во-вторых, это слишком личный вопрос.

В воздухе пахло скорым дождем. Вдалеке прокатился гром. Она наконец обернулась на меня, как-то презрительно оглядела с ног до головы и добавила:

— В-третьих, как-нибудь потом расскажу. Кажется, будет дождь.

От этого "как-нибудь потом расскажу" у меня по всему телу, от кончика обрубка до невидящего глаза, пробежал разряд. Значит, это уже обещание совместного будущего?

— Нет, не думай. Я не обещаю тебе совместного будущего, — сказала она. — Просто мне нужно с кем-нибудь пообщаться. Мне грустно.

— Почему тебе грустно?

— Так. А я смотрю, жизнь тебя потрепала.

— Да. Потрепала. Меня. Жизнь.

Ветер подул сильнее. Полил косой дождь. Сад опустел. Белки разбежались по домам. Женщина-йог катила вон из парка, сидя спереди двухместного велосипеда. Змеи уползли вниз. Девочка со скамейки укрылась от дождя под козырьком ларька, и на груди у нее свернулся хорек. А мы сидели под дубом и разделывались с рыбацким карасем. Его мертвый глаз смотрел на мир так же равнодушно, как и при жизни. Да, он нисколечко не сожалел о своей гибели и, уверен, был даже рад принести себя в жертву нашему аппетиту. Рыбак продолжал спать под дождем и не заметил пропажи. Радиоприемник в кармане его жилетки передавал *allegro* из концерта *L'amoroso* ми мажор сочинения Антонио Вивальди.

В этот день я обрел свое "ради чего".

Как описать, что было потом? Это покажется странным, но ее имя я узнал только через несколько дней. Я ей тоже представился не сразу. Сейчас я даже не понимаю, как мы обращались друг к другу. Мы о многом говорили, рассказывали. Но у нас было такое чувство, будто мы не узнавали друг о друге что-то новое, а вспоминали. Да, именно так. Нам казалось, мы просто что-то забыли, а сейчас вспомнили. И мы смеялись своей забывчивости. Мы вообще в те дни, года и века много смеялись. Без причины. Достаточно было задеть друг друга усами, обратить внимание на человека с нелепой походкой или собаку с серь-

езной физиономией. Или просто так встретиться взглядами и начать смеяться. Без повода.

Я совсем перестал думать. Да, к своему счастью, я совершенно разучился думать. Я полегчал. Я сбросил сто тысяч тонн. Я вылетел вон и бежал не останавливаясь через поля, долины, овраги. Меня щекотал неудержимый смех. Что-то горячее, что-то такое, что я давным-давно имел, но потерял, незримо толкало меня вперед. Первое, что приходило в голову, и было самым верным. Я привык, что моя тень всегда была больше меня. Мой сад был полон призраков. Я знал, что где-то есть тайная комната, но боялся в нее заглянуть. Я не знал, жив ли тот, кто в ней спрятан. Вот она, бритва Оккама в лапах кота Шредингера. Но все изменилось. Я только понимал, что время теперь пошло совсем иначе. Оно стало похоже на перетасованную колоду карт. То, что было далеко, отстояло теперь на расстоянии вытянутой лапы, а вчерашние события ушли глубоко в землю. То, что было с ней, я мог поклясться, когда-то произошло и со мной. Так, я слышал, в древности браталась викинги. Они надрезали себе вены и прикладывали руки, чтобы их кровь смешалась. Именно это случилось со мной и с Гретой. Наши истории перепутались, и порой мы уже не могли сказать наверняка, какая с кем случилась. У нас была любимая игра: мы задавали друг другу вопросы из нашего прошлого и почти всегда безошибочно на них отвечали. Она откуда-то помнила срок годности бананов из моей родильной коробки, а я знал расцветку всех ее сестер и братьев. Она, комически прищурив глаза, указывала, в каком шкафу бабушка Витюши хранила тетради своих учеников, а я напоминал ей, где она потеряла свою любимую детскую игрушку в виде помпона. Я превратился в парус, надутый попутным ветром. Мои дни разбухли, стали вмещать в себя бесконечное количество времени. Ночами мы гуляли по округе, охотились на жуков, водомерок и лягушек — я ведь напрочь забыл, что по природе мы ночные существа: в темноте охотимся, на солнце спим. Мы засыпали на рассвете. Обнимаясь, мы обнаруживали, что подходим друг к другу, как случайные кусочки в гигантском пазле. Какое везение, думали мы, какая удача. Часто нам снился один сон на двоих. Если она почему-то опережала сюжет, то спокойно дожидалась меня, и мы досматривали сон вместе. Иногда я просыпался и видел, как дрожит ее лапа, хвост или усы. Я принюхивался к ней, пытался распознать вкус того, что ей сейчас снится. Из-под прикрытых век я видел ее зрачки. Она как будто притворялась, что спит. Может быть, так оно и было. Она и всегда была таинственна, но во сне ее тайна утраивалась, удесятерялась, потому что в эти минуты она и сама себя не знала. Никто ее не знал. Никто. Она тихо сопела, почти никогда не урчала. Я тянулся к ее морде, чтобы еще раз вдохнуть в себя воздух, который она только что выдохнула. Я знал, что, впустив его в себя, я узнаю о ней что-то новое. Что-то, что, возможно, и не смогу понять. Пускай и так. Но оно будет со мной. Так турист забирает с собой из путешествия ценную валюту, которая ему никогда не пригодится на родине. Во сне я чувствовала, что он сейчас меня разглядывает. Он думал обо мне, и его мысли и все, что он по поводу меня испытывал, делало меня богаче. Да, на двоих у нас было всего три глаза и полтора хвоста, но, ей-богу, это много. Очень много. До него мне никто не был нужен. Теперь я знала, что мне тем более никто не будет нужен после него. Поначалу он очень нервничал, потому что все время думал, как себя со мной вести. Но со мной не надо было себя никак вести. Он и сам, конечно, понимал, как это неважно. А потом, мне уже больше не надо было пользоваться ни зрением, ни нюхом, ни навигацией усов, чтобы знать, рядом он или нет. Я просто сразу могла понять это. Уж не знаю как. Раньше я всегда чувствовал себя скомканным фантиком, которым люди заменяют потерянную фигуру на шахматной доске. И все на меня так и смотрели, как на чужака. Все только и ждали, когда меня наконец съедят, чтобы я не портил общего вида. И вот я больше не на доске. И не играю чужой роли. Я с тобой, и так должно было случиться. Он был гораздо старше меня, но в душе оставался маленьким беспомощным котенком, который бегает туда-сюда по куску фанеры, несущейся по бурной реке. Большой маленький кот. Наверное, все это проходит быстро. Думаешь? Конечно. Это всегда ненадолго. Это грустно. Все грустно. Но так уж повелось. Так должно быть. Но знаешь, в этом что-то есть. Пожалуй, то, что мы этого никогда не забудем. Другое забудем, а это нет. Мне тоже так кажется. Это будет нашей реликвией, святыней. Оно и потом всегда будет мерцать в кромешной тьме слабым огоньком. Тусклым, тихим светом, но все-таки достаточным для того, чтобы память не давала его в обиду. Никому не давала в обиду. Чтобы память берегла это сокровище от всех бурь и потрясений. И это будет давать силы жить дальше, когда уже совсем станет невмоготу. Наверное, да. Мне так кажется. Я так думаю. И я тоже так думаю. Да? Ну вот, видишь, как мы с тобой одинаково думаем. У нас с тобой получается, как у деревьев. У них корни переплетаются, и они уже сами не понимают, где чьи. Вот так и у нас. Да, так и у нас. Мы уже оба не понимаем, что твое, а что мое. И все у нас будет хорошо, обещаю. Я знаю. Все будет очень хорошо. Я знаю. Я тоже.

И мы стали жить в саду имени Баумана. За детской площадкой мы обнаружили покинутую собачью будку. На дощатом полу были разбросаны следы прошлого обихода: телячьи кости, кусок ошейника, ржавая миска, покусанное резиновое кольцо. Очевидно, проживавший здесь пес умер. Едва различимый запах, подобно старым газетам под слоем обоев, сообщал нам свои ненужные новости: пес был какой-то очень крупной породы. Он был стар, угрюм, малообщителен и сильно болел. Что-то с печенью.

Но прежде чем заселиться, Грета решила испросить разрешение у собачьего духа пожить в его бывшей будке. Мы раздобыли хот-дог и устроили жертвоприношение: выкопали ямку, положили в нее сосиску, а булки отбросили в сторону. Грета предложила собачьему духу съесть хот-дог и быть милостивым и гостеприимным к новым хозяевам его конуры. Мы сидели и ждали. Наконец по траве прошелся слабый ветерок. Удостоверившись, что дух благовосприял нашу жертву, мы поклонились ямке и ушли. Но потом я спросил Грету, как она думает, владел ли пес при жизни английским языком? Хм, задумалась она. Думаю, нет. А что? Дело в том, что его может разозлить тот факт, что мы предлагаем ему совершить в некотором роде каннибализм. Грета подумала и ответила, что нет, не разозлится. Это просто глупая игра слов. Но потом все-таки решила, что лучше будет съесть хот-дог самим. Так мы и сделали. Мы съели сосиску, а потом и обе булки в придачу.

Целый день мы посвятили уборке. Мы выгребли из будки весь хлам и мусор. Деревянный пол устлали сухой травой и прошлогодними листьями. Смели со стен паутину, и теперь солнце пробивалось сквозь щели в дощатых стенах, строго разделяя будку на полосы тьмы и света. Наконец мы осмотрели наше новое жилище снаружи и решили, что оно очень даже ничего. Своей формой дом напоминал башню средневекового замка, поэтому я предложил отныне называть его *Château*. Грета была не против.

Прежде чем войти в *Château*, я рассказал Грете, что когда-то у людей был странный обычай. Заселяясь в дом, они вперед себя впускали кошку. Там, куда она ложилась, они никогда не ставили кровать или люльку.

— Почему?

— Потому что они верили, что в этом месте скрыта самая темная энергия в доме.

— Ух ты! Какая прелесть. Обожаю мистику и все такое. Ведь ты тоже любишь темную энергию?

— Да, я не могу без нее жить.

— Класс. Но если мы сами коты, то кого же теперь нам надо впустить в дом вперед себя?

— Получается, человека.

— Точно.

— Но, боюсь, это невозможно. Человек займет собой весь наш *Château*, и нам самим не останется ни клочка жилплощади.

— Да, Савва, ты прав. Так что давай-ка войдем туда первыми сами.

— Точно. Давай.

И мы вошли туда первыми, как те двое, в распоряжение которых был предоставлен целый дивный сад.

Как я уже говорил, мои увечья сослужили мне добрую службу. Люди меня жалели. Приносили к *Château* продукты, корм. Кто-то поставил у входа миску и каждый день менял в ней воду. В парке было несколько киосков, торгующих так называемой быстрой едой. Под деревянной верандой расположилось кафе. Увлажнители воздуха расточали вокруг прохладную пыль. Мы садились рядом и проводили часы, спасаясь от жары и беседуя обо всем на свете. Нас полюбили. Официанты и завсегдатаи сада Баумана дарили нам хот-доги, кукурузу, различные крупы, злаки, корнеплоды, стручковые, бобовые, разумеется, трехпроцентный творог "Саввушка", овощные смеси, пельмени и даже шоколад. Каждый день к пруду приходил Анатолий Палыч. Улов его был куда как скуден, а сон глубок. Пока он спал, мы похищали из пакета карася и уносили его в *Château*. Так повторялось из раза в раз: он ловил карася, засыпал, мы карася похищали.

Это было счастливое время. В парке устраивались народные гуляния, джазовые вечера и даже киносеансы. Перед мероприятием сдвигались скамейки, и посетители сада рассаживались на них, имея в каждом кармане по початку кукурузы из киоска "Ваш попкорный слуга".

На концерты приходили пенсионеры-близнецы Светлана Витальевна и Виталий Витальевич в одинаковых демисезонных плащах цвета ноябрьских сумерек. Наш добрый знакомый Анатолий Палыч сидел в первом ряду, придерживая на коленях пакет с очередным грустным карасем и поставив удочку стоймя рядом с собой. С площадки подтягивались мамы с колясками. Тут же в цветастых шароварах располагалась по-турецки женщина-йог. Пара полицейских с автоматами наперевес фланировали туда-обратно, делая вид, что им совсем не интересно происходящее на эстраде. Чуть только дружинники подтаскивали последнюю скамейку, на нее, не размыкая уст, усаживалась молодая пара. Молодой человек носил одежду цвета хаки и имел дреды на голове. А девушка… девушку я не разглядел. Они так и просидели все представление, только однажды прервавшись на перекур, а потом опять отдавались поцелую. И было еще множество незнакомого мне народа. Наконец все рассаживались.

Выступал, например, женский коллектив "Светлана". Очаровательные девушки в старомодных нарядах стояли группкой за эстрадой и передавали по кругу курительную трубочку. Но вот на дорожке сада в окружении поклонников, словно Сатурн в кольце астероидов, появлялась солистка группы Лилит Аарон. Девушки вытряхивали пепел из трубочки и, покашливая, семенили на подмостки. Они устраивались за своими инструментами, и, отсчитав поварешкой о кастрюлю четыре раза, Лилит зачинала старую песню про пароход. Она изображала героя песни: прикладывала ладонь козырьком и всматривалась в даль, пытаясь выглядеть свою возлюбленную. Потом, переменившись, сплетала руки у щеки и становилась самой возлюбленной. Потом, широко орудуя локтями, делала вид, что она матрос, прижимала к груди чемодан, как пассажир, курила махорку, как праздный зевака. А в момент воссоединения героя со своей подругой очень смешно обнимала саму себя. Зрителям это очень нравилось. Нам с Гретой тоже. Поклонники Лилит у сцены покачивались в такт из стороны в сторону. Казалось, они совсем не испытывают друг к другу никакой неприязни, не ревнуют. Даже наоборот, с некоторым сочувствием переглядываются, мол, "да, братец, попали мы с тобой, попали. Ну да ничего. Как-нибудь справимся. Выстоим".

Я никогда не слышал такого красивого голоса, как у Лилит. Он был высокий, звонкий и лился... да, лучшего сравнения я не могу найти... лился свободно, как ручей, — как бы сам собой, без усилия, просто потому, что так задумано природой. Все не могли оторвать глаз от Лилит. Поначалу она ни на мгновение не забывала о своем присутствии на сцене, о своем особом положении в группе. Подмигивала кому-то, делала замечания своим подругам. Но потом, увлеченная мелодией, захваченная игрой, которую знает каждый музыкант, когда ты словно ловишь и укрощаешь бегущие впереди ноты, она забывала обо всем, кроме музыки, и тогда мы все тоже забывали обо всем, кроме музыки. И мы думали, как это хорошо, что человеку дано петь. И мы думали, вот бы нам вместо того, чтобы болтать всякую чепуху, петь друг другу так же, как эта Лилит поет сейчас про чье-то окно, горящее для кого-то в глухую ночь.

Закончив программу, девушки долго кланялись, уходили, приходили снова, исполняли на бис пару песен, снова кланялись и уходили. Впереди, скрытая толпой обожателей и пышными букетами, незримо шествовала Лилит Аарон.

Потом на сцену поднимался следующий музыкант. Он играл на самодельном инструменте, который, кажется, не имел названия. Что-то вроде лютни с двумя сведенными грифами. Больше тридцати лет музыкант играл на домре. Но домра была неприбыльным инструментом. Концерты домрист устраивал крайне редко, поэтому решил попробовать себя в педагогике. Он дал объявления в газеты. Но откликнулись на них только единожды, да и то на первый же урок ученик почему-то так и не явился. Несколько раз домрист выступал дуэтом с певицей Надеждой Остромыжской в программе "Отца небесного светлейшая обитель". Концерты проходили в помещении театра "Глас" на Ордынке. Все шло своим порядком. Слушательницы покачивались в такт благочестивым песням Остромыжской. Теребили кулончики на груди, мяли в пальцах платочки. Но карьера Остромыжской пошла вверх: она наняла себе скрипача и балалаечника, а домрист остался не у дел. Тогда он забросил домру.

Он изобрел свой собственный инструмент. Сколотил для него кофр. Привозил с собой на тележке усилитель с латунными уголками. Раскрывал свой стульчик и опускался на матерчатое сиденье. Доставал из кофра лютню, а кофр укладывал под сценой. Потом грустно вздыхал и принимался разыгрывать старинную балладу "Зеленые рукава". Поля его шляпы были унизаны колокольчиками, и он кивал головой в такт пьесе, так что колокольчики послушно брякали. Он кивал головой, и казалось, что он молчаливо соглашался с чем-то или, лучше, поддакивал какой-то своей грустной мысли. Должно быть, колокольчики исполняли свои обязанности слишком долго: несложный их механизм, наверное, успел заржаветь и поизноситься, так как звон их был глуховат и уныл. Музыкант водил пальцами в обрезанных перчатках по грифу: перламутровые инкрустации на ладах тускло вторили вечерним фонарям. Кофр разверстой своей пастью просил слушателей угостить его лишней мелочью. Все в музыканте наводило на печальные мысли о бренности мира и бесполезности искусств. Все, кроме кончиков усов, игриво заостренных к небесам. А ведь было время, когда "Зеленые рукава" обнимали и согревали многочисленные толпы на Арбате. Было время, когда вибрации лютни приводили в дрожь цветные витражи в окнах Дома актера. И поговаривали, что каменные рыцари в альковах порой приподнимали забрала, тронутые дивной музыкой.

Музыкант играл не более получаса. Потом, как бы извиняясь, спешно убирал инструмент и шел с тележкой прочь из сада. Вдогонку ему неслись немногочисленные аплодисменты.

Иногда в сад Баумана наведывался перуанский ансамбль *Los incas*. Все они были невысокого роста, все были одеты в красочные перья, мокасины и кожаные штаны с бахромой. Кто-то играл на дудочке, кто-то бил в бубен, кто-то тряс палку дождя. Они пели о красоте родного края. О кондорах и ламах. О величественных богах древности и простых сборщиках кофе. При этом они проделывали нехитрые движения, которые очень хотелось за ними повторить. И мы повторяли.

Раз в неделю, когда на город сходили сумерки, в башенке киномеханика загорался свет. На всю заднюю стену эстрады спускался широкий клеенчатый экран. Из окошка к эстраде узким конусом устремлялся пучок лучей, и начиналось кино. Как правило, фильм был очень старым, а пленка ветхая и плохого качества. По ходу действия в кадре извивался чей-то волосок, тут и там мельтешили царапины, пылинки и прочие дефекты. Вокруг лучей вились мотыльки и мошки, и часто сквозь кадр проносились исполинские крылатые тени. Но, несмотря ни на что, почти все скамейки перед экраном были заняты. Москвичам нравилось смотреть старое кино. Спецэффекты были наивны, сценарий никудышный, но это и привлекало зрителей, это их и пленяло. Летающие тарелки буквально представляли собой сомкнутую кухонную посуду, обернутую фольгой. Динозавры были грубо вылеплены из пластилина. Из растерзанных человеческих тел капал густой кетчуп или, наоборот, после убойных огнестрельных ранений на одежде не оставалось и следа крови.

Иногда по вечерам служители сада выносили на площадку перед эстрадой несколько сервированных столов. Это был подарок муниципалитета местным жителям накануне осенних выборов. Меню состояло из канапе с кусочком хлеба, сыра и бескостной оливкой поверху, пронизанных пластиковыми сабельками, а также овсяного печенья, конфет "Вечерний звон" и мультисока "Добрый". Из раструбов динамиков на деревьях звучали песни Стаса Михайлова и Григория Лепса. Электорат с удовольствием уплетал предложенное угощенье, а позже пускался в пляс.

Каждый танцевал как мог. Близнецы были смелее других. Сестра, пританцовывая, шла к скамейкам и, упрямо мотая головой, как бы говоря "Ничего не знаю! Никаких отговорок!", увлекала за собой какого-нибудь школьника. В то же время ее брат выставлял как можно дальше от себя ногу и короткими шажками кружился вокруг своей оси наподобие циркуля. При этом каждого, кто случайно попадал в поле его зрения, он одаривал громким хлопком в ладоши. Это был очень странный и смешной танец. Мы с Гретой катались от хохота по земле. Целующиеся молодые люди на скамейке притоптывали ногой в ритм. Движения йогини были скупы и односложны: она только делала волнистые движения ладонями и чуть покачивала подбородком, как индийская танцовщица. Анатолий Палыч лопал конфеты вместе с фантиками и делал единственное, что умел: ритмично сдвигал и раздвигал носки обуви. Двое росгвардейцев, навалив дюжину канапе в тарелки, стояли в стороне. Их торсы сохраняли абсолютное спокойствие, в то время как ноги, как бы против воли, выделывали внизу невероятные тру-ля-ля.

Я скоро понял, что Грета недолюбливает людей, но тем не менее мы не пропускали ни одного концерта, киносеанса или фуршета. В конце концов, лето было на исходе, а осень не столь богата на развлечения и культурные события. Нам нравилось наблюдать. Я как-то сказал Грете, что если очень долго смотреть на какой-нибудь, пускай даже самый неинтересный предмет, то со временем он действительно начинает обретать необычные свойства.

— Правда? И что, с людьми это тоже работает?

— Думаю, да.

— Тогда я хочу, чтобы у того мужика выросли слоновьи уши.

— Так нельзя.

— Почему нельзя? Ты же сам сказал, что это работает?

— Ну я же про фантазию говорил.

Мы замолчали. Вдруг Грета засмеялась. И, еще не понимая причину ее смеха, я засмеялся тоже.

— Чего ты смеешься?

— Вообще, Савелий, ты прав! Если долго представлять, что у него выросли слоновьи уши, то это еще смешнее, чем если бы они у него выросли по-настоящему.

Перед тем как лечь спать, мы сидели на берегу пруда и любовались отражением разноцветных лампочек, которые горели всю ночь до самого утра.

А уже в *Château*, на сон грядущий, мы рассказывали друг другу какую-нибудь историю, случай или сказку. Например, о том, что творится в шахматной коробке, пока фигуры отдыхают между партиями. И всегда засыпали, не дойдя до самого интересного места этих историй.

А потом небеса прохудились и сверху полило. Дождь шел наискосок, как будто перечеркивая все недоразумения и ошибки прошлого. Вода падала каскадами, струилась ручьями. В волнах бурлили истории и сказки. Мимо проплывали бутылки, билеты на метро, шнурки и окурки. Держа над лысинами размокшие половинки газет, пробегали служащие учреждений, вихляя бедрами в узких юбках, спешили укрыться под карнизами офисные работницы. Лило с утра до вечера с внезапными солнечными антрактами. Как только стихало, птицы в кронах начинали делиться впечатлениями о дожде, а пауки, вздохнув, безропотно приступали к вязке испорченных снастей. Деревья, машины и кариатиды на домах искрились. Дети голосили звонко, наслаждаясь тем, как свежий, промытый воздух разносит их окрики по всей округе. Потом вдруг опять темнело и начинался очередной сеанс громов и молний и гроз. И лило пуще прежнего. И так целую неделю. И я с Гретой был счастлив, что нам довелось родиться именно здесь, в этом старом, измученном, терпеливо сносящем все невзгоды городе.

И в один из таких дождливых вечеров Грета рассказала мне свою историю. Вот она.

Мою звали Светой. Я ее любила. Не знаю уж, какой любовью. Это как с цветами. Дарят людям красивый букет. Он стоит день, другой, неделю. Потом начинает увядать, осыпаться. Но вы можете его опрыскать таким специальным средством (оно сейчас везде продается), и букет будет стоять у вас на подоконнике долгими годами в одном и том же виде, на одном и том же месте. И выглядеть будет даже лучше, чем когда был живым. Вот так и с *моей*. Я ее, конечно, любила, была привязанность. Но только когда я от нее дала деру, я по-настоящему поняла, что она хороший человек, который столько для меня сделал, что без нее мне даже тоскливо. Но, правда, я знала, что все равно никогда к ней не вернусь. В общем, я могла ее сильно любить только на расстоянии.

Так вот. Она родилась в Жуковском. (Это такой маленький городок в Подмосковье.) Отец ее был летчиком. Она думала стать стюардессой, но потом передумала и не стала стюардессой. И вообще никем не стала. То есть не то что никем. Но она в детстве ходила в разные танцевальные студии и на художественную гимнастику, и кроме как танцевать, она к двадцати двум годам не умела ничего, а учиться ей просто не хотелось. Отец умер, мама уехала жить в Омск к старому институтскому другу отца.

Про него Света не знала ничего, кроме того, что, несмотря на то что он тоже был летчиком-истребителем, он панически боялся летать на гражданских самолетах.

В общем, моя Света стала сдавать свою квартиру в Жуковском, а сама двинулась в Москву. На электричке. Когда поезд подъезжал к вокзалу, Света сменила рингтон на телефоне с песни мамонтенка, который ищет маму, на бодрый танцевальный хит той поры.

Был субботний вечер, и Света направилась прямиком на Никольскую, в клуб *Pacha*. Она протиснулась сквозь толпу, и охрана ее сразу же пропустила. Причем вместе с чемоданом, решив, что она танцовщица и что в чемодане она везет свой нехитрый танцевальный наряд.

Прошло три месяца. Света съехала от своей знакомой из общежития при институте сельского хозяйства, что в Косино, и сняла комнатку на Марксистской. Жизнь налаживалась. Света танцевала и в *Ugly Coyote*, и в "Эгоисте", и все в той же *Pacha*. Она свела знакомство с организаторами закрытых боев без правил и теперь каждую субботу проходила в бикини по рингу, держа над головой табличку с номером раунда. Публика вокруг бесновалась и кипела, а физиономии бойцов с каждой схваткой все больше напоминали портреты одного художника (не помню его имя), как будто составленные из овощей и фруктов. Вот такие были у них лица.

В общем, порой, конечно, было страшновато, но благосостояние Светы росло. Да и мама присылала ей немного денег из Омска. Света познакомилась с продюсером Львовым-Штерном. Он пообещал сделать из нее "маленькую голубоглазую звездочку". Но обещание свое не выполнил, потому что из группы "Платина" тогда выгнали одну из трех солисток, и, резко спикировав, он подхватил ее на лету и доставил в свои пределы. Ну а Света и не сильно расстроилась. Дело в том, что по воскресеньям она ходила к Матронушке в Покровский монастырь и по некоторым признакам научилась угадывать заранее, сбудется ее желание или нет. Так вот, когда она обратилась к Матронушке с просьбой, чтобы Львов-Штерн сделал из нее "маленькую голубоглазую звездочку", свечка никак не хотела загораться, а когда все-таки загорелась, то сразу же упала на пол и потухла. Но зато Львов-Штерн помог Свете завести нужные знакомства, и вскоре она стала работать на подтанцовках у многих известных артистов. Она ездила на гастроли, снималась в передачах, принимала участие в разных концертах. Однажды в новогодний вечер ей даже позвонила мама из Омска, и вместе с дядей Сашей, перебивая друг друга, они стали кричать в трубку, что видели ее только что в "Голубом огоньке" в номере Валерия Леонтьева. Света поздравила маму и отчима с наступающим и сказала, что они ее, конечно, спутали. Ей почему-то было неловко перед мамой за свои занятия.

Тем не менее эти занятия приносили ей большие дивиденды. Через три года она решила купить вторичку на Бауманской. Перед тем как взять ипотеку, она отстояла молебен в Покровском монастыре. Она просила Матронушку, чтобы та помогла ей как можно скорее погасить кредит. Тогда же появилась я. Вообще-то Света хотела собаку — йорка или пекинеса. Но получилось иначе. Света заметила меня у церковных ворот, когда выходила после службы. Она подумала, что я — добрый знак и что меня надо забрать домой (а это как раз то, что я ей тогда пыталась донести: что я очень добрый знак и что меня обязательно надо забрать домой).

Не скажу, что Света мною много занималась. Например, она только через две недели поняла, что я — она (до этого она звала меня Рикки). Так что пришлось придумывать мне новое имя. На самом деле ничего Света и не придумала, а просто дала мне имя собаки, которая у нее была в раннем детстве, — Люси. Собаку эту, в свою очередь, назвали в честь героини популярной песни, которую пел какой-то мальчик. Самое смешное, что мальчик этот был сыном певца, у которого Света иногда танцевала в кордебалете. А певец этот был большим другом тогдашнего мэра. И вот как раз после одного из таких концертов на мэрской даче Свете предложили остаться на пьянку с гостями. Она и осталась. А через три недели купила свой первый *BMW*. А еще через неделю улетела отдыхать на Сардинию. А еще через месяц сняла двухкомнатную квартиру в высотке на Котельнической. Меня Света перевезла к себе, а квартиру на Бауманской стала сдавать. Даже ее повидавшие виды подружки говорили, что это невероятный успех. И они делали много фото вместе и выкладывали их в инстаграм. Но Света-то знала, что все делается молитвами. Она даже купила себе кулончик с маленьким ликом Матроны внутри и стала ко мне ласковее: ведь я действительно оказалась для нее зна́ком.

Все дело в том, что Света познакомилась и завела роман с Дмитрием Павловичем (или просто Медвежонком). Их роман тянулся долгим бурным пунктиром. То есть виделись они почти всегда вечером, после восьми и до одиннадцати, в их съемной квартире в доме на Котельнической набережной, на шестнадцатом этаже. Медвежонок всегда приходил подвыпившим, ставил у входной двери пакет с различными подарками — Света только наутро в них заглядывала: белье, духи или украшения — и тут же на нее бросался. После первого натиска он оставался лежать на кровати и разглядывал в окне вечереющий город с видом на излучину реки. Света шла в ванную и доставала из раковины, полной горячей воды, керамический член, расписанный под гжель. Квартира принадлежала внукам какого-то известного в свое время театрального критика. На полках были расставлены разные безделушки. Часы-клоун с тикающими то вправо, то влево глазками. Статуэтки эпохи рококо в виде галантного кавалера и румяной барышни, замерших в поцелуе. Маски, колокольчики, палки дождя, нэцкэ и всевозможные божки. Все они, в соответствии со своим характером и свойствами, наблюдали за тем, что моя Света учиняла с Медвежонком.

Потом он укладывал голову ей на живот, плакал и говорил: "О моя милая, как хорошо, милая... как хорошо... спасибо... Если бы ты только знала, каким счастливым ты меня делаешь", — ну и все такое. И его слезы стекали ей в пупок. Света так выпячивала губы по-детски и называла его "моим глупым медвежонком". При этом "ж" она произносила как английский звук "*th*". То есть получалось "Медве*th*онок". Еще она гладила его плешивую голову и думала, на что похоже пятно на потолке.

Так продолжалось целых полтора года. Иногда они совершали несмелые вылазки в город, демократично доказывали свои чувства в оврагах Нескучного сада или в номере-мансарде отеля "Ритц-Карлтон" или даже предавались любовным утехам прямо в капитанской рубке его яхты на Истринском водохранилище. Это была счастливая пора в жизни обоих влюбленных.

Но потом случилось так, что какой-то пьяный паренек в одном ресторане слишком долго ждал своего заказа и оттого не на шутку разозлился. Он перепутал проходящего мимо посетителя с официантом, схватил его за руку и громко предложил ему совершить прогулку к непристойным достопримечательностям; потом подумал и добавил, что тот, ко всему прочему, еще и штопаный контрацептив. Вот. Короче, оказалось, что этот "официант" — брат главы федерального агентства по рыбному промыслу, майор ФСБ, вице-президент итало-российского банка "Адажио Фавори". В общем, тот паренек очнулся вечером следующего дня в палате Склифа с загипсованной ногой под потолком, уравновешенной гирей, со сломанным носом, со сливами вместо глаз и с выбитыми передними зубами. Паренек через пару месяцев худо-бедно оклемался, но все дело в том, что во время той злосчастной драки он успел доложить майору, вице-президенту и прочее, что он-де водитель самого Дмитрия Павловича. И пригрозил, что если майор, вице-президент и прочее его еще хоть пальцем тронет (а его уже не только тронули пальцем, ему уже сломали нос, ребро и выбили зубы, так что выходило что-то вроде "ефли пальфем тонеф"), — так вот, если ему будет причинен какой-либо вред, то завтра его обидчику не жить. А майор, вице-президент и прочее оказался мужиком злопамятным. На следующий день, сразу после первой похмельной рюмки, он набрал один номер, другой и вскоре вышел на Медвежонка. Разговор был коротким и на повышенных тонах.

В течение двух недель все шло как обычно. Но однажды Медвежонок не явился к Свете в означенное время. Такого с ним никогда не было. То есть если он понимал, что не сможет к ней заехать, он всегда заблаговременно ее предупреждал. В таких случаях он посылал стандартную смс: "Вадим Федорович, бумаги надо отправить завтра". Света ждала час, два... Не выдержала и рискнула позвонить. Телефон был выключен. Она спустила воду в раковине, убрала член на полку и легла спать.

А наутро она прочла в интернете, что Дмитрий Иволгин, один из руководителей "Надымгазинвест" и бывший глава ОАО "Агропромтраст", арестован по обвинению в получении многомиллионной взятки, незаконной продаже двух заводов какой-то китайской фирме, а также подозревается в связях с Некрасовской ОПГ.

Это было очень не вовремя. Это было очень некстати. Медвежонок к этому времени уже собрал свою волю в кулак и готов был со дня на день во всем признаться жене, взрослым детям и уйти жить к моей Свете. Подсказки Матронушки подвели, хотя пролетевший под самым куполом голубок напророчил, казалось бы, положительный исход делу. Но случилось то, что случилось.

Шли дни, недели. От Медвежонка не было ни слуху ни духу. Его телефон все так же не отвечал. Однажды на беговой дорожке в фитнес-клубе Света вдруг увидела своего Медвежонка в новостном сюжете, который транслировали на огромном экране. Его вели по какому-то обшарпанному коридору: руки за спиной в наручниках, сильно похудел, плохо выбрит, щурится от яркого света. А в следующем кадре он сидел уже за решеткой в большой судебной комнате и все норовил закрыть лицо листом бумаги. И на нем была кофта, которую они со Светой купили в рыбацкой деревушке на Сардинии. Потом возникла заплаканная женщина у входа в здание суда. Она пыталась что-то сказать журналисту, но никак не могла превозмочь слезы. Судя по всему, это была жена Медвежонка. Потом какие-то кадры из девяностых. Мужчины в спортивных костюмах едят шашлыки у озера. Потом эти же мужчины едят те же шашлыки, но только высеченные на мраморных надгробиях. Буровые вышки. Сгоревшая машина у какого-то подъезда. Маленький лысенький человечек с крючковатым носом жмет руку президенту Ельцину в Кремле. И снова Медвежонок за решеткой пытается закрыть лицо листом бумаги. Моя Света посмотрела по сторонам, словно кто-то мог узнать в ней сообщницу подсудимого, увеличила скорость дорожки и прибавила звук в айфоне.

Вечером она сидела на диване в велюровом розовом костюме, уложив ноги на стеклянный столик. Она держала в руке бокал шампанского и задумчиво наблюдала, как на дне пузырьки обволакивают клубнику. Я лежала на подоконнике и смотрела вниз на плотную пробку вдоль набережной. Москва-река текла тяжело и сонно. По ней плыл трамвайчик. Я могла разглядеть танцующие фигурки, огоньки, даже бутылки на столах. Чье-то веселье, которого ты не слышишь, смотрится так глупо. Чем веселее, тем глупее. Над строящимся парком в Зарядье клонились краны-журавли. На территорию Кремля, колыхая ветви елей, снижались два огромных вертолета. Вдалеке мерцал Сити. Моя Света думала. Проживание в высотке было оплачено на год вперед, ипотека почти погашена. Она продолжала сдавать квартиры на Бауманской и в Жуковском. И даже мама, толком ничего не зная о столичной жизни дочери, все так же исправно перечисляла ей каждый месяц небольшую сумму (которую моя Света сразу же почти анонимно направляла в детский фонд Гюльнар Закировой "Оголенные души"). Тех денег, что Медвежонок успел оставить ей на карточке, должно было хватить где-то на полгода. Счет был оформлен на нее, и опасаться было нечего. В целом она могла продолжать жить дальше, не сбавляя оборотов и не умеряя аппетитов: то есть ужинать в "Мосте", "Воронеже" и "Ванили", совершать покупки в Третьяковском проезде. На моем рационе и привычках последние события, конечно, тоже никак не отразились. Ягненок по понедельникам и средам. Кролик по вторникам и пятницам. Свежая рыба по четвергам. По субботам сырое мясо, а по воскресеньям всего понемножку. Меня кормили исправно. Но на душе было холодно и пусто. Меня никто не гладил и не чесал. Играть со мной было некому. Теперь Света занималась своей Люси и того меньше. Мы гуляли с ней всего один раз, да и тот в ветклинику "Белый клык", чтобы меня привить и кастрировать.

Так вот, Света сидела на диване с бокалом шампанского и думала. Конечно, можно было снова попробовать силы в шоу-бизнесе, но с удивлением для самой себя она поняла, что ей просто скучно. Ей надоело. Ей ничего не хочется. Она была как никогда близка к прямо поставленной в жизни цели — не делать в этой самой жизни ничего.

Из истории с Медвежонком, Дмитрием Павловичем Иволгиным, моя Света вынесла одно: русские мужчины безответственны, ограниченны и грубы. На следующий же день она записалась на курсы английского *English First* и параллельно стала учить испанский в ютьюбе по системе Дмитрия Петрова. Света обнаружила большие способности к лингвистике. Она не испытывала никаких проблем в коммуникации с естественными носителями языков. Она стала водить знакомства с высокопоставленными дипломатами и богатыми экспатами.

Через карусель раутов, череду званых вечеров, круговерть мероприятий в посольствах и просто общих тусовок Света обнаружила себя в крепких объятиях ресторатора Хорхе-Игнасио Дельгадо — владельца солидных заведений в Москве и Питере, фамильного замка в Эстремадуре, а также нескольких виноградников в Провансе, Тоскане, а теперь еще и в Крыму. Жизнь ее наконец превратилась в один из тех безмятежных пейзажей, которые возникают заставкой на экране компьютера. Хорхе-Игнасио (или просто Игнаша) полюбил Свету полноводной, строгой и по-испански собственнической любовью. Ему, окончательно решившему свернуть весь свой бизнес в России, Света явилась как бы компенсацией за все финансовые невзгоды последних лет. Игнаша давал ей каждое утро уроки испанского, учил готовить, заставлял слушать оперу, водил ее в пабы смотреть на игру любимого "Атлетико Мадрид". Устраивал скайп-конференции со всей своей многочисленной родней в Испании. Света, в свою очередь, прикрыв лишь плечи посадским платком, исполняла перед ним русский народный танец и обещала свозить как-нибудь к маме в далекий Омск, который ассоциировался у Игнаши с заснеженной еловой лапой.

Ну вот, через месяц мы снова переехали. На этот раз в район "Золотой мили", в Курсовой переулок. Наши апартаменты занимали целых два этажа в новом клубном доме. Стены из мрамора были обвиты плющом и каменными канатами, ковка французского балкона нарочно затерта и состарена, паркет выполнен из саксонского тиса, а через потолок проходили стекло-металлические балки, с которых в свободном порядке свисали лампы различных эпох и стилей. На первом этаже во всю стену расположилась настоящая русская печь с чугунной заслонкой и даже рогатым ухватом. В прихожей висела картина: румяная крестьянка в кокошнике, отвлекшись от шитья, кокетливо улыбается живописцу, а вместе с ним и Свете, и Хорхе-Игнасио, и мне. Да, квартира была что надо. Я ожидала, что мой новый лоток по меньшей мере будет отлит из бронзы и украшен изразцами.

Только расположение семи комнат, двух уборных и двух же ванных я изучала неделю. Я выбрала себе два любимых места: на печи и прямо на полу у окна. Я наблюдала, как швейцар в ливрее и с автоматом через плечо отдает честь Свете и Игнаше, выезжающим на своем *Maserati* с подземной парковки; наблюдала, как напротив растет новый элитный жилой комплекс *Delight-Ostozhenka*, как порой забредет экскурсия с бодрым москвоведом во главе толпы пожилых женщин. Смотрела, как по пустынным, вакуумным переулкам "Золотой мили" тихо шуршат эксклюзивные авто, фаршированные важными, успешными и глубоко несчастными людьми.

А вот мой Светик была счастлива. Одним прекрасным утром за завтраком Игнаша хрустнул газетой, отложил ее в сторону, зачесал назад волнистый локон и внимательно, даже зло уставился на Свету, которая сидела по другую сторону длиннющего стола. Света прикусила трубочку, через которую пила сок, и сняла голые ноги со стола. Хорхе-Игнасио выругался по-испански и решительными шагами подошел к Свете: "Зветта, йа чуздвую, йа лублу тьебья. Зильно лублу, — он повернул сжатый кулак у сердца. — Полажаста, будь маей жжиной!" И два поджаренных куска хлеба выпрыгнули со звоном из тостера.

Света поставила Хорхе-Игнасио одно условие: если он действительно хочет на ней жениться, то сначала должен принять православие. Долгими вечерами Игнаша запирался в верхней ванной и громко ругался по скайпу со своей католической семьей. В то же время этажом ниже, в ванной, наполненной до краев ароматной пеной, плескалась Света. Наконец через две недели Хорхе-Игнасио согласился. Света убрала портрет крестьянки, а на его место водрузила большой календарь-икону преподобной Матроны Московской. Она решила создать благотворительный фонд. Чувство к простой девушке из Подмосковья настолько завладело сердцем Хорхе-Игнасио, что он больше не желал уезжать из России, более того, он "Кхачу поможит рюский дьетьи", — и недолго думая вложился в Светин фонд.

Все шло прекрасно. Но потом я стала замечать, что Игнаша громко чихает и кашляет; у него неделями не проходил сильнейший насморк. Они со Светой отправились к врачу. У Хорхе-Игнасио Дельгадо обнаружилась непереносимая аллергия на животных.

Как-то раз Света сидела с бокалом шампанского и что-то печатала в ноутбуке. Я заглянула через плечо, увидела свое изображение анфас и профиль, много какого-то текста под ним (читать-то я не умею) и все поняла. Я решила не дожидаться худшего и ранним утром, полизав хозяйке на прощание ухо, выскользнула в приоткрытое окно. Напоследок я оглянулась назад — занавеска, которую Света привезла с собой из Жуковского, очень живописно колыхалась на ветру. Я спрыгнула по лепному карнизу, плечам атлантов, камерам наблюдения, по стальным выступам и стеклянным панелям вниз и убежала прочь. Вот и вся история.

Я еще долго расспрашивал Грету про ее хозяйку, про ее детство и отрочество. Про ее первые месяцы жизни. Про то, как она провела то время, пока не встретила меня. Мы болтали до рассвета, а потом полизали друг другу шерсть и уснули.

Однажды утром я проснулся и увидел во входном проеме чей-то силуэт. Я повернулся к Грете — она тоже удивленно смотрела на незнакомца. Он сопел, кряхтел и храпел. Очевидно, ему было трудно дышать. Я мог разглядеть клок взъерошенной шерсти у него на плечах. Мы молча смотрели на него, готовые в любой момент прыгнуть с выпущенными когтями. Но незнакомец мялся у порога, не решаясь войти. Наконец я не выдержал:

— Что вам надо?

Пришелец не отвечал. Но, судя по интонации его похрапывания и покрякивания, мой вопрос ему пришелся не по нраву.

— Я повторяю: что вам надо?

Он что-то лепетал, поскуливал и все время оборачивался назад, как будто его кто-то преследовал. Я предложил выйти на улицу. Он одобрительно хрюкнул и вышел. Мы последовали за ним. При свете дня оказалось, что это пти-брабансон. Маленький, смуглый, на редкость непривлекательный пти-брабансон. Морда сильно приплюснута, нос плоский и вдавленный. Неудивительно, что он испытывал респираторные проблемы. Узкие косые глаза поставлены очень далеко друг от друга. Уши свисали на лоб двумя вялыми лепестками. Гость носил старый, истрепавшийся ошейник, прикрытый целой гармошкой подбородков. Маленький хвост судорожно вилял. Я подумал, что пти-брабансон и сам стесняется своей внешности. Несколько раз он пытался дать ход своей речи, но осекался. Тужился, мялся и вдруг разрешился.

— Мне очень плохо! — закричал он, гадливо озираясь по сторонам и делая такую мину, словно скушал что-то нехорошее. — Мне горько! Меня одолевают страхи. За мной гонится красный дракон, — признался он, перейдя на доверительный шепот. — Да! — и указал мордой куда-то вверх.

И сказал он это так, что мы с Гретой действительно посмотрели в небо, ожидая, что вот-вот на нас слетит чудище. Пти-брабансон готов был расплакаться. Он и расплакался. Он жалобно поскуливал, а потом разревелся, как маленький щенок, и вдруг пронесся между нами прямо в *Château*. Там он свалился в темном углу и тут же захрапел. Это было очень странно.

Мы смотрели вослед нашему новому гостю, и Грета сказала: "Доброе утро, любимый!"

Через несколько часов пти-брабансон проснулся, как ни в чем не бывало опустошил обе наши миски, выпил с громким похрюкиванием всю воду и в качестве послеобеденного моциона обежал два раза пруд. Он был все так же грустен. Мы подошли к нему. Глаза его были невероятной черноты и невероятной же раскосости. Один глаз смотрел куда-то вниз и вовнутрь, другой, наоборот, был направлен верх и вовне. Он понял мое затруднение.

— Не можешь решить, в какой глаз смотреть? Смотри в левый.

— В левый... от тебя или от меня?

— От кого хочешь.

Я замешкался, но почему-то все-таки выбрал тот, что косил вниз. Впрочем, я сразу переключился на другой, а потом снова стал бегать взглядом от левого к правому.

— Приятель, мы живем здесь почти две недели. Конура была совершенно пуста. За все это время ни одно живое существо не заявило своих прав на эту жилплощадь.

— У нас молодая семья, — добавила Грета из-за моего плеча.

Пти-брабансон дулся, копил что-то и вдруг снова взорвался.

— А у меня нет семьи. Меня замучили панические атаки, — закричал он и брезгливо сморщил морду. — Мне необходим кров над головой. Я болен, я одинок и несчастлив, — добавил он, свалился на бок и пролежал так с открытыми глазами целую минуту. — Что мне делать? ЧТО МНЕ ДЕЛАТЬ??? — повторял он мелодраматическим баритоном. Он смотрел в землю, и в его глазах была такая безысходная тоска, что ему невозможно было не поверить.

Очевидно, у нашего нового знакомого было психическое расстройство. Каждое слово он не говорил, а декламировал. Зачем он это делал? Не знаю. Может быть, ему так легче было переносить свое состояние. Я слышал, актеры в Древней Греции выходили к зрителям на таких высоченных подошвах, забыл, как они называются. Это они наверняка придумали для того, чтобы немного подняться над событиями, которые разыгрывали. А то недалеко было бы от всего этого и свихнуться.

Итак, наш новый знакомый поселился вместе с нами в *Château*. Он не спрашивал у нас разрешения, оно ему и не требовалось. Он умел удивительным образом совмещать изысканную галантность речи с невероятной наглостью в поведении. Вначале мы были уверены, что пес жил здесь до нас, по какой-то причине был вынужден покинуть дом, а потом снова вернулся. Он понял, что мы так думаем. Междометиями и кивками он поддерживал какое-то время нашу версию. Но потом по некоторым признакам мы сообразили, что он здесь впервые. Например, найденный в *Château* ошейник оказался ему сильно велик. Порой пти-брабансон вскакивал посреди ночи и кричал как ненормальный, что хочет домой. Да и вообще, он никак не демонстрировал своих прав на *Château*. Так или иначе, он стал жить с нами.

Пти-брабансона звали Людвиг. Кто и при каких обстоятельствах дал ему это имя, мы не знали. Каждый раз, когда мы пытались расспросить его о прошлом, он отфыркивался, отхрюкивался и всем

видом показывал, что сейчас заревет. Так что скоро мы оставили попытки узнать биографию нашего сожителя. Впрочем, иногда посреди ночи он будил нас с криками: "Коты! Просыпайтесь! Дракон на подлете! Я слышу запах серы, пламя жжет мою спину! О, этот шум, этот грохот! Все очень, очень плохо..." Из этих ночных истерик мы не смогли собрать картину произошедшего с Людвигом. Поняли мы только одно: в его жизни случилось что-то ужасное, и с тех пор он без остановки носился по багровым равнинам жизни, как проклятая корова Ио. Нигде не было ему покоя, нигде не было подушки, чтобы приклонить его трудную голову. Но иногда разум отвоевывал ненадолго потерянные позиции. Случалось, как правило, это во время еды.

"Какой обаятельный продукт", — мечтательно говорил Людвиг, выхватывая у Греты из-под носа говяжий хрящик. Или: "Ах, друзья мои! Как славно жить на свете, когда в нем есть такие вот сочные галеты", — сообщал он нам из-за угла, когда мы уходили за будку облизать друг другу шерсть. "Как все в мире выглядит сообразно и пропорционально, если можно поживиться вкуснейшим карасем", — продолжал философствовать он, укладываясь между мной и Гретой в *Château*.

Да, наверное, было бы проще его прогнать. Так мы вначале и подумали. Но потом, когда он прожил с нами несколько дней, мы вдруг увидели, что он просто несчастный пожилой щенок, на которого не следует злиться. Иногда по ночам мы не обнаруживали Людвига в *Château*, а когда выходили прогуляться в сад, на берегу пруда замечали силуэт пти-брабансона. Он сидел, склонив голову, и смотрел на высокую луну. Он что-то тихо пел про себя; какую-то песню, слов которой мы не могли разобрать. Может быть, он и сам никогда их не знал, а придумывал на ходу. Я слышал, что каждая собака видит на луне лик своей матери. И каждый раз, когда собака воет, она зовет с луны свою мать. Мы не спросили Людвига, так ли это. Я уверен, что вместо ответа он сказал бы что-нибудь непонятное, путаное, как он всегда делал. Тогда мы возвращались в *Château*. Потом приходил и Людвиг.

Так повторялось много раз. Мы просыпались. Выходили прогуляться. Луна молчала. Тускло светили фонари. В пруду плескался карась, которому завтра предстояло попасть на удочку Анатолия Палыча, а затем отправиться к нам в рот. Деревья были глухи, и на дорожках лежали первые опавшие листья. Людвиг сидел на берегу и пел тихую песню. Мы слушали его и уходили домой.

Однажды ночью он вскочил и выдал такой монолог:

— Б-б-был Новый год. Новый, новый год. Я и Василий встретили его весело, очень весело! Б-б-было много еды… У-у-у — много еды, много вкусной еды! П-п-потом на меня надели ошейник, и м-м-мы вышли на улицу. Было много собак, разных собак и… бутылки шампанского. И…

— И что же случилось дальше, Людвиг? — спросил я.

— И... и...

— Ну же, старина!

— И много маленьких, противных, дурацких мальчишек. Они б-бегали туда и сюда. Сюда и туда. Они пакостили, — пакостливо сказал он. — И они шалили, — добавил он шаловливо. — Они делали плохо. Они поджигали, взрывали и запускали. Они испортили мой мир. Они ворвались в него, не сняв обувь на пороге. Они сожгли мой прекрасный город! Они ослепили меня и поранили слух. Было так громко, ярко и жестоко! О, как жестоко! КАК же это было жестоко, и громко это было тоже! О, как громко! Мне было слишком громко и ярко. Все было плохо... Очень плохо... А потом с неба слетел красный дракон. Он схватил меня своими когтищами и потащил прочь от дома, от дорогого, любимого, несравненного Василия. И я больше никогда, ни-ко-гда не вернусь домой... Ибо слух мой поранен, нюх испорчен. Этот дракон всегда будет следовать за мной, всегда. Всё. *FIN*. Я слишком разволновался. Мне надо отдохнуть, — окончил он свою путаную речь и тут же заснул.

Мы привыкли к Людвигу, к его боязливости и ранимости. В отсутствие человека он выбрал хозяевами нас. Мы выгуливали его, кормили и ухаживали за ним. Он был старше нас, если угодно, породистее, но, чуждый тщеславия и пустой гордыни, с радостью отдавал нам свою волю.

— Савва, — сказала мне однажды Грета, — какая прелесть! Ведь я всегда мечтала о собаке!

— Твоя мечта сбылась.

— Кто бы мог подумать, — продолжала она, глядя, как пти-брабансон несется к нам с каштаном в пасти, — кто бы мог подумать, что коты заведут себе пса.

Людвиг выплевывал перед нами каштан и отчаянно вилял купированным хвостом. Так как мы, естественно, не могли бросить ему каштан, он сам убегал с ним в другой конец сада, имитировал поиски, находку и опять несся к нам.

Прошла неделя, другая и еще одна. Грета как-то сказала мне:

— Савва, а кто тот кот, что всегда сидит под скамейкой у эстрады?

— Я тоже обратил на него внимание.

— Он тебе не знаком?

— Нет, раньше я его, кажется, нигде не встречал.

— Людвиг, ты знаешь этого кота?

— Нет, друзья мои, я впервые вижу это животное! — сказал Людвиг и отчаянно замотал головой. — Я ни-ког-да не встречал этого кота прежде!

Кот под скамейкой догадался, что мы говорим о нем, приветственно подмигнул и поковылял к нам. Перед нами предстал старый, очень больной кот. Нос был поранен, лапы уже плохо слушались, шерсть свалялась, и было видно, что он неделями ее не вылизывал.

— Ну, давайте знакомиться, молодежь! Я Боцман.

— Грета.

— Савелий.

— Мое имя Людвиг.

— Прекрасно. А теперь, дружочки, скажите-ка, есть ли у вас для дедушки что-нибудь покушать?

— Да, у нас есть немного творога и кукурузы.

Боцман рванулся к миске, и через полминуты в ней не осталось ни крошки. Да, здоровье Боцмана оставляло желать лучшего, но при все при том весь он излучал жизнелюбие и бодрость.

— Оч-ч-чень хорошо. Можно даже сказать, замечательно, — сообщил Боцман, — так вот, а я ему в ответ: ты, сынок, лучше б на дороге не стоял. А то не ровён час под машину попадешь, — продолжил Боцман как ни в чем не бывало какую-то свою историю, начала которой, разумеется, никто из нас не слышал. Он говорил, и я, усвоив окончательно его запах, вдруг заволновался. Я готов был поклясться, что уже знал этот запах, но никак не мог вспомнить, где встречал Боцмана. Это было когда-то давным-давно, до избиения, до Третьяковки, до странствий по Замоскворечью... что-то такое из детства. Он говорил, говорил, и я почувствовал, что в этой темной комнате нащупал веревочку, ухватился за нее и теперь уже не отпущу, покуда она не приведет меня к нужному воспоминанию. Закоулками, потаенными туннелями, головокружительными подъемами и пологими спусками я, к своему удивлению, обнаружил себя в Шелапутинском... в квартире Пасечников, в комнате мамы Лены, в углу у книжного шкафа. — С меня, сынок, взятки гладки! А-ха-ха! Да, так и сказал!!! А-ха-ха!!!

И вдруг я узнал... Тот кот, сверху! Который метил угол! Как давно, как давно! Ведь я был уверен, что он умер!

— Да, я ему так и сказал!! Взятки гладки!! А-ха-ха!

Мы все: и Грета, и я, и даже Людвиг — искренне засмеялись, не понимая ни слова из всей этой истории, а только потому, что уж слишком Боцман заразительно нам ее рассказал. Тут я спросил:

— Боцман, скажите, а вы, случайно, никогда не жили в Шелапутинском переулке?

— Живал, что уж там, долго живал! Кстати, там, за углом, в универсаме, отличнейшая мясная лавка была, я как-то...

— Я ваш сосед снизу!

Боцман недоверчиво посмотрел на меня, облизал губы, с трудом стараясь припомнить вехи того времени.

— Ну-ка, ну-ка... Это ты тот глупый мальчишка, который всему подъезду уснуть не давал?

— Боцман! Какое невероятное совпадение! Какое чудо!

— Ах ты, маленький засранец!

— Я не знал, что мешал кому-то спать.

— Помню, помню! Котячий писк круглые сутки, и противный такой еще, знаете! — Боцман изобразил, как канючит котенок: "Мамочка, где моя мамочка? Где мои все?"

— Да, это был я! А я думал, что вы…

— Умер?

— Да, я думал, что вас не стало.

— А-ха-ха! Я сбежал! Да! В почках у меня был настоящий сад камней. Я думал, что жить мне осталось пару месяцев от силы, вот я и дал деру. Хотел попутешествовать напоследок. *Мой* даже искать меня не стал.

— Ничего себе!

— Да, отправился смотреть мир! Я же все-таки Боцман! А-ха-ха! Ну и вот, как видите, жив-живехонек! Силенок немного, но у меня отличные гены! Мой брат (он же мой папаня) прожил девятнадцать лет! Так что я еще пару годков планирую покоптить небосвод! А-ха-ха!

Весь день мы провели, разгуливая по саду Баумана и болтая обо всем на свете. Память Боцмана была удивительно богата на всякие истории. Она была похожа на липкую ленту, которой собирают с котов лишнюю шерсть. К этой ленте помимо шерсти пристают всякие крохи, мушки и прочая разная дрянь. Слушая его, мы уже не понимали, что с ним случилось на самом деле, а что он придумал. Но иногда мне кажется, что самые интересные, искусно выдуманные истории со временем как бы перевешивают атмосферу воображения, в которой они родились, и воплощаются в жизнь реальными случаями.

И еще. Какой красивый и странный узор судьбы — встретиться через много лет с существом, которого на самом деле никогда не знал. Встретиться и обнаружить, как же оно тебе, оказывается, дорого!

Вечером мы похитили и слопали ежедневного карася и вернулись к *Château*. Боцман осмотрел снаружи наше жилище и заявил:

— Отличная квартира! Ребятки, если вы не против, я вас немного потесню? — с этими словами он смело прошел внутрь и тут же занял угол у входа. — Знаете, кто лучший в округе сторож будок?

— Наверное...

— Совершенно верно, леди! Ваш старый новый друг!

Итак, теперь мы проживали в *Château* вчетвером. Было ли нам тесно? Было. Хотел ли я оставаться с любимой чаще наедине? Хотел. Но отчего-то такое вот общежитие, несмотря ни на что, делало краски наших дней ярче. Нам все нравилось. Нам было хорошо. Людвиг и Боцман с большим почтением относились к нашему чувству и вели себя насколько могли деликатнее, когда дело касалось ее и меня. У них это, правда, не очень получалось. Так мы и гуляли вчетвером, и ели, и спали вповалку в нашем милом уютном *Château*.

Однажды мы прогуливались по саду. Был жаркий вечер. Солнце грело совсем по-летнему. Выйдя из прохладной рощи на солнечный пригорок, все мы по очереди чихнули. Общество расположилось отдохнуть на холме возле пруда. В воздухе вилась мошкара. На водной глади качался катамаран. Мы были похожи на персонажей с какой-нибудь галантной картины Ватто. Наконец Грета сказала:

— Боцман, вы знаете так много историй, но мы совсем ничего не знаем про вашу жизнь, вашу биографию, про ваших предков. Расскажите!

— Да, Боцман, нам всем это очень интересно!

Боцмана не надо было уговаривать. Он прищурился, обвел собрание лукавым взглядом, и если бы умел курить, то наверняка бы глубоко затянулся из своей глиняной трубки. Но курить Боцман не умел и трубки у него не было. Поэтому он начал просто:

— Ну что ж, я расскажу вам, друзья, о том, что мне известно о моих предках. Это весьма интересная история. Вы наверняка часто думаете, почему я такой пучеглазый, — спросил Боцман и действительно сильно выпучил глаза. Никто так никогда не думал, но все решили согласиться и закивали головами. — Так вот. Все вам расскажу. Дело было в середине шестнадцатого века. Католическая миссия из Португалии основала в Южной Америке небольшой городок Фуртадо на самом берегу океана. Во главе миссии стоял некто падре Франсишку де Рибейра, прибывший из Лиссабона наставлять туземцев на стезю истинной веры. При себе падре имел тисовое распятие, Библию, сто положенных орденом реалов и чернокожего слугу по имени Абумба-Ба. Падре Франсишку вместе со слугой первым делом вырыл позади губернаторского дома вместительный баптистерий и назвал его *Rio Jordão*. То есть "река Иордан" по-нашему, — пояснил Боцман, о чем-то задумался и продолжил: — Потом он вырезал из пальмы множество крестиков для будущих христиан. С утра до вечера он обходил вместе с Абумба-Ба хижины местных жителей, индейцев племени хпоуру, и взывал к ним на латыни, португальском и немного на греческом (почему-то греческий привлекал особое внимание туземцев). В то же время Абумба-Ба, одетый в фиолетовую сутану и черную шапочку, складывал молитвенно руки и пел псалмы. Вообще-то Абумба-Ба и сам принял христианство всего-то полгода назад и, конечно, не имел никакого сана, но падре решил, что другого такого певучего помощника в диких землях ему не отыскать, поэтому он может пойти на маленькую уловку, обещающую в скором будущем большой улов, — посмеялся в усы своему каламбуру Боцман.

Хпоуру были народом добродушным, отзывчивым, но несерьезным. Падре цитировал послание Римлянам, Абумба-Ба пел, а индейцы смеялись и предлагали этим людям, пришедшим со стороны рассвета, жареных жуков. Так происходило каждый день. Падре проповедовал, Абумба-Ба пел, а индейцы смеялись.

Шло время. Баптистерий *Rio Jordão* так и не воспринял ни одного индейца, а связка крестиков у изголовья ложа падре висела нетронутой. Да, падре был верным служителем Господа. Он обладал беспокойной и деятельной душой. Он происходил из старинного рода, по легенде, бежавшего из Франции от преследования тамплиеров. На гербе его было изображено облако, из которого высовывалась рука, держащая меч. Этот герб мог бы послужить аллегорией к жизни самого падре. Он воевал… как бы точнее выразиться… с пустотой, с воздухом, — сказал Боцман и описал лапой окружность. — Идеалист и мечтатель, добровольно отправившийся через океан в новые земли, он перестраивал любой порядок, встречавшийся ему на пути. Он нависал над предметом недовольства грозной тучей, разил молниеносно и беспощадно. Но так было в Европе, а здесь, в Фуртадо, он только всем мешал. Он входил в дела гарнизона и учил солдат точить копья. Он раздражал повара, подсказывая ему, как правильно ощипывать курицу. Он перепроверял книгу казначея и оставлял там свои никчемные пометки. Однажды он даже стал увещевать одного индейца, который, как ему казалось, неправильно лазал по деревьям. Показывая ему пример, падре упал и расшиб колено, рассмешив как индейцев, так и своих земляков. К нему подошел лекарь и сказал: "Вы бы, падре, чем других учить, так сказать, сами бы со своими обязанностями сначала справились, а?"

И то была чистая правда. С севера и с юга наступали испанские братья во Христе, судя по донесениям, гораздо более удачливые, чем падре Франсишку. Индейцы тмицли и индейцы йуцта уже давно ходили в штанах и платьях и посещали воскресные мессы, а хпоуру все никак не сдавались. Нет, не "не сдавались". Они просто не понимали, чего падре от них хочет. Они решили, что падре и Абумба-Ба — артисты (в те времена по округе гастролировали целые труппы аборигенов). Поначалу хпоуру очень забавляли их странные представления, но программа не менялась, и вскоре падре и Абумба-Ба им сильно надоели.

Плохие мысли стали посещать голову падре Франсишку де Рибейра. Он часами лежал без дела в хижине, лопал жареных жуков, а потом громко икал. Наблюдая за индейцами, он не мог не признать одной горькой истины: хпоуру были праведниками. Они не воровали, не прелюбодействовали, не злились и не врали. Они не убивали, почти не имели оружия и дрались только в исключительных случаях. Даже с умершими родственниками они обходились совсем как христиане: не ели их, как йуцта, и не подвешивали на деревьях, как тмицли; они вполне по-христиански закапывали мертвецов в землю. В отличие от дикарей из джунглей, у них, прибрежных жителей, не было идолов. Они не верили ни в стихии, ни в звезды, ни в духов. Они вообще ни во что не верили, кроме того, что слышали, видели и нюхали. В каком-то смысле это было еще хуже. Падре за свою жизнь общался и с магометанами, и с язычниками, и с восточными христианами, и с вольнодумцами. Они были ему ближе своими заблуждениями и суемудрием. К ним он относился с той покровительственной жалостью, с какой человек берет в дом больного... мда... котенка. Он знал, как вылечить их бедные души, и это не раз у него получалось (взять, к примеру, того же Абумба-Ба). Но хпоуру не за что было жалеть. Они были чисты как дети.

Падре много думал об этом. Каждую ночь, точнее, в тот страшный предрассветный час, когда, проснувшись, взрослый человек оказывается наедине с самим собой, лишенный драгоценного опыта и защитных примет своей персоны, падре Франсишку де Рибейра плакал, уставившись в плетеную крышу хижины. Тогда вера его казалась ему чем-то вроде огромного айсберга, какой он видел на пути из Португалии в новую землю. Это была великая гора, которая по мере приближения, день ото дня, все таяла и таяла, и когда наконец оказалась совсем рядом, то от нее остался лишь маленький бугорок. Падре было от этого очень грустно. И слезы стекали по вискам за уши и падали на циновку. Я вас не утомил, друзья?

— Нет, нет! Вы прекрасно рассказываете, Боцман! Пожалуйста, продолжайте.

Боцман недоверчиво покосился направо, налево и продолжил:

— Так вот. Падре впал в отчаяние. Однажды с ним случилась истерика, и он порвал свои любимые гранатовые четки. Бусинки рассыпались по циновке, и падре долго подбирал их, елозя по полу на коленях.

Да, падре ползал по полу, собирая бусинки в непривычной позе, и вдруг его осенило. Ведь так часто бывает: чтобы в голову нам пришло что-то оригинальное, надо просто поменять способ притока крови в мозг. М-да. Падре подумал, что Господь недвусмысленно намекает, зачем он направил его именно сюда, в Фуртадо, изъявлять свою волю индейцам хпоуру. Падре понял, что безмятежность и невинность туземцев были всего лишь иллюзией, миражом. И так как только бодрствующий будет допущен к небесным вратам, то падре надо устроить сонным душам хпоуру настоящую проверку.

На следующее же утро падре принялся совращать, искушать, спаивать и ссорить между собой индейцев, чтобы позже, постигнув и осознав свой грех, они смогли покаяться вполне и унаследовать царствие небесное. Надо сказать, он значительно в этом преуспел. Падре угощал туземцев мадейрой и пивом, научил их играть в карты и кости, подворовывал из хижин предметы быта и прятал их в соседских хижинах. И, о чудо! Не прошло и полугода, как в баптистерий стала выстраиваться очередь. Сначала по двое-трое, потом хпоуру стали приходить целыми группками, а через два месяца пришлось ввести предварительную запись на обряд крещения. Радости падре Франсишку не было предела. Через год почти все племя было обращено в истинную веру. Индейцы отказались от своих прежних имен и гордо носили новые, строго в соответствии со святым, в день которого они были крещены. Опьяненный успехом Абумба-Ба всерьез рассчитывал на сан кардинала, но еще выше воспарили амбиции падре. В своих сокровенных фантазиях он оказывался в недалеком будущем и видел прелестный белокаменный город, названный в честь нового святого — Франсишку де Рибейра.

Представив и тут же уверовав в такую будущность, падре решил подтвердить свое право на святость не только практикой, но и теорией. В то время как хпоуру за стенами его хижины шатались пьяными, дрались и выкрикивали ругательства по-португальски и банту (а банту их, разумеется, научил Абумба-Ба), падре как ни в чем не бывало сидел у окошка и писал теологические труды, а также автобиографию. Писал падре много и охотно. Перьев, которые он извел на свои рукописи, хватило бы на обмундирование целого ангельского полка. Окончив пять страниц, падре перечитывал написанное и исправлял самые неясные места, чтобы облегчить труд будущим исследователям своего земного пути.

Но, к сожалению или к счастью, падре не хватило для зачисления в сонм святых самой малости, а именно — умереть насильственной смертью. Падре всего лишь заболел лихорадкой и спустя три дня отдал Господу свою беспокойную душу, крепко сжимая на груди тисовое распятие. Португальцы вполголоса шутили на похоронах, что, оказавшись в райских чертогах, падре и там выведет всех из терпения, засовывая свой бесплотный нос в чужие дела. Вот.

Боцман замолчал. Все переглянулись. Пти-брабансон беспокойно спросил:

— Но при чем же здесь ваши предки, Боцман?

— А вот и при том! Немного терпения! — воскликнул Боцман. — Вскоре на место опочившего в бозе Франсишку был прислан новый падре, мрачный и жестокосердный. Сразу по прибытии он ввел в Фуртадо сухой закон, запретил карты и кости. А так как при нем был свой слуга, малаец Лю-Йон, то Абумба-Ба был отправлен с первым же кораблем в Европу. Хпоуру так полюбился помощник старого падре, которого они прозвали Человек-Ночь, что на прощание они подарили ему амазонского пятнистого кота маргая. Абумба-Ба во время путешествия обучил кота разным штукам, и в Португалии они зарабатывали на хлеб, выступая на улицах. Абумба-Ба умел искусно вырезать из черной бумаги профили людей и петь псалмы, а маргай ему подвывал и забавно кувыркался. Вот. Такая история.

— Но как же, как же, КАК ЖЕ ваши предки попали в Россию? — не унимался пти-брабансон.

— И почему же вы такой… пучеглазый? — поддержала пти-брабансона Грета.

— По поводу того, как мои предки попали в Россию… Никто этого точно не знает. Но прабабушка моей прабабушки говорила, что кто-то ей говорил, что маргаи попали в Россию во время нашествия Наполеона.

— Как интересно!

— Да, весьма интересно. Вспомните, например, знаменитый портрет князя Юсупова. На нем князь изображен в накидке из шкуры… кого бы вы думали, а? — Боцман обвел хитрым взглядом слушателей. — Именно! Из шкуры маргая. Ну а пучеглазый я именно оттого, что глаза у маргаев очень широкие и находятся как бы навыкате. *Voilà!* — по-французски окончил свой рассказ Боцман и опять сделал очень круглые глаза. Все многозначительно закивали головами, хотя установить связь между шкурой мертвого маргая и его же расселением в России было довольно затруднительно.

Было поздно. Лягушки надрывались в канавах. Гукали совы. Таинственно покачивались тополя, и конусы от фонарных столбов выхватывали лиловый мрак с асфальта. Сирень уже давно отцвела, но наша память так возбудилась, что всем явственно чудился ее запах. И все было хорошо, и всем было уютно, и все были друг другу свои. И даже пти-брабансон не чувствовал себя чужим среди нас, потому что никто и ничто не чувствовал себя чужим в эту ночь. И еще нам казалось, что в каждом из нас мы хотя бы на эти несколько часов обрели своего идеального хозяина. Очень не хотелось расходиться.

— Знаете, иногда так бывает, — вдруг сказал я. — Например, ты собрался куда-нибудь в далекое путешествие — в красивый парк или сад или хочешь посмотреть какой-нибудь знаменитый храм. И ты так готовишься к этой поездке, так много надежд возлагаешь на нее, так ее ждешь, что вот эту самую поездку в конце концов запоминаешь гораздо лучше, чем, собственно, ее цель. Я понятно говорю?

— Любимый, я тебя понимаю.

— Я тоже.

— Я не очень, — сказал Людвиг, — но я стараюсь изо всех сил.

— Так вот... у меня так со снами. Это ведь как будто кожура дней. Картофельные ошметки, которыми не наешься. А для меня сны всегда значили не меньше, чем время, когда я не сплю. Ведь когда нам очень голодно, мы спасаемся во сне, потому что можем хотя бы ненадолго забыть о том, что в животе пусто, и мы не слышим, как он урчит.

— Да, точно.

— Мне недавно приснился такой сон. Как будто прошло много-много лет. И вот мы вроде как собираемся и выходим из земли на большой марш. Да. Мы все, гладкошерстые, вислоухие, камышовые, а также ретриверы, корги, разумеется, пти-брабансоны и прочие безродные дворняги. И вот все мы движемся вперед. В лапах у нас путаются хомяки, крысы и свинки. Шныряют хорьки. А над нами кружит домашняя дичь. Мы запрудили проспекты и проулки, мы парализовали движение на МКАДе, Трёшке, Садовом и Бульварном. Вагоны останавливаются на кольцевых и радиальных линиях метро, потому что мы разгрызли почву из своих могил вновь обретенными клыками и когтями. Мы восстали. А люди толпятся на тротуарах и выискивают своих. И потом кто-то наконец узнает *своего*, и с криком подбегает к нему, и прижимает к себе, и обнимает. И этот кто-то делает очень злое лицо, чтобы не расплакаться, но все равно плачет и уже не стесняется этого, потому что перестает думать обо всем, кроме того, что чудо, о котором он мечтал долгие годы, все-таки случилось. И кто-нибудь другой тоже заметит своего. Он подойдет к краю тротуара и, как тогда, много лет назад, присвистнет, пусть и зубов у него уже будет не так много. И его Лорд, или Платон, или Гермиона сразу откликнется одним длинным мяуканьем или одним коротким лаем. И хозяин достанет из-за пазухи ошейник, который он, конечно, приберегал именно на такой случай, который он везде носил с собой и который он никогда, никогда, никогда не смог бы выбросить. И он наденет ошейник и пойдет гулять со своим Лордом, Платоном или Гермионой по только им одним известным маршрутам. Спокойно, как ни в чем не бывало. И вот нас начнут разбирать, как чемоданы с багажной ленты. Люди будут обгонять друг друга, наступать друг другу на ноги, но не будут чувствовать ни боли, ни обиды. И они будут протягивать к нам руки, и все вдруг окончательно поймут, что руки нужны только для того, чтобы кого-нибудь обнимать, чтобы кого-то ими греть. И у нас с людьми будет много-много времени насмотреться друг на друга и все рассказать. И мы будем рассказывать, как мы были, где проводили всё это долгое время. Мы расскажем, как нам было пусто и одиноко друг без друга. Мы будем делиться новостями. А если услышим что-то, что мы и так уже знали, то будем рады услышать про это еще раз. Ведь так уж задумано природой, что если долго к кому-то прижиматься, то у тебя образуется что-то вроде выемки. И она подходит точно так же к тому выступу, что есть у твоего кота или, положим, собаки. И чем больше ты кого-то любишь, тем больше у тебя таких выемок, которые в сервисе не заделаешь и страховкой не покроешь. Вот. Такой сон.

Пти-брабансон в стороне жалобно скулил на луну, совсем так, как он делал, когда выходил из *Château* по ночам. Даже Боцман смотрелся как-то особенно грустно. Грета глядела на меня, приоткрыв пасть, и взгляд ее был полон восхищения и еще чего-то, чему я не знаю названия.

— Да, Савелий. Какая пронзительная история, — сказал Боцман. — Если бы все так и случилось. Если бы. Я не большой любитель человечества. Но все-таки от людей есть какой-то толк. Да, Людвиг, старина?

— Не надо говорить про людей плохо, — сказал пес, вернувшись к нам. Сказал с надрывом и умоляюще посмотрел на Боцмана. — Среди них есть прекрасные особи.

Восток начал розоветь, в тополях проснулась первая дичь, и в пожухлой сентябрьской листве зашуршал какой-то ранний зверь. Возможно, крот. Пришло время возвращаться в *Château*. Мы шли по высокому берегу пруда, и наши черные силуэты выделялись на фоне рассвета. И когда я последним вошел в нашу обитель и обернулся на сад, первый луч уже коснулся купола Никиты Мученика.

Я знал, что мы с Гретой не останемся здесь надолго. Скоро мы уйдем. Эти последние теплые дни осени хотелось прожить с нашими новыми друзьями; испить эти дни, так сказать, до дна. Как бокал вина, которого я никогда не пробовал и вряд ли когда-нибудь попробую. Дальше нам предстоял долгий путь по широкой равнине жизни. А сейчас мы словно выходили из узкого ущелья.

Температура то падала, то вновь поднималась. Иногда за ночь лужи успевали покрыться наледью, а днем воздух опять был теплый. Дети бегали без шапок, и преждевременные варежки на резинках напрасно свисали из их рукавов. Женщина-йог до последнего ходила в сад одетая по-летнему. Потом она все-таки подхватила воспаление легких и пропала недели на три, а вернулась уже с подругой (соседкой по палате в больнице, как мы поняли из их разговоров). Жаль, что для велосипедов был уже не сезон. А так бы они прикатили на велосипеде-тандеме вместе.

Я научил Грету лазать по деревьям. Часами мы сидели на ветках среди красной кленовой листвы, как в шатре, и молчали, не сводя друг с друга трех наших глаз. Потом мы обедали. После — играли. Людвиг приносил нам каштаны и палочки. Мы кричали ему "ату", он убегал и приносил нам их снова. Неиссякаемый Боцман рассказывал истории. Всем обществом мы посещали концерты у эстрады и открытые кинотеатры по выходным. Москвичи теперь нас узнавали, и мы стали чем-то вроде достопримечательности сада имени Николая Баумана. Мы не думали ни о чем лишнем и никогда не говорили о том, как нам хорошо, чтобы нечаянно не спугнуть наше счастье.

Мы с Гретой часто совершали далекие прогулки. Мы пробегали сквозь подворотни, проносились через дворы. А ведь было время, когда эти улицы были узкими тропинками, петляющими между зарослями ольшаника или березы.

Однажды мы проснулись оттого, что из репродукторов гремели какие-то бодрые, духоподъемные песни. Боцмана и Людвига в *Château* не было. Мы вышли в сад и увидели много разного люда, бредущего в одиночестве, парами или усадив детей на шеи. Москвичи и гости столицы несли в руках флажки, мороженое или ничего в руках не несли, а просто глазели по сторонам. Какой-то мальчик под надзором папы кормил Людвига чебуреком, и тот, совершенно окосев от удовольствия, громко их благодарил и обещал, сколько всего хорошего будет, если они заберут его домой. Но они не забрали его домой. Боцман сидел неподалеку и ухмылялся на эту сцену.

Оказалось, это был день города. Мы умылись, облизали друг друга и отправились вниз к Садовому кольцу смотреть автопарад городских служб. Устроившись на балюстраде, мы наблюдали бесконечную процессию троллейбусов, мотоциклов, грузовиков, микроавтобусов и простых легковушек. Синие, красные, зеленые и белые, совсем новые и старинные драндулеты медленно следовали мимо нас правильными колоннами. МОСЛИФТ, МЧС, МОСГАЗ, полиция и даже гидропатруль. Поскольку лодкам проплыть по Садовому кольцу было довольно трудно, их решили поместить на прицепы, а сами работники гидропатруля, обряженные в костюмы водолазов, сидели тут же рядком, и улыбались сквозь маски, и махали толпе руками, и шлепали по борту ластами.

— И ты никогда не любил своих людей?

— Я их любил. То есть, скорее, жалел. Я легко мог обойтись без них. Я был им благодарен. И еще что-то. Но люди так устроены, что излишек своей неуемной энергии им нужно на что-то расходовать. А ведь многие во всю жизнь так и не научаются что-то с ней делать. И вот тогда приходим мы. И часто мне казалось, что я заполняюсь какой-то тягучей жидкостью, такой мутной и желтой, как карамель. Эта штука — их сила, которую им некуда приложить. И если они копят эту силу внутри и ни на что ее не расходуют, то она увядает, становится тяжелой, и от этого они могут заболеть. Мне такой расклад не нравится.

— И тогда ты уходил?

— Почти всегда. Знаешь, что такое копилки?

— Нет.

— Это такие керамические хрюшки, в которые люди складывают всякие монеты, сдачу и мелкие купюры. И когда у них наступает черный день, они эти копилки разбивают без жалости, и по комнате разлетается вся эта мелочь, на которую даже колбасы не купишь. Вот мне иногда казалось, что я превращаюсь в такую копилку. Они в меня всю эту дрянь засовывали и запихивали, чтобы самим от нее избавиться, а потом я не выдерживал и убегал. А ведь многим нашим это нравится!

— Почему?

— Потому что они видели в этом свою судьбу. Быть с хозяином и в болезни, и в здравии.

— Это что-то собачье.

— Возможно. Мне утром Боцман анекдот рассказал: "Собака думает: человек за мной ухаживает, человек меня кормит, заботится обо мне. Наверное, он бог. Кот думает: человек за мной ухаживает, человек меня кормит, заботится обо мне. Наверное, я бог".

— Света никогда обо мне слишком не заботилась. Просто, когда у нее не было идей, какую фотку в инстаграм выложить, она фотографировалась со мной.

— Скоро в город придут холода. Нам нужно где-то провести зиму.

— Есть идеи?

— Да, у меня есть некоторые соображения.

Вечером мы объявили нашим друзьям, что пришло время расставаться. Боцман тяжело вздохнул. Людвиг много раз пропел "Нет!", словно он участник древнегреческого хора.

— Друзья, мне и Грете было с вами очень хорошо, но нам нужно обустраивать нашу молодую семью в другом месте.

— Да, — сказала Грета, — мы успели вас полюбить и привязаться к вам.

— Ну что ж, молодежь! Даст Бог, или кто там у них еще на облаках заседает, не в последний раз видимся! А-ха-ха! — сказал Боцман, и обнюхал нас на прощание, и нежно прижался лбом к нашим лбам, и потерся боком о наши бока, как никогда не делал прежде.

Я знал, что прощаться нужно коротко, поэтому сразу повернулся и увлек Грету за собой. Но потом я все-таки остановился, посмотрел на пруд, на Анатолия Палыча, который скоро сменит удочку на буравчик и будет сидеть долгими зимними днями над лункой, установив раздвижной стульчик на лед. Я посмотрел на эстраду, на тополя и гирлянды лампочек, которые теперь зажигались совсем рано. Я сказал Боцману и Людвигу:

— *Château* остается вам, друзья! Берегите наш дом, убирайтесь в нем каждое воскресенье! Не забывайте нас!

— Прощайте, дорогие!

— Прощайте, друзья!

IX.
ПРИЮТ

Я сразу понял, куда мы отправимся. Да, у меня по этому поводу не было никаких сомнений. Я решил, что должен показать Грете свой первый дом, свою родную улицу, милый Шелапутинский. Как же давно я там не был! Тот единственный раз, когда я проезжал Шелапутинский на велосипеде Аскара, я не брал в расчет. Я был готов ко всему. Я был готов не застать ни сестричек, ни мамочки. Что-то подсказывало мне, что и моей колыбели *Chiquita* я не обнаружу. Как много прошло лет! Тяжелых и ржавых, как старинные пушечные ядра, слипшиеся от времени.

Путь нам предстоял неблизкий: через Гороховский, Токмаков, Елизаветинский переулки, вдоль Яузы, мимо Сыромятнического шлюза. Кругом чернели студеные лужи, во дворах громко делились пустыми новостями собаки. Небо то затягивало наглухо серой пеленой, то вдруг прояснялось, и тогда на какое-то мгновение верилось, что в этом году морозы обойдут наш город стороной. А если не город, то хотя бы наш район. А если не район, то хотя бы наше жилище, каким бы оно ни было этой зимой. Почти все птицы уже покинули Москву. Тут и там мы видели, как какая-нибудь мелюзга, напуганная сигналом машины, выпархивала из крон деревьев и спешно отправлялась на юг.

На набережной Академика Туполева снова обвалился грунт. На месте котлована работали аварийные службы. Москвичей просили не останавливаться и проходить мимо. Мы добрались до Сыромятнического шлюза, послушали шум воды. Катера и лодки гулко постукивали бортами о сваи. На тумбах гарцевали желтоногие чайки, и казалось, что море, которого мы с Гретой никогда не видели, где-то совсем рядом.

Конечно, тетю Мадлен я не встретил. И от этого было грустно. Впрочем, стиральная машина *Ariston* все так же стояла на старом месте. Оставалась надежда, что тетя просто отлучилась куда-нибудь по делам.

Вот и Таможенный мостик. Слева появился Андроников монастырь. Уже совсем рядом. Еще немного. Искрится трамвай № 20. Храм преподобного Сергия. Заветная каланча с неизменной гроздью шариков на шпиле. Я решил пойти в обход, более долгим путем. Сердце сильно стучало, и я все что-то говорил Грете, и она смотрела на меня с таким теплом. А я говорил и говорил. Она слышала это много-много раз, она знала всего меня наизусть, но слушала как будто впервые; она хотела меня слушать, потому что все вокруг, что было таким моим, теперь становилось и ее тоже.

Вместо магазина "АБК" теперь был минимаркет *Cash & Go*. На детской площадке развернули настоящий космодром, и маленькие шелапутинцы осваивали летательные болиды, стыковочные ступени и межгалактические ракеты. Вместо ремонтной мастерской "У дяди Коли" открылась студия индийского танца "Шанти-Шанти". Где-то теперь был дядя Коля? Жив ли? Никакого "запорожца" в брезентовом колпаке я не увидел, на его месте стоял большой черный джип. Множество объявлений о съеме/сдаче на столбах оставляли надежду, что мой старый друг Митя Пляскин все так же бродит по округе, расклеивает листочки и доставляет корреспонденцию николоямцам, шелапутинцам, пестовцам и станиславцам.

Мы подошли к особняку Морозовых. Он все так же, как и много лет назад, был завешен зеленой строительной сеткой. Здание продолжало разрушаться. Нимфы и сатиры на фасаде лишились последних конечностей, лишь кое-где осталась складка туники, часть свирели или выступало чье-то одинокое ухо. Трещины разрослись и углубились. Грачи покинули круглую люкарну на чердаке. У входа в особняк поставили стенд с указанием ремонтного подрядчика и сроков выполнения работы. Судя по числам, ремонт должен был быть закончен еще три года назад.

Свои претензии по этому поводу кто-то оформил в виде нецензурного слова, выведенного курсивом с живописной завитушкой над буковкой Й. Местные жители умели выражать свои требования твердо, но изящно.

Мы обошли роддом слева. Когда выходили из-за угла, я зажмурил глаз и несколько секунд так и простоял, приготовляя себя ко всему. Как я и ожидал, коробки из-под бананов нигде не было. Я вообще не увидел следов кошачьего обихода. Не было ни мамы, ни сестер. Большой тополь, под которым давным-давно похоронили моего брата, теперь не казался мне таким уж большим. Не встретил я и кротов. Нет, ни одного похоронного бригадира я не нашел. Они наверняка смогли бы мне рассказать, что сталось с моими родными. Было пусто и холодно. Но неизвестность раскрепощала мою фантазию. Я мог вообразить что угодно. Вообразить и, как часто бывает, сразу же в это и поверить. Грета шла рядом и ни о чем меня спрашивала. Но она как будто прочитала мои мысли и сказала:

— Мне кажется, с твоей семьей все хорошо.

— Почему ты так думаешь?

— Ну, ведь либо хорошо, либо плохо. Шансов поровну. Так что я думаю, с ними все хорошо.

— Да, но если поровну, то почему ты думаешь, что именно хорошо?

— Потому что мы так устроены. Нам нужно верить в лучшее.

— Да, нужно верить в лучшее.

— Нужно верить в лучшее.

— Когда меня Витя забрал к себе, я каждый день только и думал, что о маме и сестрах. Я часами простаивал у окна, держал лапы на стекле и смотрел сверху во двор. А в тот день, когда я дал деру, мне и в голову не пришло их навестить. Я думал, что они будут всегда, что я в любое время смогу к ним вернуться. И главное, ведь я мог! Но не возвращался. А теперь… никого нет, тишина.

— Все с ними хорошо, вот поверь.

Было уже поздно. Луна нагнетала свое присутствие в вечернем небе. Совы гукали, деревья томно качались, многозначительно молчали ежи в высокой траве. Мы прошли на задворки особняка и оказались в саду. Он уже давно отцвел, но я прекрасно помнил каждый его запах. Я вдыхал аромат бересклета, лапки двудомной и лабазника. Я все помнил. Каждое малейшее впечатление, каждый шорох памяти всплыл буйком на зеленую цветущую заводь. Милые мои. Любимые мои. Где-то вы бродите сейчас? Кто-то вас кормит? Поит? Чешет? Сестрички, мамочка. Сколько всего не сказано, сколько игр не сыграно, сколько вместе не съедено. Я в сотый раз рассказывал Грете о нашей коробке из-под бананов, о нашей колыбели. О стареньком "запорожце", о первых неделях наших жизней, и через нее, через ее взгляд я проживал это время снова. Время, пропущенное через нее, обогащенное ее мыслями, возвращалось ко мне, и я заплакал. Заплакал так, как только мы плачем: когда глаза остаются сухими, но откуда-то из глубины поднимается печальный звук, который нельзя в себе удержать. И тогда ты открываешь пасть и выпускаешь этот стон. Чтобы он улетел высоко и далеко. Выше вороньего карканья, выше гула аэробусов и боингов. И еще выше, сквозь гущу облаков — в ледяной вакуум. И чтобы он застыл там на веки вечные. Да, пусть этот стон из тебя улетает. Пусть уйдет высоко, туда, где места гораздо больше, чем здесь. Никому от этого не станет плохо, а тебе полегчает. Полегчает? Конечно! И не стесняйся ничего. Некого и нечего стесняться. Тут тебя каждый цветок помнит и любит. Никто тебя не осудит. Я — тем более. Теперь у меня есть ты, моя Грета, и мы будем жить здесь, в особняке Морозовых, мы будем жить здесь... Мы будем жить здесь вдвойне, втройне; мы будем жить за всех них. Я буду знать, что мамочка и сестры, тетя Мадлен, где бы они сейчас ни находились, проживут это время с нами вместе. Есть такие воспоминания, они как банковские вклады, их нельзя забрать до положенного срока. Но когда наступает та самая единственная пора, когда что-то блуждающее снаружи совпадает с тем, что как раз назрело внутри (о, никто никогда ни за что не узнает, как это происходит!), — так вот, когда это происходит, ты забираешь назад тот самый вклад с такими дивидендами, с таким невероятным приростом, что в восторге можешь только что тихо плакать над чудом и тайной жизни. А на то, чтобы объяснить все это, уже не остается никаких сил. Да? Как все у нас хорошо. Как все разумно. У меня внутри сейчас как будто что-то расцвело. Что-то, ради чего все на свете и существует. И от этого даже печально. Печально? Да, но это какая-то хорошая печаль.

Мы вошли в темный особняк и поднялись по истоптанным, покрошившимся ступеням. Кое-где сохранились стальные прутья, и, уверен, к торжественному приезду Клементины Черчилль сквозь них был протянут длинный алый ковер. Лестница, закручиваясь спиралью к верхним этажам, сужалась и теряла ступеньки. Дверь на чердак оказалась не заперта. Мы прошли сквозь щель и остановились на пороге обнюхать обстановку.

Чердак был сыр и мрачен. В печных отводах гудел ветер. Мы легли на деревянный пол у круглого окошка. Удивительно: я наконец оказался возле люкарны, на которую раньше смотрел только со стороны. С полу улыбались разбросанные тут и там корки арбуза. Кому и когда пришло в голову устроить здесь пир? Я указал Грете на квартиру Пасечников. В их окнах горел свет. На кухне я увидел маму Лену. Я не мог разглядеть ее черт, понять, насколько она постарела за эти годы. Только странно было видеть ее в халате бабушки. Потом я перевел взгляд на окна соседней комнаты. Там все осталось как прежде. За столом сидел Витюша. Я сразу узнал его узкие, покатые, как винная бутылка, плечи. Его густую шевелюру. Его большие печальные глаза в синем отсвете монитора. Витюша что-то сосредоточенно строчил. Должно быть, какой-нибудь исторический доклад или диссертацию. Потом я посмотрел в окна бабушкиной комнаты. Эта комната сильно изменилась. Другой цвет стен, другие занавески, новая люстра и мебель. Только на подоконнике все так же стояли ее растения. Герань, алоэ и... и... И бильбергия. Да, точно, Грета, бильбергия. Спасибо. Я увидел силуэт незнакомой девушки, и надо же, она бережно раскачивала что-то, чего я не мог рассмотреть, потому что оно было ниже окна. А потом она еще что-то взяла в руку, склонилась и стала трясти этим предметом и, кажется, улыбалась. Да, она делала смешное лицо. Вот так новости. Как много перемен. Я перевел взгляд на четвертый этаж, на квартиру, где жил Денис Алексеевич, тот самый Денис Алексеевич, который познакомил меня с концертом Вивальди *L'amoroso*. Но в его окнах было темно. Правда, когда я пригляделся, мне показалось, что у самой занавески, прижавшись лбом к стеклу, прямо на нас смотрит старик. Да, пожалуй, это и был Денис Алексеевич — вдовец, мизантроп и меломан.

Вдруг блеснула молния. Оконная решетка зловещей тенью окрестила чердак. Милая прижалась ко мне. Пошел сильный дождь. Странно было от мысли, что в самом центре огромного города мы устроились совсем по-дачному. Хотя никто из нас на дачах никог-

да не бывал, мы знали, что там именно так. Внешний
холод как бы уплотнял границы наших тел, чтобы
тепло из нас уходило медленнее. И мы думаем друг о друге еще сильнее, чем обычно.
И прижимаемся друг к другу еще крепче. От этого и чувство наше возрас-
тает. И все, чем мы богаты, наше
небольшое состояние — вот
эти шорохи, шепот

и шелест. Золотой песок на дне горной речки, который нам незачем выуживать из воды и просеивать сквозь сито. Это наша память друг о друге. Память — странная штука. Это мезальянс вечности и нашей временной теплоты. Небольшое, но бесценное богатство. Это трение глаз о звездное небо. Любовь моя. Единственная моя любовь. Ты единственная моя память. И она тянулась ко мне. И потом, когда мы делали это, ко мне словно возвращались все те многие, многие потерянные дни. Я проходил через лес туда, туда, дальше, сквозь ельник, на красный закат. Я шел вперед и вперед, морде было жарко, хвосту холодно. Я был окутан тьмой, которая расступалась, и ветви чернели на огромном солнце. Я прорывался сквозь паутину, шел вперед, на закат, и жмурился и горел. И мне казалось, что во мне ожили тысячи ручьев, во мне поднялись неведомые мне силы, и я передавал все ей, моей милой. И я плакал и кричал от того, что со мной происходило. Я не знал, что такое бывает на свете. Я плыл под рекой. Я уходил глубже, уходил в прошлое, узнавал свое позапрошлое. Потом стало невыносимо. Высота нагромождалась неисчислимыми сферами. Одна на другую, одна на другую. Я изо всех сил сжал мою милую и укусил ухо. И потом... потом я как будто расщепился и пропал.

А утром в окошко ярко светило солнце. Небо прояснилось. Громы и молнии прошедшей ночи уже казались выдумкой и неправдой. Мы умылись и пошли бродить по особняку. Со стен свисала паутина. Вдоль коридоров стояли белые стеклянные шкафы со всякой больничной утварью. В палатах еще сохранились специальные кресла с подставками для ног и даже койки с треуголками подушек в изголовье. В кабинетах, убранные в кожаные чехлы, пылились электроприборы, мониторы и какие-то сложные устройства. Где-то тут когда-то жил художник Белаквин. Но мы нигде не могли отыскать его следов — ни кистей, ни красок. В углу на стене мы увидели начерченный мелом календарь: ровные ряды цифр с двумя звеньевыми выходных, обведенных дважды, стройные когорты перечеркнуты накрест. Может быть, именно здесь в свое время и расположился художник. Тут и там валялись крысиные скелеты. Другие коридоры были в копоти и саже, плитка на стенах потрескалась, и деревянные перекрытия кое-где обрушились. Очевидно, когда-то здесь был пожар. В одной комнате нам попался на глаза старый огромный глобус. Я был уверен, что если знать, на какой тайный остров или королевство нажать, то полушарие раскроется и перед нами предстанут после векового забытья коньяки, виски и благородные вина. В другой каморке мы обнаружили несколько картин в роскошных рамах. На лестничной площадке нам даже встретился настоящий рыцарь в доспехах. На панцире его был выгравирован сюжет: на заднем плане замок, а на переднем шатер. И возле него дама в остроконечном колпаке, и у ног ее играют две девочки и мальчик. А мальчик смотрит прямо на нас. Грета не совладала с собой, запрыгнула на мраморный шар у лестничной излучины, с него на плечо рыцаря и мяукнула прямо в открытое забрало. В ответ из забрала вылетела целая эскадрилья светляков.

Мы еще раз обошли сад и окрестности, но не встретили ни одной знакомой души. Мы решили пожить на чердаке. С едой дела тут обстояли гораздо хуже, чем в саду Баумана, но мы как-то справлялись. То поймаем мышь, то с помойки за магазином подберем просроченную курятину. Не гнушались и насекомыми. На улице их было уже почти не отыскать, зато в самой Морозовской богадельне они водились в избытке: моль, жуки, сороконожки, пауки. Сверчков мы не трогали — их тихие беседы умиротворяли нас. Думая о насекомых, я не мог не отметить, что они совсем нас не боялись, а, наоборот, свободно выходили к нам, как те индейцы из рассказа Боцмана. Скорее всего, мы привнесли в их жизнь некоторое разнообразие, разбили привычный, скучный уклад. В каком-то смысле я взял на себя ту роль, от которой отказался в Елохове. Насекомые любили нас, подчинялись нам и без сожалений, даже радостно, соглашались с участью корма. Мы платили им добром за добро. Например, были не против разместить десяток-другой в своей шерсти промозглыми октябрьскими ночами, а сами, если становилось совсем холодно, кутались в больничные халаты, которые лежали стопкой в углу.

Мы жили в особняке уже несколько дней. Следов прошлой жизни я так и не обнаружил. Ни продавщицы Зины, ни Абдуллоха. Оказалось, объявления на столбах расклеивал уже совсем не Митя Пляскин, а какая-то полная, низенькая женщина с такими вытаращенными глазами, как будто ее кто-то долго, но безуспешно душил. Глафира Егоровна, должно быть, уже давно покинула этот мир и теперь, в полном соответствии со своими ожиданиями, встретилась и с Адамом, и с Петром, и с Ионой, и даже с проглотившим его китом. Всей компанией они рассуждают о том и о сем и вообще весело проводят время или то, что там у них принято вместо времени.

На что я рассчитывал? Что ожидал? Что сквозь все эти годы, сквозь шквальные ветра и ливни, сквозь пламя, испепеляющее все живое за тысячу миль вокруг, мои родные будут иметь шанс остаться там же, где я их покинул? Так не бывает. Так не бывает. Я подумал, что Витюша после моего побега мог взять к себе АБК, или Зину, или даже мамочку. Почему нет? И тогда, может статься, кто-то из них сейчас смотрит на меня сверху, так же, как я много лет назад смотрел на них. Но я так и не заметил ни одной кошки в окнах у Пасечников.

Нет, вместо них на нас сумрачно глядел Денис Алексеевич и приглаживал свои седые волосы. Мы фантазировали его жизнь. Положим, он родился

в семье писателя. Да, писателя. Этот писатель прожил такую долгую жизнь, что его любимый пиджак успел три раза заново войти в моду. Точно. Что еще? Еще? Когда Алеша был гимназистом, он посещал меблированные комнаты на Бронной. Оттуда он вынес нехорошее заболевание, которое доктор посоветовал лечить путем погружения виновника хвори в горячий раствор. А-ха-ха! Смешно! Вот. Алеша скоро выздоровел, но настолько полюбил процедуру, что повторял ее без надобности почти каждую неделю в течение семидесяти семи лет, вплоть до самой своей кончины. Семейное предание гласит, что он умер тихим майским вечером, сидя в кресле напротив окна, окунув свой причиндал в любимую кружку с надписью "Дорогому отцу, деду, прадеду и прапрадеду от отпрысков!" Мне нравится! Да, кстати, в тридцать восьмом его отправили в лагерь. Вот там он умудрился сочинить в голове целый роман. И не только сочинить, но даже перевести его на французский. Вот это память! Да. Ему удалось вернуться живым и почти невредимым. Он помнил роман наизусть много лет (и по-русски, и по-французски). Когда время пришло, он отнес рукопись в редакцию и через год стал знаменит, и ему дали большущую квартиру в большущем доме. Вот как! Да. Тут и Дениска подрос. Он унаследовал литературные амбиции отца. Написал дюжину стихов. Преимущественно верлибром. Но не чурался также амфибрахия, а однажды, проснувшись ночью, прошлепал к секретеру и разом вывалил на бумагу короткую поэму, исполненную простым и душевным ямбом. Сочинил с десяток коротких рассказов. Героями их становились то декабристские жены, то дворянский сын накануне империалистической войны. Но как-то не сложилось у Дениски с литературой. У него вообще ничего ни с чем не сложилось. Он переехал в Шелапутинский, живет на крошечные проценты от продаж отцовских книг и слушает пластинки.

Как бы в подтверждение этого Денис Алексеевич в окне грустно покачал головой.

— Савва, тебе надо было стать писателем!

— О, если бы я умел писать. Я где-то слышал, что писатели очень много едят и часто ходят в туалет.

— Почему?

— Вдохновение ускоряет метаболизм.

— Наверное.

— Вот была бы жизнь. Я бы писал роман, а ты бы лежала на подоконнике и молча гордилась возлюбленным.

— Да, я бы лежала на подоконнике и молча гордилась возлюбленным. Хотя почему молча? Нет, не молча. Я бы кричала об этом в оконную щель, сквозь сетку от насекомых! Я выстукивала бы о батарею "Мой Савва лучший писатель в мире вскл Сейчас же бегите в книжный и покупайте его новую книгу вскл".

— Но тебе для этого придется пойти на курсы телеграфисток.

— Да, мне для этого придется пойти на курсы телеграфисток. Ничего, ты разбогатеешь, дашь мне деньжат, и я пойду на курсы.

— Прекрасная мысль.

Однажды, обследуя подвал особняка, я учуял запах непеталактона. Грета спросила, что это за дивный аромат. Я рассказал ей все, что знал об этом препарате. Грета очень заинтересовалась, и скоро мы набрели на ящик с медикаментами. Среди них я отыскал пузырьки с зубными каплями. Срок их годности давным-давно истек, но оттого эффект был еще более непредсказуем. Я предложил Грете попробовать.

— Это не опасно?

— В малых дозах — нет.

— А ты хороший дозировщик?

— Лучший в округе.

— Только чуть-чуть.

— Совсем немножко. Но, главное, надо думать только о хорошем, тогда станет еще лучше. Следовательно, если думать о плохом, эффект будет обратным.

— Я всегда думаю только о тебе, так что сейчас мы и проверим, какой ты на самом деле.

Я облизал резиновую шляпку и скинул ее когтем. Жидкость разлилась по полу. Она благоухала и искрилась. Судя по терпкому запаху, нам хватило бы всего пары ингаляций, но Грета захотела принять капли внутрь. Она провела по лужице языком. Я сделал то же самое. И покуда препарат не начал свое действие, пока, так сказать, мистерия не разыгралась, мы решили прогуляться вниз по Яузе, к "Иллюзиону".

Погода была сухая и холодная. Деревья стояли голыми. Высокий мостик двоился в реке, машины в пробке недовольно бурчали, предвечерний город звенел и гудел.

— Тебя торкает? — спросил я Грету.

— Нет. Наверное, капли уже утратили свои свойства.

— Ну и ладно. Мне и без них с тобой хорошо.

— Мне тоже с тобой хорошо.

— Слышишь?

— Это флейта?

— Да. Еще кто-то в барабан стучит.

— И совсем рядом.

Музыка нарастала, и вдруг прямо из-под земли перед нами возник странный мужчина в распахнутом красном халате. Он был сильно пьян, и его огромный живот накрывал собою подробность, которую нам совсем не хотелось бы видеть. Он бодро маршировал, высоко поднимая колени. В руках он вертел палку, как заправский тамбурмажор, и раздувал щеки в такт музыке. Следом за ним из-под земли вышел целый отряд солдат в старинных камзолах, треуголках и сапогах с громадными раструбами. Собственно, это были военные музыканты. Кто-то играл на флейте, кто-то выбивал дробь. Странно было, что вместо рук и лиц у них была пустота. Амуниция, мундиры и черные парики были надеты на призраки.

— Вот это да, — воскликнула Грета. — Ай да капли!

Музыканты под предводительством странного капельмейстера промаршировали мимо, а Грета изображала исполненную чувств горожанку. Она махала им лапой и утирала слезу.

— Возвращайтесь, соколики! И что бы там ни было, куда бы война-злодейка вас ни забросила, помните: "Пуля — дура! Штык — молодец!" — напутствовала Грета призрачный полк, в то время как он удалялся за излучину реки. — Мне нравится твой наколопет.

— Непеталактон.

— У меня все внутри как-то ерзает. Хочется снять шкуру, мне кажется, там скрывается совсем другая я.

Все вокруг как будто удвоилось, потом утроилось, а потом и удесятерилось. Мы с Гретой размножились, и покуда хватало глаз, наши двойники уходили вдаль сквозь бесчисленные анфилады, как если бы приставить два зеркала друг к другу. От усов во все стороны исходили лучи. Мы плескались в бирюзовой пыли. Мы как будто вспоминали все, что будет, и мечтали обо всем, что было. На Солянке у чайного дома Расторгуевых мы смотрели, как сердца атлантов внутри их мраморных торсов

переливаются всеми цветами радуги. Потом мы быстро бежали вниз к Ильинке. На здании Северного страхового общества уже зажегся желтый циферблат, но закат был еще далеко. На Биржевой площади мы устроили уличный театр. Я комически приседал перед Гретой, вытягивал носок и трижды касался земли, приглашая ее на котильон. Грета в ответ кокетливо прижимала запястье к морде и взбивала невидимые буфы. Я делал руками жесты, изображая преувеличенную угодливость. Мы играли в каких-то персонажей и умирали со смеху от самих себя. Мы кувыркались по площади и ловили крошечных лисиц, порхающих вокруг на пестрых крыльях бабочки. Китайские туристы снимали нас на камеру. Кто-то крикнул: "Вадь, Вадь, смари, коты сдурели!"

Темнело. Небо орошали всполохи зарниц. Пролетали кометы с пышными хвостами, перешептывались звезды. Люди вытекали из офисов и подземных переходов. Вот они заполняют автобусы и магазины. Рассеиваются по бульварам, проспектам и переулкам. Держат у лица маленькие источники света. Бережно их несут. Подносят к уху и слушают, как морскую раковину. А там тихий, мягкий гул. Гул немоты, гул глухоты и беспамятства…

Я шел по мокрой улице, милая шла рядом. Я смотрел на нее. Мое *ради чего*. По всему телу переливался восторг. Я мог управлять им, посылать от одной части тела к другой, как атлет в цирке, который перекатывает через себя металлический шар, от носа до кончика хвоста через позвоночник от передней левой лапы к правому уху и обратно, от груди к животу. Я касался Греты, и ток передавался ей. Мне казалось, что наша любовь на время стала видима и осязаема. Наш центр был везде, а окружность нигде*.

Весь следующий день мы пролежали обнявшись. Отходняк был чудовищным, и мы пообещали друг другу, что с каплями больше не связываемся.

До первых настоящих холодов мы прожили в особняке. Но сквозняки становились все более жестокими. Снег свободно залетал в наш чердак через незастекленное окошко. С пропитанием дела тоже обстояли неважно. Иногда мы целыми днями ничего не ели. И хотя Грета ни на что не жаловалась, я все яснее понимал, что нам надо искать себе новое жилье. У меня совершенно не было идей, куда мы можем отправиться отсюда. Рассчитывать на стиральную машину тети Мадлен я не мог, да и не хотел. Даже если бы стиралка и была свободна, никаких магазинов вокруг шлюза не было — вопрос еды встал бы еще острее. И потом, смотритель, который

---

*   Через пару недель я заметил в какой-то газете, оставленной на скамейке, наше с Гретой фото. Внизу была подпись: "Танец чокнутых котов набрал в ютьюбе полмиллиарда просмотров".

прикармливал тетю, наверняка успел смениться. Полагаться на внезапное котолюбие нового смотрителя у меня не было никаких оснований. Но и в сад Баумана, и тем более в Елоховское подворье я возвращаться не собирался. Разумеется, о воссоединении с моими киргизскими друзьями я также не думал всерьез.

— Савва, когда я сбежала от Светы, я познакомилась с одной кошкой, у которой была знакомая кошка, у которой был знакомый кот, который жил в таком странном месте…

— Каком месте?

— Не знаю, как это точно называется, но это что-то вроде кафе, где живут коты. Люди туда приходят, едят, пьют и могут с нами общаться, а при желании забрать.

— Ты не боишься, что нас могут разлучить?

— Я им устрою.

— А где, говоришь, это кафе находится?

Это странное заведение находилось, как помнила Грета, где-то на Покровке. Недолго думая, мы простились с роддомом имени Клары Цеткин: все напоследок тщательно обнюхали, безмолвно благословили. Потом присели по обычаю на дорожку и тронулись в путь.

Мы без приключений добрались до Китай-города. Вот она, Покровка, сокровенный нерв столицы. Мы ходили вдоль улицы и искали нужное нам заведение. Мы смотрели в окна квартир: каждая клетка была оплодотворена котом или, на худой конец, собакой. Они молча соглашались с нашим счастьем. Был ноябрь. Смеркалось рано, и уже в первые вечерние часы становилось нестерпимо холодно. Мы обошли всю Маросейку и Покровку туда и обратно два раза, от церкви Вознесения до собора Петра и Павла, от памятника героям Плевны до Садового. Ничего, хотя бы отдаленно напоминающего цель наших поисков, мы не обнаружили.

Наконец мы оказались в сквере у памятника Чернышевскому. Месяц в небе был юн и мусульманист. Мы грелись на канализационном люке и смотрели на Чернышевского. Это был странный памятник. Казалось, скульптор против собственной воли выразил не столько душевные переживания Николая Гавриловича, сколько болезни его тела и физическую немочь. Так, например, мешки под глазами свидетельствовали о плачевном состоянии почек. Одной рукой писатель держался за плечо, как будто туда отдавала боль в сердце, а другой — за колено, словно страдал артритом или подагрой. Наверняка печень его была сильно увеличена и давила на желчный пузырь. И уж точно он мучился гастритом, а поджелудочная требовала немедленного хирургического вмешательства.

— Как же люди любят страдать, — сказала Грета.

— Думаешь?

— Им можно трудиться. Им можно претворять свою мечту в жизнь, а они выдумывают себе кошмары, а потом сами же начинают в них верить и бояться их.

— Да, самое грустное, что кошмары имеют особенность воплощаться в жизнь и пугать до смерти своих же создателей.

Холод становился все сильнее. Реагент застревал в лапах, вытащить его было сложно, он разъедал шерсть и кожу. Нам нужно было срочно найти это кафе, в существование которого я, правда, все меньше верил. Но удача была на нашей стороне. Неподалеку от нас затормозил автобус. Он быстро сожрал толпу на остановке, а взамен оставил долговязого молодого человека с дредами, в военной куртке и с большими пакетами кошачьего корма. Должно быть, этим же кормом был наполнен и походный рюкзак за его плечами. Согнувшись в три погибели, молодой человек прошел мимо нас.

— Грета?

— Да, я тоже об этом подумала.

Мы проследовали за молодым человеком. Идти было совсем недолго. На Покровском бульваре, напротив недавно выстроенного амфитеатра, располагалось кафе "КОТОПОЙНТ". Вывеска была набрана разноцветными пухлыми буквами, причем каждая "О" имела пририсованные кошачьи глазки, уши и усы. Молодой человек позвонил в дверь, ему открыла девушка с ярко-зелеными волосами и кольцом в носу. Сквозь витрину мы увидели целый городок из когтедралок, когтеточек и когтечесок. Это походило на какой-то тренировочный лагерь для кошек. Весь пол был усеян мячиками, палками, мышами и прочими игровыми снарядами на любой вкус. За столами посетители читали книги, играли на планшетах и пили кофе. По телевизору показывали мультфильмы. Туда и сюда бегали дети. Ну и конечно, коты. Я насчитал девятнадцать штук и сообщил об этом Грете (она-то считать не умела). Коты и кошки спали на коленях посетителей, на полках и лежанках, разбросанных по всему кафе. Кто-то играл с детьми. Кто-то ел. Кто-то сидел у витрины и глядел на улицу. В общем, картина была идиллическая.

— Дорогая, кажется, мы достигли цели.

— Кажется, да.

Дальше все произошло само собой. Мы просто сели у двери и стали ждать. Вскоре на улицу вышел покурить охранник Попов. Поповы по мужской линии до того любили драться, что со временем мальчики в роду стали появляться на свет с характерными вмятинами на скулах, а их носы имели сильный крен в сторону: так генетика вносит свои коррективы в соответствии с нашими увлечениями. Нет ничего удивительного, что, оглядев мои раны, Попов проникся ко мне дружеским чувством. Он ушел, а потом вернулся в компании все того же молодого человека, который и привел нас к кафе.

— Вот, Сеня, полюбуйся!

— Только что пришли?

— Да, я покурить вышел, смотрю — стоят двое.

— Второй помоложе будет.

— Ух, покоцанный какой. Как еще выжил.

— Ну, чего, Попов, у нас пополнение.

Нас приняли в "КОТОПОЙНТ".

Главных тут было двое, молодые люди Сеня и Люба. Им было хорошо за тридцать. Перед тем как оказаться здесь, они перебрали множество работ, переменили десятки мест, перепробовали массу всего. От многого отказывались, но чаще соглашались. Теперь они выплыли на поверхность. И им едва хватало воздуха. Они удивленно озирались вокруг, переводя дыхание и не узнавая окрестности. Они, к своему ужасу, обнаружили, что свободного места в мире осталось для них так же мало, как чистой кожи для новых татуировок на их телах. Сеню и Любу приютила Покровка, эта теплая, глубокая лощина. Но надо сказать пару слов о Сене.

Пятнадцать лет назад Сеня начал отращивать дреды. Он курил марихуану, гашиш, употреблял амфетамины. На Болотной площади он собирался с друзьями и до рассвета крутил цепи с огненными чашами на концах. Исправно посещал занятия хатха-йогой в Хохловском переулке, ездил в компании на семинары ламы Оле Нидала. Сеня имел слабость к одежде в стиле "милитари", которую подворовывал в магазине секонд-хенд на Шаболовке, где сам же и работал продавцом. Украденные вещи спрятать довольно трудно, особенно если второй продавец (Люба) по совместительству является твоей сожительницей, а кража происходит на глазах у покупателей и самого хозяина магазина. И уж совсем тяжело утаить ворованное, если оно тут же надевается на себя. Поэтому верх и низ Сениной формы относились к разным, возможно, противоборствующим в свое время армиям. Жизнь Сени складывалась так, как он сам того желал, — в удовольствие.

Но вот как-то летом он отправился с друзьями на дикий крымский курорт Лисья бухта. После неосторожного употребления кислоты он на полтора года забыл свое имя. Кое-как друзья усадили Сеню в плацкартный вагон и отправили в Москву. Дома оказалось, что денег на лечение нет. Главврач районного наркодиспансера посветила фонариком в Сенины зрачки, чиркнула что-то в медкнижку и, стеснив надбровный татуаж, мрачно сообщила родителям: "Так ему и надо, засранцу". Сеня, уводимый под локти прочь из клиники, повторял: "И надо... и надо..." Друзья и родственники скоро оставили попытки убедить Сеню, что он — Сеня, а если кто-то и обращался к нему Арсений, а еще хуже Арсений Викторович, то это еще больше путало несчастного и вызывало на его глазах слезы. Подруга Люба пришла как-то раз к Сене домой с букетом ромашек, села на постель и, поглаживая руку больного, сказала, что она его никогда не забудет. Забывшему самого себя Сене это было совершенно безразлично. Тем более странной и трагичной казалась травма Сени, что, покинув пределы собственного "я", он в то же время не становился кем-то взамен. Он не ассоциировал себя ни с великой исторической личностью, ни с предметом, ни со стихией. Так и прожил долгих семнадцать месяцев в квартире родителей, не помня родства: бритый, грустный, обложенный детскими игрушками, коротая дни за приставкой *SEGA*, спущенной после многолетнего забытья с антресолей.

Но однажды, в новогоднюю ночь, слушая речь президента, на словах "чтобы были здоровы" Сеня вдруг отвел ото рта ложку оливье, обвел присутствующих удивленным взглядом и, привстав, произнес как бы неуверенно: "Сеня... Я — Сеня!" Указывая на себя ложкой, разбрасывая по сторонам горошины и картофелины, с дрожащей от плача челюстью он продолжал: "Я же Сеня! Я! Мамочка, папочка! Я же ваш Сеня!" Мама прижала обе ладони к щекам и замотала головой. Папа вылил всю бутылку мимо рюмки. И даже дядя Миша, который каждый год приезжал на Новый год в Москву из Брянска, проревел что-то в алкоголическом угаре из соседней комнаты. Общую радость подтверждал национальный гимн с видами Кремля из телевизора.

И все вернулось. Марихуана и даб-концерты, семинары с ламой Оле Нидалом, файеры на Болотной. Вернулась и подруга Люба, за время разлуки нажившая ребенка от хозяина секонд-хенда. Сеня оставил магазинчик и, недолго проработав кассиром в индийском ресторане "Джаганнат", что на Кузнецком Мосту, обнаружил себя менеджером в приюте для котов.

Первым делом нас вымыли, накормили и отправили на карантин в дальнюю комнату. Там мы должны были ожидать визита ветеринара. Утром к нам приехал мой старый друг Игорь Валентинович. Он расспросил меня о моих делах и самочувствии. Потом осмотрел нас, провел ватной палочкой тут и там. Ощупал животы и бока. Потрогал клыки. Он нашел у нас легкую форму кальцивироза, в остальном мы были совершенно здоровы. И это было приятным сюрпризом, потому что нас очень давно не прививали, и я не сомневался, что за эти месяцы мы успели собрать целый букет болезней. Еще десять дней мы провели в карантинной комнате. Из развлечений нам были предоставлены мячик и две мыши, в одной из которых я с трепетом в сердце узнал брата-близнеца моего икеевского наперсника Стиллавинью.

Единственное окно комнаты выходило на бульвар. В течение дня погода менялась несколько раз. Утром шел дождь. Днем небо прояснялось. К вечеру начинался снегопад. Это ежедневное трехчастное представление забавляло нас. Кроме того, из окна открывался вид на амфитеатр. Собственно, амфитеатр был устроен у части Китайгородской стены, обнаруженной в ходе раскопок лет десять назад; все это время не могли решить, что с ней сделать: закопать обратно или снести. Но потом пришел новый мэр и привел с собой свою компанию. Говорят, что один из проектировщиков был греком и приходился потомком в шестьдесят седьмом поколении античному драматургу Эсхилу. Движимый родственным чувством, проектировщик предложил смелое решение проблемы, и вскоре посреди бульвара вырос настоящий амфитеатр.

В нашей комнате было тепло и уютно. Еду и воду нам подавали через маленькую дверцу. Вечером заходила уборщица и меняла лоток. Отгороженные от внешнего мира, мы наслаждались собственным обществом. Если бы могли, думаю, мы бы замедлили течение нашей болезни, чтобы как можно дольше оставаться наедине друг с другом. Но мази, таблетки и суспензии знали свое дело. К исходу одиннадцатого дня мы были здоровы.

Утром дверь отворилась, и к нам вошел Сеня с фотоаппаратом на шее. Грета оказалась прирожденной моделью. Она была раскованна и свободна, чего нельзя было сказать обо мне. Я вдруг стал стесняться своих увечий, норовил отвернуться больной стороной морды от камеры. Но у Сени были другие мысли на этот счет. Он был уверен, что мой плачевный вид, наоборот, привлечет особое внимание. В общем, фотографии разместили в интернете и снабдили их пространным описанием наших повадок и характера (как будто Сеня что-то успел о нас понять за эти дни). И, разумеется, нам были одолжены на время новые имена. Меня нарекли Полифемом (тут все понятно). Грету — Одри, в честь какой-то актрисы. Люба говорила, что Грета — вылитая Одри. Не знаю, не могу судить. Не видел ни одного фильма с этой Одри. Наверное, у этой актрисы было определенное сходство с Гретой. Глаза у моей Греты были интенсивного зеленого цвета. Шерсть издалека выглядела совершенно черной, но, присмотревшись, можно было различить каштановый подшерсток. Темный мох и томный мех. Усы были не слишком длинные, и нос (тоже черный) совсем маленький. У Греты не было никаких пятен или отметин, чем она очень гордилась, к слову.

Сеня поначалу думал, что я отец Греты. Когда выяснилось, что оба мы кастрированы, он решил, что мы брат с сестрой, которых выбросили на улицу. Его домыслы о нашем прошлом меня не сильно занимали. Единственное, что меня действительно беспокоило, так это как бы наши будущие хозяева не забрали нас поодиночке. По правде говоря, я вообще не хотел, чтобы нас куда-то забирали. Но если уж дело на то пойдет, пусть берут нас обоих. Сеня и Люба заметили нашу привязанность и представляли нас как пару. Мы оценили их чуткость и деликатность.

Кошачий коллектив в "КОТОПОЙНТЕ" был очень пестрый. Серьезные отношения или дружба здесь не успевали завязаться, потому что подопечних разбирали довольно быстро. Наши разговоры было сродни общению людей в очереди на регистрацию перед рейсом — по возможности вежливо, но коротко, когда каждый больше сосредоточен на себе самом, чем на соседе, и слегка или сильно нервничает в ожидании предстоящего полета. Если одним словом описать царившую в кафе атмосферу, то этим словом было бы "волнение". Даже тот, кто поначалу не сильно-то и хотел обрести дом, спустя время, увлеченный общим суеверным трепетом, замечал, что и сам мечтает о хозяине. Почему-то считалось, что если посетитель будет с зонтом, то наверняка заберут кошку. Если в черном пальто, то кота. Кто-то обратил внимание, что если посетитель налегает на пряники, то сегодня точно никого не заберут. Среди нас был молодой кот, Руфус. Этот Руфус так мечтал о доме, что каждый раз утаскивал упаковку пряников в самый темный угол. По иронии судьбы, самый большой любитель пряников его в конце концов и приютил.

Из долгожителей можно было назвать только персидскую кошку Дусю и беспородного кота Стаса. Но они так привыкли к "КОТОПОЙНТУ", что не только потеряли всякую надежду обрести дом, но даже и перестали этого хотеть. Так ожидание счастья для многих становится гораздо нужнее и важнее самого счастья.

По собственной воле в "КОТОПОЙНТ" попадали как раз те, кто никуда отсюда уходить не хотел (как мы, например). Остальных доставляли либо насильно с улицы, либо пристраивали из квартир, где умер хозяин. Было много отказников. Некоторых котят подбрасывали к порогу. При этом популярность кафе только росла. Перед Сеней стояла трудная задача исправно удерживать количественный баланс между котами розданными и котами поступающими. И нас всегда должно быть много. Как говорил Сеня, "у клиента должно рябить в глазах от котов". То есть план нужно было, с одной стороны, во что бы то ни стало соблюсти, а с другой — не перевыполнить.

Сеня и Люба ввели остроумную систему оплаты. Каждому посетителю при входе вручался будильник. Посетитель мог есть и пить, сколько в него влезет (из напитков были представлены чай, кофе и соки, из еды — печенье, зефир, мармелад и вафли), к его услугам были различные настольные игры. В кафе была собрана внушительная библиотека, и многие посетители, равнодушные к котам, приходили сюда исключительно почитать. Ну и, разумеется, главным развлечением были мы. С нами игрались, возились, нас вычесывали и гладили. На выходе менеджер, он же по совместительству охранник Попов, забирал будильник и взимал плату строго в соответствии с проведенными в кафе минутами. Если посетитель решал забрать домой какого-нибудь кота, то он ничего не платил. Но фактически выдача животного происходила только через неделю. За это время клиент должен был хорошенько обдумать решение. С ним проводилось собеседование, изучались его страницы в социальных сетях. Иногда Сеня и Люба даже приезжали осмотреть будущее жилище подопечного. Они относились к процедуре укотовления со всей ответственностью. Если соискатель выдерживал проверку, с ним заключался договор. И только после этого под вспышки фотокамер кот торжественно вручался хозяину.

Самые хитрые посетители скоро смекнули, как не платить в кафе. Они часами с нами резвились, съедали по две пачки зефира в шоколаде и по пять корзинок с заварным кремом. Они проводили регулярный чемпионат по настольному хоккею, а потом еще и серию плей-офф, а перед уходом сообщали, что им очень приглянулась какая-нибудь Фрося или Жерар. Посетителей отпускали с богом, не взяв ни копейки. Но потом они не отвечали на звонки, а если и отвечали, то сквозь кашель и чиханье признавались, что рады были бы взять кота, но у них, кхе-кхе, видите ли, внезапно открылась аллергия.

Сеня не рассчитывал сбыть нас скоро, ведь я был трудным подопечным. К тому же нас все устраивало в "КОТОПОЙНТЕ", мы не хотели никуда переезжать. Поэтому мы делали вид, что менее ласковы, нежны и сердечны, чем были на самом деле. Мы не просились на руки, не терлись о ноги клиентов, не требовали, чтобы нас чесали или кидали нам мячик. Когда нас брали на колени, мы терпели, могли для приличия поурчать, но, если впереди открывалась размытая перспектива укотовления, немедленно, так сказать, расставляли все точки над i. Пару раз мне пришлось даже укусить непонятливого клиента. Грета до такого не опускалась, но могла и пошипеть, а если надо, и прикрикнуть.

Парадоксальным образом Сеня и сам больше не хотел, чтобы нас забрали. Дело в том, что в интернете был открыт сбор средств в поддержку "КОТОПОЙНТА". Ведь корм, вакцинации и, главное, аренда помещения стоили очень дорого. Так вот, моя фотография собирала больше всего денег. Еженедельно я приносил "КОТОПОЙНТУ" от двадцати до тридцати тысяч. Это была солидная сумма.

Дети со мной редко играли. Для детей не существует причины, для них есть только следствие. Мои увечья они воспринимали как отражение моего естества. Они думали, что природа таким образом как бы вынесла наружу мое содержание, и поэтому считали меня ужасным, злым котом, которого следует избегать. Один раз какой-то трехлетний мальчик меня даже пнул, но тут же получил подзатыльник от матери. Я не злился на него. С его точки зрения, он угождал судьбе, помогая ускорить ее замысел.

Здешние коты нас полюбили. Мы не старались доминировать. Мы не искали повода для драк или ругани. К еде подходили одними из последних и, завидев Любу или Сеню с пакетами корма, никогда не неслись сломя голову, как это делают дворовые или котята. Мы не занимали ничьих лежанок. Мы облюбовали один незанятый угол в витрине, там и стали жить.

Несколько раз посетители сравнивали меня с каким-то Борькой. О том, что своим внешним видом и повадками я похож на кота, которого совсем недавно забрали, я слышал и от людей, и от животных. Я не стал их расспрашивать в подробностях об этом коте. Я уже привык следовать по стопам Момуса. Я знал, что речь идет о нем. И почему-то мне казалось, что и он чувствует, что я нагоняю его, куда бы он ни шел. В этом была закономерность, и это умиротворяло.

Я не думал ни о Момусе, ни о нашем новом окружении. Я не думал о людях. Я думал только о Грете. Она вымела сор из моей многострадальной головы. Она стряхнула эту старую скатерть с засохшими крошками. Стало тихо и спокойно. И я понял, что это и есть моя жизнь. Это и есть мой пункт назначения. На стене зала, где посетители проводили время, висела картина. Ночь, океан. Белая веранда отеля. Вальсирующие пары в изысканных нарядах и снующие между ними официанты. А там, далеко-далеко, у самого горизонта, разворачивается настоящая трагедия. Кромешную тьму разрывают яркие всполохи. Угадывается неслышный на берегу грохот, и рисуются в воображении волны, достающие до луны. А на веранде все тихо. И незнакомые друг другу постояльцы отеля, наблюдая с террасы далекий шторм — раскаты грома, проблески молний, — чувствуют единение и общность, и им хочется вместе выпить, и они хотят рассказать друг другу какие-нибудь истории. Что-то подобное чувствовали и мы. Снежная пора окончательно утвердилась за окном. Это вселяло радость, это дарило бодрость. Этому городу идет снег. Без него он беспомощен и грустен. Белая пелена скрывает недостатки, ретуширует изъяны, сглаживает неровности. Но там было холодно. Там были голод и нужда. Там был страх. Здесь было тепло. Здесь была забота.

После того как дверь за последним гостем закрывалась, а Попов отправлялся домой, Сеня и Люба уходили в дальнюю комнату и раскуривали там трубку. В это время я сочинял для всей нашей компании разные небылицы. Например, про солдата наполеоновской армии, который сгорел во время большого пожара, а потом по ночам являлся перед юными москвичками с котелком и на ломаном русском умолял наполнить его водой, чтобы потушить огонь. Или я придумал Кота Котовича. Это был плут офеня. Он ходил по Маросейке и продавал вяленую рыбу и семечки. Он обсчитывал покупателей, но делал это так остроумно и весело, что никто на него не сердился. Еще был сумасшедший старьевщик Армен Вазгенович. Он держал лавку на Ордынке: торговал древними безделушками, картинами и мебелью. Единственным его другом был старинный светильник в виде бронзового обезьяна. Одной лапой обезьян опирался о посох, а другой держал плафон. Вид у обезьяна был неприветливый и суровый, но именно такой, какой и должен иметь доисторический проводник, торящий тропинку в дремучей чаще неизвестного. Ночью Армен Вазгенович брал своего друга и выходил на улицу. Он шел сквозь стужу, против ветра, тяжело переставляя ноги, закусив зубами лацкан пальто; в вытянутой руке он нес бронзового обезьяна, который в свою очередь нес лампу, тускло освещающую неверный заснеженный путь. Коты слушали меня с раскрытыми ртами и не могли дождаться, когда наступит следующий вечер, чтобы узнать какую-нибудь новую историю.

Часто по ночам Грета вставала поиграть с другими кошками. В том, как безмолвно и деловито она поднималась из корзины и без лишних вопросов и церемоний вступала в игры, была какая-то детскость. Пока она прыгала с полки на полку, лазила по развешанным тут и там канатам, я особенно ясно осознавал нашу разницу в возрасте. Но это меня не смущало. Потом она так же тихо возвращалась. Она укладывала голову и передние лапы на меня, а задние свешивала через плетеный бортик корзины и сразу засыпала. Я следил за тем, как подрагивают ее усы, хвост и лапы во сне. Сквозь прикрытые веки я видел ее зрачки, и тогда могло показаться, что на самом деле она не спит, а дразнит меня. Но она спала.

И ей что-то снилось. И тогда я наполнялся неизъяснимой радостью, что это существо доверилось мне, отдалось моей воле. Что вся она была моей. И то, что ей снилось, тоже было моим. Я рассматривал на протекшем потолке пятна фантастических континентов; представлял, как мы с Гретой путешествуем от одного материка до другого. Потом я засыпал. И знал, что, когда я сплю, она так же рассматривает меня и думает обо мне то же самое.

Котята, как бы в подражание нам, тоже заводили романы. Это веселило и нас, и их самих. Они были похожи на детей, марширующих вослед уходящему полку.

Изучая помещение "КОТОПОЙНТА", мы однажды обнаружили дыру в углу. Через нее мы пробрались в подвал, а оттуда без труда нашли выход на улицу, так что могли совершать ежедневные прогулки на свежем воздухе. И теперь-то мы наверняка обезопасили себя от нежелательного укотовления: в случае чего мы просто могли сбежать на улицу.

Постояльцы "КОТОПОЙНТА", конечно, сразу прознали о наших отлучках. Но они восприняли это как странную блажь. Ведь никто в здравом уме, как им казалось, не мог по собственной воле уходить на мороз. Никто из людей тоже не замечал нашего отсутствия. Гуляли мы только рано утром и не более пятнадцати минут. Мы плюхались в сугробы, сбегали по ступенькам амфитеатра на сцену. Кувыркались в снегу. А коты всей компанией собирались у окна, и наблюдали за нами, и дивились нашей смелости. Потом мы возвращались и сразу ложились к батарее сушить шерсть.

Так проходили наши дни. Наши счастливые дни, легкие дни, на которые можно было бы променять долгие годы.

X.

* * *

А потом… А потом в одно утро Грета сказала, что ей почему-то хочется остаться дома, и я вышел на прогулку один. То же самое повторилось на следующий день. И послезавтра, и послепослезавтра. А потом она все-таки со мной вышла. И когда мы с ней гуляли и я громко рассказывал какую-то историю про Маросейку, она слушала меня, смеялась, а потом вдруг остановилась, посмотрела на меня как-то так, как никогда до этого не смотрела, и сказала:

— Савва, со мной что-то не то.

Мне очень не понравилось, как она это сказала: как-то тихо и грустно.

— Что не то? — Я увидел на асфальте зернышко реагента и почему-то стал его перекатывать.

Она остановила меня:

— Не надо, лапы будут болеть. — И продолжила, чуть помолчав: — Савва, ты, я думаю, неправильно меня понял. У меня что-то внутри не так. Мне кажется, это что-то нехорошее. Совсем нехорошее. Не знаю почему.

Недалеко от нас рабочие водружали каркас будущей елки. Они работали молча. Не произносили ни слова. Передавали штанкеты, крепления, какие-то детали.

— Ты плохо себя чувствуешь?

Она тоже смотрела на елку. Потом посмотрела опять на меня, но уже гораздо пристальнее, серьезнее, и сказала:

— Да. Я думаю, у меня какая-то болезнь.

— А что… Нет, подожди, что у тебя болит?

— Я еще пару недель назад заметила, что дышу как-то странно. Потом… такие боли начались где-то в боку. И еще… я совсем не хочу есть. А последние дни я ем только, чтобы ты ничего странного не заметил, но на самом деле я сразу захожу за угол и выташниваю еду.

Мне показалось, что с пятого этажа прямо передо мной упал рояль.

Я захотел что-то сказать, но осекся. А она была очень серьезна и в то же время как-то совсем проста, и еще она ожидала от меня чего-то, сама не зная чего. Я должен был что-то сказать. Наверное, принять какое-то решение. Надо было что-то делать, с чего-то начать. Меня свела судорога. Но потом я сделал над собой усилие, постарался прогнать страх.

— Слушай, ну ты же понимаешь, что мы все живые, мы можем заболеть. Это вроде как нормально.

Все болеют — все вылечиваются. Уж я-то знаю, про что говорю! — сказал я, и самому стало противно от своих слов. И мой наигранный шутливый тон показался таким неуместным, потому что я подумал, что... — Мы просто дадим знать Сене и Любе. Они тебя свозят к врачу. Все нормально будет!

— Правда?

— Ну конечно! Ты чего?

— Я тебе верю! Даже есть захотелось.

Мы вернулись в "КОТОПОЙНТ", и действительно, Грета хорошо позавтракала и даже поиграла с подругами, а потом еще и повозилась с котятами. Но вечером легла в корзину, свернулась и притихла.

Сене не надо было делать никаких знаков. Он сразу заметил, что с Гретой что-то не то. Перво-на-перво он измерил ей температуру. Ей было это очень неприятно. Это всегда очень неприятно, но делать было нечего. И я не злился на Сеню. Температура была высокая, тридцать девять и восемь.

Утром Грету повезли в клинику.

— Со мной все будет хорошо?

— Ты чего!! Я же тебе сказал! Все будет очень хорошо! Все будет прекрасно! Это же часто у нас бывает между сезонами. Организм ослабевает, ну и начинаются всякие простуды. Вот у меня приятель был, как его, Гарри... Он тоже заболел... когда холода пришли... ну ничего, оклемался! Мы же не пьем витамины, вот зараза всякая и пристает!

— Обними меня.

Я обнял ее, но не слишком крепко, чтобы она не подумала, что я боюсь. А я боялся. Я очень сильно боялся. Внутри у меня вызрела маленькая красная птица. Она летала по всему телу из конца в конец, из угла в угол. И я хотел, но не мог ее выпустить наружу. Я лишился покоя.

Сеня положил Грету в переноску, дверь за ним закрылась, и я слушал, как долго таял звон входного колокольчика.

— Полифем! Ну не кричи так! Ты же мужик, — сказал Попов.

Я мысленно следил за маршрутом Сени. Как они едут по Бульварному кольцу до Арбата. Потом по Кутузовскому, направо, до МКАДа. Со МКАДа снова в черту города. В Строгино. Вот этот небольшой, как будто собранный из конструктора домик с широкой синей полосой. Другие животные в очереди. Тихий ужас в их глазах. Маленькое пари с судьбой. Если перед ней на приеме будет зверь с именем на гласную, то все будет хорошо. Тогда я… Что я тогда? Что я могу предоставить судьбе взамен? Отдать второй глаз? Отрубить себе лапу? Врач Игорь Валентинович. Обследование. Что-то, чего я не могу узнать, покуда они не вернутся.

Как это странно. Поначалу, пока я думал только о ней, мне было легче. Я выходил из своей клетки, в которой не мог находиться. Но как только я оставался наедине с собой, черные, блестящие как нефть мысли начинали меня пожирать. И надо всем этим летала все та же беспокойная птичка с жуткими глазами. Эти глаза были похожи на раскаленные угольки. Это было невыносимо. Это сводило меня с ума.

Все вокруг, даже дети, словно поняли, что ко мне лучше не подходить. Я лежал у окна, уперев лоб в холодное стекло. И я сам себе казался каким-то необязательным химическим соединением. Случайным биологическим сгустком. Сердце билось так сильно. К чему этот бешеный пульс? Кровь быстро набегала волнами. Но я все равно старался не поддаваться. Я не поддавался. Я изо всех сил сдерживал себя. Мысли о себе немного отвлекали, потому что, как только я снова вспоминал о ней, как только начинал думать о том, каково ей сейчас, когда я думал о ее страхе, о ее тоске, мне становилось плохо.

Часа через три снова начался период сделок и контрактов с судьбой. Я опять умолял природу склонить чашу весов в нашу пользу. Я умолял не допустить. Я никогда не был трусом. Откуда во мне появилось это малодушие? Я никогда ничем не обладал. Я был легок и пуст. Я ничем не дорожил. Поэтому я боялся отдачи. Именно поэтому я и боялся больше всего. Именно теперь пришло время платить по счетам. А это были очень дорогие счета. Ведь это были очень дорогие услуги. О, это были услуги высшего класса. И я боялся, я боялся, я боялся, я боялся. Я начал срастаться с этим страхом. Меня как будто привязали к ядовитому дереву, и я больше не мог потреблять обычную пищу, пить простую воду. Это дерево питало меня своим ядом, своей мерзкой отравой, и я медленно, волосок за волоском, ус за усом, становился одним с ним существом. Оно оплело меня своими гнусными влажными ветвями и обещало больше никогда не отпускать.

Не знаю, как я провел все это время до вечера. Эти часы. Я не мог решить, что лучше — ускорять их ход в своей голове или, наоборот, тормозить их изо всех сил. Я не знал, что лучше. Не знал. Я не мог решить. Не хотелось ни есть ни пить. И у меня снова заболел хвост, которого уже давным-давно не было. Но тогда у меня хотя бы оставались силы верить в лучший исход.

Они вернулись около девяти. Сеня уложил Грету в корзину и пошел разговаривать с Любой. Я прыгнул к Грете и сразу все понял. Я собирался с духом, чтобы спросить ее, что и как, но вместо этого лег рядом с ней и стал ее вылизывать. Она начала сама.

— Они сказали, что у меня проблемы с какими-то протоками. В общем, что-то с печенью.

— Что именно?

— Не знаю, что-то на "г". Гипер что-то. Какой-то гепард.

— Гепатит?

— Точно.

— Это… Это ничего! Это неприятно, конечно, но все это лечится.

— Это не худшее.

Красная птичка взмыла вверх, и вниз, и опять вверх. Казалось, она вылетит вон из моего глаза, уха.

— Что еще?

— У меня, оказывается, очень больное сердце.

Скоро был Новый год. Попов и Люба украсили витрину декоративным снежком. Развесили всюду гирлянды. Купили живую елочку, нашли для нее где-то клетку — не столько ради того, чтобы коты не смогли свалить, сколько ради шутки. В эти дни поток посетителей увеличился. Особенно много было детей. Поначалу Грета оставалась в общих залах. Потом Сеня перенес ее прямо в корзине в дальнюю комнату. Я проследовал за нею. Дверь не запиралась. Мы могли возвращаться в залы к клиентам, если хотим. Но мы не хотели. По инерции Грета еще могла прыгнуть за мышью, подвешенной на веревочке за косяк, или покатать мятный шарик. Но делала она это вяло, без охоты, как будто больше для меня, чем по собственному желанию. Она скоро уставала и ложилась в корзину.

Я бодрился как мог. Бегал вокруг. Выдумывал особенно смешные истории. Воровал их из собственного воображения и присваивал своей же биографии. И, как это всегда со мной бывало, я уже и сам не понимал, что было на самом деле, а что я придумал. И Грета делала вид, что моя энергия и уверенность передаются ей. Но и я, и она знали, что это на самом деле не так.

Как-то в "КОТОПОЙНТ" зашла наша знакомая женщина-йог из сада Баумана, а вскоре за ней пенсионеры-близнецы Светлана Витальевна и Виталий Витальевич, о чьем существовании я, честно говоря, уже успел подзабыть. Это было странно. Еще страннее был то, что потом нагрянул полковник Чернодон с беременной дочерью. Потом в кафе заглянула моя начальница из Третьяковской галереи. И я уже совсем не удивился, когда в кафе наведался отец Поликарп. В одной посетительнице я узнал свою бывшую хозяйку Галю с Полянки (она выбирала себе котенка, чтобы забрать его домой). И когда в дверях возник Митя Пляскин, я только и сделал, что улыбнулся. Он стал заходить к нам каждый день, чтобы поиграть в настольный хоккей. Был Витюша со своей женой. И был угрюмый мужчина с длинными седыми волосами и складным мольбертом через плечо. Мне показалось, что я его хорошо знаю. А еще был тот рыжий актер, которому мы с Аскаром как-то завозили в театр еду.

В другие дни, повторяю, это могло бы меня удивить, но сейчас мне было не до того. К тому же, когда мы с Гретой молча глядели в окно и видели вокруг белый тихий пейзаж, нам казалось, что весь огромный мир обрушился и остался только этот маленький пятачок земли на Покровском бульваре. И все тут собрались, а за краем уже больше ничего не осталось. Все исчезло. Возможно, так оно и было. Так оно и было.

Болезнь подчеркнула ее породу, которая до этого была как-то не столь очевидна: на мордочке проступили неясные черты абиссинца, стан выявил предков по британской линии, а обмякший хвост вдруг указал на дальнюю родню из Сибири. Но и со стороны произошла какая-то перемена. Никто никак не выказывал своей брезгливости или опасения, что болезнь заразная. Наоборот, все как могли поддерживали, говорили ей и мне нужные, подходящие слова. Тем, кто не мог их найти, хватало ума просто промолчать. Но за всем этим я видел что-то совсем другое. Мир больше не принимал ее. Мир отказывался от нее, дал ей черный камень. Мир хотел соскоблить ее, как грязное пятно на стекле. Потому что она стала чужой. И это было самое ужасное. Это было оскорбительно. Это было унизительно. И она почувствовала это сразу. Она почувствовала это и согласилась с этим. Потому что таков ход вещей.

В течение недели Грету возили в Строгино еще три раза. В среду к нам наведался еще какой-то ветеринар, из чего я мог сделать вывод, что дела плохи. Для этого мне не нужно было заглядывать в заключение врача или пялиться в монитор Сениного ноутбука. Я и сам все понимал. Грета ела меньше день ото дня. Теряла в весе. И в глазах появилось что-то... что-то очень плохое. Какое-то равнодушие, смирение. Она смотрела на меня, касалась меня, гладила меня и облизывала. Но она смотрела куда-то в другую местность. Она уже видела что-то, чего я не мог увидеть. И я только мог выть, когда на десять минут выходил на улицу каждое утро. Потому что я начал сходить с ума от бессилия и несправедливости.

Нет, я все-таки посмотрел как-то на лист бумаги, оставленный на столе врачом. Там было много цифр, запятых и нулей. Какие-то цифры были обведены красным маркером. Где-то стояло по два или даже три восклицательных знака. На другом листе был снимок рентгена. Вот он.

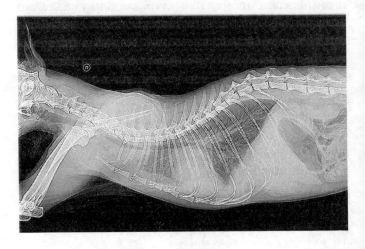

Мне не надо было это видеть. Это никому не надо видеть. Это было неестественно и, не знаю, порочно, что ли. Я ничего не понял из этой фотографии, кроме того, что моя Грета обречена.

Как-то ко мне подошел кот Стас (тот, что жил тут дольше всех). Он без сантиментов и подбадриваний, тихо и твердо спросил, чем она больна и что говорят врачи. Сначала я ответил, что все в целом в порядке, что все хорошо. Так, легкое недомогание. Но потом меня понесло, и я начал выкладывать все, что сам знаю. И когда я стал произносить вслух все эти вирусы, цифры, симптомы, когда стал перечислять как на духу препараты и прописанные процедуры, когда стал говорить все как есть, не скрывая ничего в первую очередь от самого себя, то не смог закончить, прервавшись на половине. В горле у меня вырос ком, и он не давал пройти словам. Стас прикоснулся ко мне щекой и прошептал: "Будь что будет".

И как же мне тоже хотелось заболеть! Чтобы идти рядом с ней, куда бы нас эта дорога ни привела. Вместе с ней. Вместе с ней, наверстывая все быстрее и быстрее пройденный ею путь страха и боли. В мыслях я уже давно допускал, что это произойдет. Но дальше она, мысль, не шла. В голове не складывалось: как же я буду завтра на подоконнике без нее? Куда испарится воздух, предназначенный только ей одной? Кто сможет съесть еду, предназначенную ей одной? Выпить воду, предназначенную ей одной? И мне снова становилось стыдно, что я страдаю и боюсь этих страданий, потому что все это опять обо мне, обо мне, все обо мне, а не о ней. И я видел ее глаза. Сбоку. И это было невыносимо, потому что я не мог поверить, что эта красота обречена. Эти глаза. Изумрудные глаза. Самое прекрасное, что я видел в жизни.

А потом пришла пятница. Было тихое, белое утро. И она протянула ко мне лапу. И я понял, что это в самый последний раз. Я собрал все мужество, какое только мог в себе отыскать. Возможно, Бог дал мне его на время, в аванс. Но я набрался этого мужества и снова посмотрел в ее глаза. В ее тихие глаза. Она молчала, и в этом молчании я слышал, как она говорила, что все очень хорошо. Что так должно быть. Что это хорошо. Что все хорошо. И мне захотелось, чтобы у меня не было того, что сейчас все это видит и думает. И я ненавидел то, что дает мне силы все это видеть и думать. Я знал, что во всем мире нет того уголка, где есть покой. Даже когда она была далеко, я знал, что наши линии тянутся рядом, вместе огибают рытвины и бугры на карте нашей судьбы. А теперь? Что теперь? Тебе никто не обещал пробуждения в судный день. Никто не назовет твоего имени. Ты так и будешь послушно следовать вращению земли, так неглубоко в нее зарытая. Навсегда. В какой же пар обратится наша нежность? В какую породу отложится наша любовь? Сбережется ли она? Вспомнишь ли ты меня, милая? Узнаешь ли ты меня? Если бы ты оставила мне во сне какую-нибудь весточку. Если бы ты шепнула, где мне тебя отыскать. Я бы сделал все. Я бы нашел вход в ту пещеру. Я бы нашел тебя, обнял тебя. Я бы все тебе рассказал, что по глупости берег зачем-то на потом. Потом, потом, которого нет. Ничего. Ни единого писка из-за стены. Густой душный мрак. И то сказать, у этой черной дуры аппетит получше, чем у тебя, любимая. Жрет все, что плохо лежит. Кого бы мы могли полюбить? Кого? В радиусе триллиона световых лет нам просто некого было полюбить. Никого не было. Только мы с тобой и были. И произошло то единственное, что и могло произойти. Может быть, так и становятся привидениями? Когда уходят не вовремя, раньше положенного срока, и та неизрасходованная сила жизни не способна отыскать своего адресата и воплощается в таких вот духов. Может быть, так? Где же мне тебя теперь искать, милая? Где же мне тебя теперь искать? Ничего взамен. Никого взамен. Чернота. Брести в этой чаще среди тысяч эхо. И никогда не узнать источник звука. Никогда не прийти на порог. Всегда кружить где-то около. Каждый день переходя из клетки в клетку. Ожидая побега. Напрасно. Если представить себе всю эту катавасию, если попробовать вдуматься. Ухо Его увяло, выслушивая очередную скучную исповедь. Слишком много рассказов для одного маленького мирка. Слишком много. Он устал записывать. Имена смешались. Он путает нас. Меня. Он устал от наших историй. Его тошнит от наших историй. Потому что я понял, что мир больше не вмещает всех историй, но я не могу ее не рассказать. Я должен договорить. Эта земля — карлик, больной водянкой. Чем отвечают эти улицы? Высокомерным молчанием. Высокомерным, тяжким молчанием. Но это лучше, чем ничего. Гораздо лучше, чем ничего. Но я должен договорить до конца. Прощай, мое сокровище.

Вечером Сеня вернулся из Строгино. Я узнал, что она осталась там одна. В стационаре. В клетке. У всех на виду. Я представил, что на клетку поместили бирку с именем. И это было не ее имя, чужое имя. Потом прошла ночь. Утром Сеня взял меня, убрал за пазуху и вышел на улицу. Мы сели на скамейку в сквере. Сеня расстегнул молнию куртки, я высунул голову. Прошел трамвай. За ним второй. Было холодно и тихо. Мы сидели так долго-долго, часа три или четыре. Потом подул ветерок, и деревья как будто вздохнули. И тогда я понял, что всё.

Через несколько дней я покинул "КОТО-ПОЙНТ". Не помню, как я оказался на Яузе. Я шел и шел. Уж это я научился делать как надо. Я умел ходить лучше всех на этой планете. В этом мне не было равных. Между деревьями я заметил трех котят. За ними стояла коробка из-под апельсинов *Maroc*. Они испуганно на меня смотрели. Я остановился. Они попятились. Я вселял в них страх своим видом.

— Как вы, дети?

Они молчали.

— Вы не голодны?

Они продолжали молчать. Наконец один из них, рыжий мальчик, сказал:

— Нет, мы только что поели. — Подумал и добавил: — Спасибо.

— А где ваша мама?

— Она скоро вернется.

Снег падал. Я молча смотрел на них. На их маленькие глазки, голубые и зеленые. Это был их первый снег. Сейчас им было весело. Я, должно быть, прервал их игру.

— У вас все хорошо?

Они переглянулись. Ответила девочка, черная с белой шейкой.

— Да, но Степа ушиб заднюю лапу.

— Ничего, лапа скоро пройдет, — сказал я, пытаясь угадать, кто из мальчиков Степа.

Я продолжал смотреть на них. Они так смешно удивлялись, так забавно недоумевали, зачем я их спрашиваю и что я тут делаю.

— Вы прекрасные малыши.

Я пошел дальше, к Сыромятническому шлюзу. В окошке смотрителя горел свет. На выступах, тумбах и цепочках, которые их соединяли, лежал снег и лед. Над водой стоял легкий туман. Проезжали машины. Грязные быстрые машины.

Я подошел к парапету. Водопад так сильно шумел, что я даже не слышал рева моторов. Все пото-

нуло в этом шуме. Слева через дорогу я заметил
людей. Мама, папа и дочка лет девяти. Папа с усами.
Мама в очках. Дочка в шапке с ушками. Они смотрят
на меня, я смотрю на реку. Я смотрю туда, где поток воды падает вниз. Стаканчики, бутылки, листья,
проездные билеты, окурки. Пена взбивает их и кру-
тит на месте. Девочка идет ко мне, за ней следует

мама. Отец остается на месте, но тоже продолжает смотреть в мою сторону. Дочка с мамой останавливаются у перехода и ждут зеленого сигнала светофора. Переходят дорогу. Ускоряют шаг. Девочка с мамой подходят ко мне. Девочка протягивает руки. Тогда я поворачиваюсь и в несколько прыжков оказываюсь на проезжей части. Первый автобус увильнулся от меня. Вторая машина тоже. А вот грузовику уже некуда было деться.

* * *

— И что бы ты тогда им сказал?
— Я? Что бы я им сказал?
— Да.
— Не знаю, надо подумать.
— Подумай, ты же у меня такой умный.
— Я бы сказал: привет! Давно не виделись!
— И все?
— Не знаю. Пожалуй, и все.
— Ну, хорошо. Тогда теперь обними меня.
— Так?
— Да, вот так. Пора спать.
— Да, уже поздно. Пора спать.

МОСКВА, ЯНВАРЬ 2018

Литературно-художественное издание

Григорий Служитель

ДНИ САВЕЛИЯ

роман

16+

Главный редактор Елена Шубина
Литературный редактор Галина Беляева
Иллюстрации Александры Николаенко
Художественное оформление Андрея Бондаренко
Ведущий редактор Анна Колесникова
Младший редактор Вероника Дмитриева
Корректоры Ольга Грецова, Надежда Власенко
Компьютерная верстка Елены Илюшиной

Подписано в печать 07.09.2018. Формат 84х108/32.
Печать офсетная. Усл. печ. л. 20,16
Доп. тираж 2000 экз. Заказ 8973.
Произведено в Российской Федерации

 http://facebook.com/shubinabooks

 http://vk.com/shubinabooks

Отпечатано с готовых файлов заказчика
в АО «Первая Образцовая типография»,
филиал «УЛЬЯНОВСКИЙ ДОМ ПЕЧАТИ»
432980, г. Ульяновск, ул. Гончарова, 14

ООО «Издательство АСТ»
129085, Российская Федерация, г. Москва,
Звёздный бульвар, дом 21, строение 1, комната 705, пом. I, 7 этаж.
Наш электронный адрес: **www.ast.ru**
E-mail: **astpub@aha.ru**

«Баспа Аста» деген ООО
129085, Мәскеу қ., Звёздный бульвары, 21-үй, 1-құрылыс, 705-бөлме, I жай, 7-қабат.
Біздің электрондық мекенжайымыз: www.ast.ru
E-mail: astpub@aha.ru

Интернет-магазин: www.book24.kz
Интернет-дүкен: www.book24.kz
Импортёр в Республику Казахстан ТОО «РДЦ-Алматы».
Қазақстан Республикасындағы импорттаушы «РДЦ-Алматы» ЖШС.
Дистрибьютор и представитель по приему претензий на продукцию в Республике Казахстан:
ТОО «РДЦ-Алматы»

Қазақстан Республикасында дистрибьютор
және өнім бойынша арыз-талаптарды қабылдаушының
өкілі «РДЦ-Алматы» ЖШС, Алматы қ., Домбровский көш., 3«а», литер Б, офис 1.
Тел.: 8(727) 2 51 59 89,90,91,92
Факс: 8 (727) 251 58 12, вн. 107; E-mail: RDC-Almaty@eksmo.kz
Өнімнің жарамдылық мерзімі шектелмеген.

Өндірген мемлекет: Ресей
Сертификация қарастырылмаған